Vinka
princesse barbare

Illustration de couverture :
Alexis Lemoine

Claude Merle

Vinka
princesse barbare

BAYARD JEUNESSE

Ouvrage publié originellement
par Bayard Éditions Jeunesse sous les titres :
La révolte des barbares, © 2002 ;
La déesse de la guerre, © 2003 ;
Le sang de Rome, © 2003.

© Bayard Éditions Jeunesse, 2009 pour la présente édition
18, rue Barbès, 92128 Montrouge
ISBN : 978-2-7470-2538-6
Dépôt légal : février 2009

Loi 49-956 du 16 juillet 1949 sur les publications destinées à la jeunesse.
Reproduction, même partielle, interdite

Première partie

La fureur des Francs

Chapitre 1

Les voleurs d'enfants

Du haut des remparts, Vinka contemplait Rome. Le spectacle était grandiose. En 285 après Jésus Christ, la capitale de l'Empire romain était à son apogée. L'immense muraille, construite quelques années auparavant par l'empereur Aurélien, longue de dix-neuf kilomètres, entourait des milliers de monuments : temples, palais, théâtres, thermes, arcs de triomphe et amphithéâtres. L'or brillait à profusion sur les toits et les façades ; les jardins du Palatin et de l'Esquilin bruissaient sous un souffle divin. Cependant ces merveilles étaient noyées dans le flot des quartiers sombres, boueux, puants et hurlants, où s'entassaient plus d'un million d'individus.

Vinka plissa le nez. Elle admirait Rome, mais détestait les Romains, qui se croyaient les maîtres du monde, alors que la plupart d'entre eux vivaient comme des brigands.

– Hé, toi, là-bas ! cria une voix.

Un soldat venait de surgir d'une des tours carrées qui flanquaient l'enceinte. Il portait un casque, une cuirasse d'écailles de fer et un glaive. Vinka lui jeta un regard indifférent et reprit sa contemplation. Le soldat pointa son glaive :

– Fiche-moi le camp !

La jeune insolente qu'il venait d'apercevoir, tranquillement assise au sommet du mur, avait une quinzaine d'années. Elle était belle, avec un visage aux traits purs et une lourde tresse blonde. Mais elle était vêtue à la mode barbare.

Au lieu d'obéir au soldat, elle s'étira comme une chatte au soleil.

– C'est une raclée que tu cherches ? rugit le garde d'un air menaçant.

Vinka se retourna avec nonchalance et plongea son regard au fond du sien. Elle avait des yeux fascinants, d'un bleu foncé qui rappelait la mer, mais elle empestait le beurre rance dont elle avait enduit ses cheveux, à la mode franque. Le soldat fit la grimace.

– Je suis la pupille du préfet Valens, dit-elle d'une voix dont la douceur contenait une menace.

Valens était l'un des citoyens les plus riches et les plus puissants de Rome. Le garde partit d'un gros rire :

– Tu ne serais pas plutôt son esclave ?

Vinka montra aussitôt les griffes :

– C'est toi, l'esclave, grosse vache !

Furieux, le soldat se jeta sur elle. Mais, au moment où il croyait la saisir, elle se déroba d'un geste souple, et, emporté par son élan, il faillit basculer au-dessus du parapet. Attirés par ses cris, d'autres gardes accoururent. Vinka se précipita vers la tour la plus proche et dévala l'escalier. En chemin, elle croisa une patrouille qui montait.

– Un médecin, vite ! cria-t-elle en simulant l'affolement. Un homme est tombé de la tour !

Pris au dépourvu, les soldats la laissèrent passer ; lorsqu'ils réalisèrent la supercherie, la jeune Barbare était déjà loin.

11

Vinka courut à travers un dédale de rues obscures et surpeuplées jusqu'au Temple du Soleil. Là, sur un minuscule forum, un jeune garçon l'attendait, assis au bord d'une fontaine. Il avait douze ans et se nommait Thierry.

Vinka avait quatre frères. Thierry, le plus jeune, était son préféré. L'enfant était muet; loin de le handicaper, cette infirmité avait développé son intelligence. En outre, les dieux semblaient l'avoir doté de pouvoirs surnaturels: il savait prédire l'avenir, pressentir le danger et, quelquefois, lire dans les pensées.

Par signes, Thierry demanda à sa sœur si elle avait vu arriver l'armée romaine du haut des remparts. Depuis plusieurs semaines, on ne parlait plus que de cette légion envoyée de Germanie par l'empereur Maximien, avec du butin et des esclaves. Son père et ses trois frères aînés servaient dans cette armée. Sachant qu'il allait peut-être les revoir, après des années d'absence, le jeune garçon ne dormait plus.

Pour le taquiner, Vinka fit semblant de ne pas comprendre ses mimiques. Le jeune garçon se mit en colère, puis, devinant qu'elle se moquait de lui, il se mit à l'arroser avec l'eau de la fontaine. Vinka s'esquiva en riant, et ce fut une matrone, venue puiser de l'eau, qui reçut la giclée à sa place. La commère, trempée, hurla des injures, tandis que Thierry, tout en s'excusant avec mille courbettes, continuait à l'arroser avec une maladresse feinte.

Les cris de la matrone attirèrent son époux, un boucher dont l'échoppe était proche du temple. L'homme était énorme et armé d'un gourdin. L'affaire aurait pu mal tourner, si Vinka n'avait pas bondi entre le boucher et son frère avec une férocité stupéfiante :

13

— Gare, si tu le touches !

— Tu en veux, toi aussi ?

D'une main, le boucher attrapa le bras de la jeune Barbare ; de l'autre, il brandit son bâton. Avant d'avoir pu frapper, il encaissa un coup de tête sur le nez, suivi d'un coup de poing à la gorge qui lui coupa la respiration.

Voyant son époux étranglé, la matrone ameuta les voisins. Les commerçants et leurs esclaves se ruèrent de tous côtés sur Vinka. Celle-ci saisit la main de son frère et s'enfuit. Ils traversèrent en courant le Champ de Mars, occupé par le marché aux porcs, semant la panique parmi les bêtes et les marchands. Quelques instants plus tard, ils s'arrêtèrent, à bout de souffle, dans une rue sombre et sinistre, entre deux rangées de maisons délabrées. Des chiens errants fouillaient le sol au milieu des immondices.

Thierry riait en silence de leur aventure lorsque, soudain, il reprit son sérieux.

– Alors, cette armée? demanda-t-il par gestes.

– Il n'y a pas d'armée.

Il haussa les épaules.

– Je t'assure, dit Vinka. C'est une fausse nouvelle qui a été répandue pour rassurer les Romains.

– Qui t'a dit ça? mima Thierry.

– Licinius, le tribun. Maximien n'est pas victorieux, comme il le prétend. Ses légions ont été décimées par les rebelles francs et alamans.

Le regard de Thierry devint pensif; Vinka devina sa déception. Puisque les légions du Rhin ne viendraient pas, ils ne reverraient pas leur père. En prétendant être la pupille de Valens, la jeune Barbare n'avait pas menti: son père, Richemer, roi des Francs, s'était rallié à l'Empire romain avec son armée. C'était un prince loyal et un guerrier redoutable; ses victoires sur les envahisseurs germaniques, en particulier contre les Francs, lui avaient valu la reconnaissance de l'empereur Probus, prédécesseur de Maximien, et l'amitié du préfet des Gaules, Valens, dont il avait sauvé la vie au cours d'un combat.

En récompense, Valens avait incorporé les trois fils aînés de Richemer dans la légion Germanicus avec le rang de centurion. Et il avait envoyé à Rome Vinka et Thierry afin de leur permettre de devenir un jour des citoyens romains accomplis.

Le généreux projet de Valens avait échoué : si, en quatre ans, Vinka et Thierry avaient appris le latin et le grec, l'histoire, la poésie et la musique, ils se sentaient surveillés et méprisés dans la somptueuse maison du préfet. Ils rêvaient l'un et l'autre de retourner au pays des Francs et de revoir leur père.

15

Perdus dans leurs pensées, la jeune Franque et son frère n'avaient pas remarqué les six ombres qui venaient de se glisser dans la ruelle. Soudain, un coup de sifflet retentit. Vinka vit des individus s'avancer vers eux. Thierry leva la tête avec un air affolé. Cette fois, il n'avait pas senti venir le danger.

Vinka crut d'abord que le boucher et ses amis avaient retrouvé leurs traces. Elle se prépara au combat. Puis elle s'aperçut qu'elle avait affaire à des adversaires beaucoup plus redoutables : ils appartenaient au Clan de Sagana, une bande de voleurs d'enfants et de jeunes filles, qui sévissait en plein cœur de Rome.

Les brigands se précipitèrent sur eux, et, malgré la résistance acharnée de la jeune Barbare, ils les enfermèrent dans des sacs et les emportèrent.

Chapitre 2

Portrait d'un cochon

—La fille est belle, on en tirera un bon prix, se réjouit l'un des brigands.

– Le gamin est chétif, dit un autre, mais c'est un malin. Je l'ai vu à l'œuvre. Il a des pouvoirs. On pourra le dresser. Un infirme, ça rapporte !

Le sac qui emprisonnait Vinka empestait le poisson. Ulcérée d'être traitée comme un vulgaire gibier, la jeune Barbare se mit à hurler. Celui qui la portait la jeta sur le sol et la bourra de coups de pied.

– Tais-toi ou je t'assomme !

– Tu aurais dû le faire plus tôt, fit remarquer l'un de ses acolytes.

– Tu connais le boiteux : il ne veut pas qu'on abîme la marchandise, grogna la brute.

Sans se décourager, Vinka hurla de plus belle.

– Fais-la taire, ou je la tue !

Vinka se recroquevilla, sans pour autant cesser de crier. Du fond de son sac, elle perçut des bruits confus, des jurons, des chocs métalliques. Soudain, la pointe d'un couteau perça le sac et lui piqua l'épaule.

« Ils vont m'égorger ! » pensa-t-elle.

La lame fendit la toile. Dès que la fente fut assez large, Vinka jaillit, prête à défendre sa vie. Son élan se brisa net : deux de ses ravisseurs gisaient à terre, sanglants ; les autres avaient disparu. Plusieurs soldats des cohortes urbaines occupaient la rue.

– Vinka, est-ce que c'est toi ? s'écria une voix familière.

La jeune fille découvrit son ami Licinius, un homme d'une vingtaine d'années, tribun de l'armée romaine. À la beauté et à une carrure athlétique, il joignait une réputation de grand courage, acquise au combat. Fils d'un sénateur, il avait ses entrées chez Valens. C'est là que Vinka avait fait sa connaissance, un an auparavant. Depuis, il était venu lui rendre visite à plusieurs reprises ; et parfois, même, elle allait chez lui. Elle le soupçonnait d'être amoureux d'elle ; cette passion la flattait, et elle ne pouvait s'empêcher de penser : « Dommage qu'il soit romain ! »

– Où est Thierry ? s'inquiéta la jeune Barbare.

– Il n'a rien, la rassura Licinius. Vous l'avez échappé belle, tous les deux : ces brigands auraient pu vous tuer. C'est ce qu'ils font à leurs prisonniers, quand ils sont menacés. Plus de traces ! Ces satanés Sagana sont de plus en plus audacieux : autrefois, ils opéraient de nuit ; maintenant, ils agissent en plein jour ! Plusieurs centaines d'enfants disparaissent chaque année à cause d'eux. Que faisiez-vous dans ce quartier dangereux ?

Soudain, il examina Vinka et s'exclama :

– Pourquoi es-tu affublée ainsi ? Et cette odeur de beurre rance...

La jeune fille se mordit les lèvres. Licinius l'avait toujours connue vêtue à la mode romaine, en longue robe blanche, ou en tunique légère et en manteau. C'était la première fois qu'il la voyait porter la jupe courte et la blouse des femmes franques.

« Si ça ne lui plaît pas, tant pis ! se dit-elle. Désormais, je ne m'habillerai plus autrement. »

19

Licinius dut sentir qu'il avait commis une maladresse, car il ne fit plus aucune allusion à ses
vêtements, ni à l'odeur de sa chevelure. Il escorta
ses amis jusqu'à la demeure de Valens, proche
des remparts, au nord de la cité.

Vu de la rue, le palais ressemblait à une forteresse, avec un haut mur aveugle percé d'une
porte unique. Toutes ses pièces s'ouvraient sur
un immense jardin intérieur, orné d'arbres majestueux, de parterres de fleurs, de bassins et de
fontaines, entretenus par une armée d'esclaves.
Au moment d'entrer, Licinius retint la main
de Vinka :
— Cet après-midi ?
Elle sourit. Oui, elle viendrait chez lui.
Le portier du palais regarda passer les
deux jeunes Francs d'un air désapprobateur. À
l'entrée du vestibule, Léonidas, un ancien esclave
devenu intendant, apostropha Vinka, mais elle le
dédaigna. Malgré leurs origines, nubienne pour
le premier et grecque pour l'autre, ces deux-là
n'étaient, aux yeux de Vinka, que des chiens
dressés au service de Rome.
Elle traversa le vestibule, puis l'atrium, et
gagna le péristyle, immense préau reposant sur

des colonnes de marbre entourées de fleurs grimpantes. Suivie comme son ombre par Thierry, elle rejoignit les chambres et les salles de bain qui donnaient sur le jardin. Dans l'une d'elles, une vasque de marbre rose était remplie d'eau semée de pétales de fleurs odorantes.

Vinka ôta ses vêtements, détacha ses longs cheveux et se plongea dans le bain avec délice. Elle avait envie d'être belle pour Licinius. Elle se lava les cheveux et le corps, puis se sécha, avant de s'enduire d'huile parfumée. Lorsqu'elle écarta les voiles qui masquaient le bassin, elle aperçut Caius, le fils de Valens, qui l'attendait. C'était un garçon de son âge, au corps massif et au visage ingrat. Il tenait à la main les vêtements de la jeune fille et les porta à ses narines en grimaçant de dégoût :

21

– C'est le bain de ma mère que tu viens de souiller, Barbare !

Vinka adressa à Caius un sourire méprisant. Par défi, elle se dirigea vers un lit de massage, sur lequel étaient préparés une tunique de soie et un manteau. Exactement ce qui convenait à son rendez-vous avec Licinius.

– Ce sont les habits de ma mère ! s'indigna Caius.

Il crut qu'elle allait renoncer, par crainte de Julia, l'épouse de Valens, une femme dure et orgueilleuse. Mais c'était mal connaître Vinka! Elle s'habilla avec nonchalance, sous les regards choqués de deux jeunes esclaves qui contemplaient la scène depuis le seuil de la salle de bain. Caius, rouge de fureur, mais trop lâche pour intervenir, se contenta de serrer les poings.

Comme Vinka finissait de lacer ses chaussures, Thierry lui apporta un papyrus sur lequel il avait dessiné un cochon ressemblant trait pour trait à Caius. La jeune fille éclata de rire.

Apercevant la caricature, le Romain se retourna contre le jeune garçon. Il le saisit par un pan de sa toge, le souleva et le gifla violemment. Aussitôt, Vinka bondit sur Caius. Son poing lui écrasa le nez ; puis, d'un coup de pied dans l'estomac, elle lui coupa le souffle ; il tomba en arrière et sa tête heurta le rebord du bassin.

Vinka saisit alors la main de son frère et l'entraîna en riant vers la porte du palais.

Chapitre 3

La passion de Licinius

La maison du jeune tribun était loin d'être aussi vaste et luxueuse que le palais de Valens. Cependant, elle ne manquait pas de charme. Vinka aimait particulièrement son petit jardin, enclos de murs, où les feuilles d'un gigantesque figuier se reflétaient dans l'eau bleue d'un bassin entouré de statues.

Licinius vivait là, en compagnie de trois esclaves qui l'avaient vu naître et veillaient sur lui avec affection. Son père, malade, avait abandonné ses fonctions de sénateur pour se retirer avec sa femme dans sa propriété d'Étrurie, au nord de Rome, laissant sa maison à son fils unique.

– Tu es prêt ? lui demanda Vinka à peine arrivée.

Licinius observa la jeune fille. Celle-ci s'était débarrassée de son manteau. Elle avait noué ses longs cheveux et tenait une courte épée dans sa main droite.

– Déjà ?

Le tribun venait tout juste de rentrer de sa caserne du Quirinal. Il n'avait pas eu le temps de quitter sa cuirasse pectorale et ses jambières de métal, et il n'avait aucune envie de se battre.

– Si on se baignait d'abord ? proposa-t-il.

Vinka secoua la tête, obstinée.

– Après !

Il ne put s'empêcher de rire. La passion de la jeune Franque pour les armes tournait à l'obsession. Elle était très douée, du reste. En proposant de lui apprendre le maniement de l'épée, il n'avait pas imaginé qu'elle assimilerait sa technique aussi rapidement.

Il écarta les bras d'un air résigné, à l'intention de Thierry dont les yeux pétillaient de joie.

– J'assomme ta sœur et je reviens, annonça-t-il en quittant prestement sa cuirasse.

– Économise tes forces, Romain, tu en auras besoin !

24

Profitant que Vinka éprouvait le double tranchant de son épée, Licinius attaqua le premier. Elle esquiva avec souplesse.

– Une vraie panthère, apprécia-t-il.

Son rire vira aussitôt à la colère : l'épée de Vinka, en une riposte foudroyante, venait de lui effleurer le bras ! Décidément, cette fille lui faisait perdre ses moyens. Rendu prudent, il resta à distance et utilisa toute sa science pour lui donner une leçon. D'abord, il se contenta de parer, les unes après les autres, les attaques de la jeune Barbare. Plus robuste, il pesa sur l'épée de son adversaire, cherchant à l'épuiser et à lui faire commettre une faute.

25

Cependant, Vinka paraissait infatigable. Et, lorsqu'il voulut la désarmer en heurtant violemment son arme, il ne rencontra que le vide. Projeté en avant, il pivota aussitôt et se trouva en position de déséquilibre. Profitant de cet avantage, Vinka le poussa de toutes ses forces dans le bassin. Lorsqu'il refit surface, dégoulinant, il secoua furieusement la tête. Instructeur dans l'armée romaine, il passait pour sévère ; jamais aucun de ses élèves n'avait osé le défier ainsi.

Assis par terre, le dos appuyé au figuier, Thierry applaudissait frénétiquement. Licinius fit semblant de repêcher son épée au fond du bassin ; d'un geste vif, il saisit la cheville de Vinka, qui bascula. Il lui maintint la tête sous l'eau, tandis qu'elle se débattait et cherchait à le mordre. Au bout de quelques secondes, il la souleva et l'embrassa. Elle lui échappa, puis elle lui rendit son baiser avec maladresse, avant de s'écarter à nouveau. C'était la première fois qu'elle embrassait un homme.

— Je t'aime, Vinka, murmura Licinius.

— Moi, je ne t'aime pas, lui répondit la jeune fille avec une moue réprobatrice. Regarde ce que tu as fait de la tunique de Julia !

26

Quelques instants après, ils étaient allongés tous les trois à l'ombre du figuier. Vinka avait revêtu une tunique de Licinius, deux fois trop grande pour elle, tandis que les esclaves du tribun séchaient la précieuse tunique de Julia.

— Tu devrais venir avec moi.

— Où ça ?

— À Actinum, chez mes parents.

— Tu crois qu'ils voudraient de moi ? demanda-t-elle, rêveuse.

— Oui, si tu étais mon épouse.

Elle le fixa d'un air mécontent : elle craignait qu'il se moque d'elle. Mais il semblait sérieux.

– Tu es complètement fou !

– Ça ne te plairait pas ?

Elle secoua la tête :

– Tu es fils de sénateur et je suis une Barbare !

– Ton père, Richemer, est un glorieux général romain.

– Un Barbare glorieux.

– Avant d'épouser mon père, ma mère, Claudia, n'était pas romaine. Elle venait d'Orient, lui révéla Licinius.

Vinka se mit à rire. Licinius fronça les sourcils :

– Qu'est-ce qui t'amuse ?

– J'imaginais la tête de Julia, si j'appartenais à la noblesse de Rome.

Licinius se renfrogna :

– C'est la seule raison qui te pousserait à m'épouser ?

– Quelle autre ? demanda Vinka d'un air innocent.

Licinius bondit sur elle et la plaqua au sol.

– Tu n'es qu'une petite Barbare, on devrait te livrer aux bêtes !

– Je le suis déjà, rétorqua Vinka en souriant.

Chapitre 4

Le supplice

Lorsque Vinka et Thierry regagnèrent la maison de Valens, la journée tirait à sa fin. La jeune fille, rêveuse, se demandait si elle allait accepter l'offre de Licinius. Soudain, Thierry lui prit la main et la retint en arrière.

– Que t'arrive-t-il? s'étonna Vinka.

Le jeune garçon lui fit signe qu'il pressentait un danger, et qu'il ne voulait pas pénétrer dans le palais.

– Mais tu n'as rien à craindre, le rassura Vinka : c'est moi qui serai punie. De toute manière, il faudra bien entrer un jour ou l'autre.

Elle se doutait que Julia ne lui pardonnerait pas d'avoir frappé Caius, son fils chéri. L'épouse de Valens, issue d'une famille apparentée à deux empereurs, était une femme fière et impitoyable. Elle avait accueilli les enfants de Richemer pour complaire à son époux, mais elle les méprisait.

Vinka haussa les épaules : Julia ne lui faisait pas peur. Tout en adressant un sourire apaisant à son jeune frère, elle frappa à la porte du palais.

Celle-ci s'ouvrit, puis se referma derrière eux. Aussitôt, deux robustes esclaves se jetèrent sur Vinka et lui lièrent les mains derrière le dos. Thierry, qui cherchait à défendre sa sœur, fut écarté brutalement.

29

– Qu'est-ce qui vous prend ? Je suis ici chez moi ! se défendit la jeune Barbare.

Sans un mot, les esclaves la poussèrent en avant. Elle traversa la maison, la tête haute, jusqu'au péristyle où Julia l'attendait, entourée de ses enfants et de ses gens. Vinka réprima un sourire en voyant Caius, qu'elle trouva ridicule avec son pansement sur le nez et son bandeau autour du crâne.

– Tu riras moins dans un instant, l'avertit Julia d'un ton acerbe.

Elle fit signe aux deux esclaves, qui libérèrent les poignets de leur prisonnière, lui ôtèrent son manteau et l'attachèrent à un pilier.

– Le fouet, maintenant !

Vinka perçut le ricanement satisfait de Caius.

– Vous n'avez pas le droit ! se révolta-t-elle, en se tordant dans ses liens. Je suis fille de roi !

– Tu n'es rien du tout, répliqua Julia, méprisante. Juste un animal qu'il faut dresser !

– Mon père vous tuera !

L'une des deux sœurs de Caius s'exclama :

– Et voleuse avec ça ! La tunique qu'elle porte est à vous, mère.

– Le fouet risque de l'abîmer, commenta la seconde.

Lavinia et Fulvia étaient maigres, jalouses de la beauté de Vinka, et aussi méchantes que leur frère.

Un esclave fit claquer la lanière de son fouet.

– Vingt coups ! ordonna Julia.

Vinka se mordit les lèvres. Cette cruelle matrone cherchait à l'humilier ; elle ne lui donnerait pas la satisfaction de l'entendre gémir ou supplier !

« Plutôt mourir ! » se jura-t-elle.

Le fouet lui cingla le dos ; une brûlure atroce la fit tressaillir. Le deuxième coup l'atteignit au creux des reins. En la voyant sursauter, Caius et ses sœurs gloussèrent de joie. Dès lors, Vinka se maîtrisa et reçut les coups sans plus manifester la moindre réaction. Au dixième, voyant qu'elle n'arriverait pas à obtenir la soumission de la jeune Barbare, Julia exigea :

– Plus fort !

L'esclave obéit et lacéra violemment les épaules de Vinka, qui dut faire un effort surhumain pour ne pas hurler. Le sang ruisselait dans son dos ; il barbouillait aussi ses lèvres, qu'elle mordait pour étouffer ses cris. Puis, progressivement, la douleur lui fit l'effet d'une drogue. Suspendue, inerte, au bout de ses liens, Vinka perdit la notion de ce qui l'entourait : elle avait la sensation d'être plongée dans un cauchemar où elle assistait, horrifiée, à sa propre torture.

Au vingtième coup, l'esclave s'interrompit et se tourna vers sa maîtresse. Les regards des familiers étaient teintés de compassion ; on avait puni la coupable, mais on n'avait pas réussi à briser son orgueil, et l'on ne pouvait qu'admirer le courage dont Vinka faisait preuve.

Voyant que Julia n'était pourtant pas satisfaite, Léonidas intervint :

— Vous allez la tuer !

— Et alors ? ricana Caius.

Julia dévisagea son intendant, puis elle sembla se calmer :

— Détachez-la !

Les esclaves coupèrent ses liens. Lorsqu'ils voulurent la retenir de s'écrouler, elle les repoussa, puis s'avança vers Julia en chancelant, et, d'une voix altérée par la douleur et la rage, elle lui dit :

— Un jour, je te fouetterai comme tu m'as fouettée. Mais toi, tu me supplieras à genoux de t'épargner.

Julia blêmit, puis un sourire mauvais déforma son visage.

— Puisque tu es une bête sauvage, tu seras traitée comme telle. Qu'on la mette en cage !

Chapitre 5

La bête sauvage

Lorsqu'il sortit du réduit où on l'avait enfermé, dans le local des esclaves, Thierry tenta de savoir ce qu'était devenue sa sœur, mais personne n'osa le renseigner. La nuit était tombée ; on lui indiqua une paillasse où il pourrait dormir. Cependant, il refusa de se coucher et prit la direction du palais, où se situait sa chambre. Mais on lui en interdit l'entrée et, comme il insistait, on le frappa.

Thierry ne broncha pas. Il s'assit face à l'entrée, et fixa la porte. Il ne daigna même pas adresser un regard à la vieille femme qui lui apporta une cruche d'eau et une écuelle de soupe.

Le lendemain, les esclaves le retrouvèrent dans la même position. Il n'avait pas dormi ni touché à la nourriture. Alors, la vieille le prit par la main et le conduisit au fond du parc.

Il y avait là un bâtiment où Valens collectionnait les animaux sauvages utilisés lors de chasses organisées en l'honneur de Diane, la déesse chasseresse. Depuis que Valens avait quitté Rome, beaucoup de ses animaux étaient morts ; ne restaient que quelques fauves, des singes, une girafe et un sanglier.

Comme la vieille esclave le laissait seul, Thierry se demanda pourquoi elle l'avait amené là. Il avançait prudemment entre les cages de fer, au milieu des cris et des rugissements, lorsque, soudain, il s'immobilisa : sa sœur se trouvait dans l'une des cages, couverte de plaies.

– Un Franc ne pleure pas ! gronda-t-elle en voyant le visage de son frère se décomposer.

Thierry refoula ses larmes et s'agrippa aux barreaux.

– Ne me regarde pas comme ça ! ordonnat-elle, furieuse qu'il s'apitoie sur son sort.

Depuis qu'on l'avait jetée là, Léonidas était venu à deux reprises étaler de l'onguent sur ses blessures. Ce traitement l'avait soulagée; cependant, la fièvre la dévorait.

Pendant plus d'une semaine, elle demeura ainsi, entre la vie et la mort. Thierry la veillait, couché sur le sol. Chaque matin, des esclaves qui venaient nettoyer les cages l'arrosaient comme ils arrosaient les autres bêtes. Léonidas, avec ses crèmes et ses drogues, la soulageait un peu. «Elle est forte, elle guérira», affirmait-il sans y croire.

Parfois, une ombre furtive se glissait dans la ménagerie. Alors, Thierry se cachait, reconnaissant Caius à ses manières sournoises. Ce dernier s'approchait de la cage et grommelait: «Pas encore crevée!»

Comme l'avait prédit Léonidas, le dixième jour, Vinka commença à se rétablir et réclama à manger. La vieille esclave fournit un pain et une marmite de ragoût, que la prisonnière engloutit prestement.

— Prends des forces, toi aussi, conseilla Vinka à son frère. Car nous allons partir!

Thierry regarda les énormes barreaux de fer d'un air sceptique.

– Ne t'inquiète pas ! gronda la jeune Barbare.

Thierry ne lui avait jamais vu un air aussi sauvage. Elle brûlait littéralement, non plus de fièvre, mais de haine.

– Et où comptes-tu aller ? ricana Caius.

Le fils de Julia sortit de l'ombre où il était caché. Thierry se maudit de s'être laissé surprendre.

– Sois sans crainte, lui répondit Vinka d'une voix étouffée. Si je pars, tu me reverras, car je te retrouverai pour te couper les oreilles.

Caius affecta de bâiller d'ennui.

– J'ai d'autres projets pour toi, espèce de guenon. Que dirais-tu d'être esclave, préposée au nettoiement des latrines ?

– Tu peux toujours rêver, répliqua Vinka avec dédain. Je suis fille de roi et citoyenne de Rome.

Caius manifesta une joie mauvaise.

– Ton père est un traître. Il a été condamné et exécuté le mois dernier. Toi et les tiens êtes déchus de vos droits. Tu n'es plus qu'une esclave !

– Tu mens ! se défendit Vinka.

Mais elle éprouva une douleur plus insupportable que celle du fouet en réalisant soudain que son père devait avoir de graves ennuis. Sinon, jamais Julia n'aurait osé la traiter de cette manière.

Comme Caius s'était approché de la cage, elle lui cracha au visage. Le jeune Romain voulut lui saisir les cheveux pour l'assommer contre les barreaux, mais Vinka lui bloqua le poignet et lui mordit la main. Pour lui faire lâcher prise, les esclaves durent utiliser les fourches réservées aux fauves. Cela fait, Caius s'effondra sur le sol en pleurnichant.

Chapitre 6

Cinquante deniers

Caius n'avait pas menti sur un point : le surlendemain, un marchand d'esclaves se présenta au palais. C'était un petit homme bavard et grimacier.

Vinka fut tirée de sa cage ; elle put se laver et s'habiller. Léonidas avait prévu d'employer la force pour la maîtriser, or elle fit preuve d'une docilité inhabituelle. En réalité, elle savait que, si elle restait ici, Julia la laisserait moisir dans sa cage. Tandis qu'une fois dehors, elle trouverait sans doute une occasion de s'enfuir.

L'intendant fit l'éloge des deux enfants. En présence du marchand, Vinka confirma sa parfaite connaissance du latin et du grec. Puis elle poussa son frère à faire la démonstration de ses talents. Thierry dessina, improvisa des poésies, joua de la flûte et de la lyre. Le marchand, charmé, se déclara pressé de conclure. Léonidas s'apprêtait à annoncer un prix élevé, lorsque Caius survint et apostropha l'acheteur :

– C'est toi qui vas nous débarrasser de ces animaux ? Je te souhaite bien du plaisir !

– Que dis-tu ? s'étonna l'homme.

– Il plaisante, intervint l'intendant. Je pense que, pour ces deux érudits, deux mille deniers d'argent est un prix raisonnable.

– Tu veux voler ce pauvre homme ? ricana Caius. Ne te fie pas aux apparences, l'ami. Malgré ses airs innocents, cette fille est dangereuse. Regarde ce qu'elle m'a fait !

Il lui montra sa main et son crâne bandés.

– Elle m'aurait tué, si on ne l'avait pas mise en cage avec les bêtes de son espèce. Si on t'a demandé de venir d'urgence, c'est pour se débarrasser d'elle au plus vite.

Le marchand fronça les sourcils.

– C'est vrai qu'elle a le sang chaud, avoua Léonidas, mais cela n'enlève rien à sa valeur.

39

— Tout de même, maugréa le marchand, une esclave capable d'égorger ses maîtres, ça demande réflexion !

— Je te conseille de la dresser durement avant de la revendre, dit Caius.

À ces mots, Vinka se jeta sur lui, et deux robustes esclaves durent intervenir pour la maîtriser.

— Je t'avais prévenu ! triompha Caius.

La jeune fille regretta de s'être emportée. Caius avait réussi ce qu'il voulait : le marchand se méfierait d'elle, et il lui serait d'autant plus difficile de fuir.

— Cinquante deniers, c'est tout ce qu'ils valent, déclara Caius.

— Mais, ce n'est même pas la valeur des vêtements qu'ils ont sur le dos ! protesta Léonidas.

Caius haussa les épaules :

— Alors, garde les vêtements, mais le prix est fixé : c'est la volonté de ma mère.

— Eh bien, finissons-en, conclut le marchand, ravi de l'aubaine.

Tandis que Léonidas signait à contrecœur les documents de la vente, Vinka et Thierry furent enchaînés.

– N'hésite pas à la corriger ! recommanda Caius.

Puis, de toutes ses forces, il lança son poing dans l'estomac de Vinka, qui eut le souffle coupé.

– Cette esclave est ma propriété, tu n'as plus le droit de lever la main sur elle, protesta le marchand.

– Un dernier coup pour le voyage ! ricana Caius.

Tandis qu'on la hissait sur un chariot, Vinka lui adressa un regard plein de mépris. Elle espérait profiter du trajet pour sauter du véhicule et se perdre dans la foule, mais on ruina ses plans en fixant ses chaînes au plancher de bois.

Le chariot sortit du palais et s'engagea sur la voie Flaminia, l'une des plus larges de la cité. L'artère était encombrée ; ils avançaient au pas.

« De toute manière, tôt ou tard, je m'enfuirai ou je mourrai », se promit la jeune esclave.

Cependant, elle chassa aussitôt l'idée de mourir. Elle devait se venger, et, pour se venger, il fallait qu'elle vive. Et puis, Thierry avait besoin d'elle ; elle ne pouvait l'abandonner. Elle vit qu'il souriait. Quel étrange garçon ! À quoi songeait-il ?

Ce sourire raffermit le courage de Vinka.

Chapitre 7

Le maître de Vinka

Abandonnant la voie Flaminia, le chariot se dirigea vers le Tibre. Il longea le fleuve sur une centaine de mètres, avant de s'enfoncer dans les rues du Transtévère.

Vinka avait fermé les yeux. Elle se demandait avec angoisse si on allait l'exhiber sur le marché, au milieu de centaines d'autres esclaves, ou si le marchand la revendrait directement à un riche Romain. L'idée d'être montrée comme un animal de foire la fit frémir d'horreur ! Malgré elle, elle pensa de nouveau à la mort.

Perdue dans ses réflexions amères, elle n'avait pas remarqué que le chariot s'était immobilisé. Thierry la secoua. Elle ouvrit les yeux et reconnut un lieu familier : la maison de Licinius !

Un espoir fou s'empara d'elle. Puis, comme dans un rêve, elle vit la porte s'ouvrir et Licinius avancer vers eux. On libéra les deux esclaves et on les fit entrer à l'intérieur de la demeure.

Vinka se massa les poignets en essayant de comprendre ce qui se passait.

– Cinq mille deniers, dit le tribun, c'est la somme convenue.

Le marchand inclina la tête en s'efforçant de cacher sa satisfaction. Compte tenu de ce qu'il avait payé, son profit représentait une vraie fortune.

Les esclaves de Licinius amenèrent un coffre rempli de pièces d'argent.

– C'est un plaisir de faire affaire avec toi, murmura le marchand.

– J'ai ta promesse, fit Licinius d'un ton sévère.

– Pas un mot, c'est juré. Mes serviteurs seront aussi muets que cet enfant.

La vente avait été préparée avec soin : les documents étaient prêts et les deux hommes

43

échangèrent les rouleaux scellés. Puis, le marchand fit charger le coffre sur le chariot, salua une dernière fois et reprit la route.

Vinka se tourna vers son nouveau maître. Licinius était beau et son sourire plein de tendresse ; elle aurait dû se jeter à ses pieds, mais elle avait encore le cœur trop meurtri pour exprimer sa reconnaissance.

Lorsqu'il voulut la serrer dans ses bras, elle grimaça de douleur. Il s'inquiéta :

– Tu es blessée ?

Comme il écartait le haut de sa tunique, découvrant les marques de sa flagellation, elle le repoussa avec brusquerie : ces cicatrices étaient le signe de son humiliation ; tant qu'elle ne serait pas vengée, elle ne permettrait à personne de les voir, surtout pas à lui.

– Les brutes ! fulmina-t-il.

« Si tu n'avais pas été romain, pensa-t-elle, tu aurais pu m'aider à punir ces monstres ! » Mais Rome avait ses lois : un Calvinus ne s'attaquait pas à un Valens.

– Tu dois quitter la ville au plus vite, dit Licinius. J'ai tout préparé : un cabriolet, mon meilleur cheval, des vivres, des vêtements, de l'argent, et aussi des armes. Tu t'en sers si bien ! Je regrette de ne pouvoir vous accompagner, mais je dois partir pour Ostie. Gabal vous aidera à sortir de Rome.

L'un des esclaves sourit d'un air enjoué.

— Il vous conduira à Luca, expliqua Licinius. Mes parents sont prévenus de votre arrivée. Chez eux, vous serez en sécurité. Je vous y rejoindrai dès que possible.

Vinka secoua la tête :

— Je n'irai pas chez tes parents.

— Pourquoi ? s'étonna Licinius.

— Je dois aller trouver mon père.

Licinius la regarda avec tristesse :

— Richemer est mort.

— Comment le sais-tu ? demanda-t-elle, agressive.

— Un de mes cousins me l'a confirmé à son retour de Trèves. Ton père aurait été lié à un complot...

— C'est impossible ! s'insurgea Vinka. Mon père est incapable de trahison.

— Je te crois, dit Licinius. Pourtant, il a bien été tué. J'ai voulu te prévenir, hélas Julia s'était déjà débarrassée de toi. C'est une femme implacable,

45

mais elle est intelligente : jamais elle n'aurait pris un tel risque si ton père avait encore été de ce monde : en réalité, depuis le début, ton frère et toi étiez les otages de Rome.

– Les otages ?

– Les garants de la fidélité de Richemer, si tu préfères.

– Des prisonniers, en somme ! s'exclama la jeune fille.

« Dire que je me croyais libre ! songea-t-elle, furieuse contre elle-même. Cette éducation, ces faveurs... ce n'étaient que mensonges ! »

46

– Mais Valens ? s'écria-t-elle. Il était notre ami. Mon père lui a sauvé la vie !

– Je sais, dit Licinius.

Son regard était empreint de pitié, mais Vinka ne voulait pas de cette pitié !

– Quand partons-nous ? demanda-t-elle avec impatience.

– Tout de suite, répondit Licinius, blessé par sa hâte à le quitter. Quand te reverrai-je ?

Elle le sentait ému, amoureux, mais son cœur était trop plein de colère pour y être sensible.

– Un jour, murmura-t-elle, sans y croire vraiment.

Elle lui tendit la main :

– Merci pour ta bonté.

Comme il la sentait froide, distante, son orgueil lui interdit de la prendre dans ses bras.

– N'oubliez pas vos tablettes d'affranchissement, recommanda-t-il en lui tendant un petit sac de cuir. Elles pourront vous servir...

Vinka prit le sac. Elle songea que grâce à lui, qui pendant quelques instants avait été son maître, elle avait recouvré la liberté. Cependant il était romain, et sa générosité ne compensait pas ce qu'elle avait subi ; son amour, aussi sincère soit-il, était impuissant à effacer sa haine de Rome.

Chapitre 8

Les ombres du néant

Gabal, l'esclave, abandonna Vinka et Thierry à la sortie de la ville. Suivant les derniers conseils de Licinius, ils prirent la voie Aurelia en direction de l'Italie du Nord. De là, ils pourraient passer en Gaule.

La route était encombrée de chariots marchands et de lourds convois de matériaux : poutres de chêne, dalles de pierre, blocs de marbre. Rome continuait sans répit à édifier ses palais et ses basiliques.

Arrivée sur les hauteurs de Praenium, Vinka rangea le cabriolet sur l'allée parallèle, réservée aux piétons et aux cavaliers. Elle voulait contempler Rome une dernière fois. La ville était vraiment immense. La jeune Barbare admira ses monuments : les palais du Palatin, le Colisée, l'arc de Titus, et les somptueuses demeures qu'elle avait si souvent admirées. Elle ne put s'empêcher d'imaginer l'invasion de la cité, le pillage de ses richesses, le désespoir de ses habitants, enchaînés, réduits en esclavage. Un beau jour, peut-être, ce rêve se réaliserait...

En attendant, elle devait regagner au plus vite sa patrie, la Germanie, le pays des Francs. Retrouver sa famille. Savoir ce qu'était devenu son père.

Elle interrogea Thierry, mais le jeune garçon, d'ordinaire si habile à lire dans les destinées, fut incapable de lui répondre. Alors, elle reprit la route, aussi vite que le permettaient la voiture légère et le robuste cheval offerts par Licinius.

Partis en octobre, ils mirent un mois pour atteindre sans encombre la Saône, au nord de Lyon.

Grâce à l'argent de Licinius, ils avaient pu franchir les nombreux péages qui jalonnaient la route et dormir dans des hôtels. Lorsque des officiers trop zélés ou des marchands trop curieux avaient interrogé Vinka sur leur destination, elle avait toujours su justifier la présence de deux jeunes Romains sur des routes dangereuses. Car leurs vêtements et leurs manières étaient bien romains...

Passé Lyon, cependant, les choses se compliquèrent. La route du nord était coupée. Des légionnaires travaillaient à son entretien, et, comme il pleuvait depuis plusieurs jours, le chemin de dérivation était inondé. En outre, un chariot chargé de pierres s'y était embourbé, provoquant un embouteillage interminable.

Désobéissant aux soldats qui demandaient aux conducteurs de faire demi-tour pour dégager la voie, Vinka voulut contourner l'obstacle. Mais un officier furieux saisit ses rênes et maîtrisa son cheval.

— Tu n'as pas entendu les ordres ? hurla-t-il.

Vinka choisit de jouer la patricienne outragée.

— Nos parents nous attendent, répliqua-t-elle.

— Et qui sont tes parents ?

— Le sénateur Calvinus et son épouse, Claudia.

— Connais pas !

— Si tu ne lâches pas mon cheval, tu apprendras à les connaître ! tonna Vinka.

– Ce sénateur, où habite-t-il? demanda l'homme, méfiant.

Vinka réalisa qu'avec son cheval épuisé, sa voiture crottée, leurs vêtements sales et leur air égaré, ils avaient perdu la belle élégance qui, au début du voyage, leur avait épargné les questions indiscrètes.

– Il habite Rome, expliqua-t-elle avec aplomb, mais nous résidons dans notre propriété de Segusio.

– Connais pas! répéta l'officier, de plus en plus soupçonneux.

– Je suis pressée...

– Pas moi! Descendez de cette voiture.

– Dans la boue? s'exclama Vinka, simulant le dégoût.

– Dépêche-toi! gronda-t-il.

Pendant ce temps, une bagarre s'était déclenchée entre des charretiers excédés et des légionnaires. L'officier dut intervenir.

– Ne bougez pas! ordonna-t-il en se précipitant sur le lieu de l'affrontement.

Lorsqu'elle jugea qu'il était assez loin, Vinka poussa doucement son cheval. Celui-ci contourna l'encombrement de chariots et de chars et traversa le champ inondé.

51

Vinka et Thierry atteignaient l'extrémité de la zone des travaux, quand des cris furieux de l'officier leur parvinrent. Elle fouetta son cheval et fonça sur la voie enfin dégagée.

Quatre kilomètres plus loin, comme le cheval de Licinius s'était mis à boiter et que les soldats romains étaient sans doute à leurs trousses, Vinka quitta la route pour un chemin de terre qui s'enfonçait dans un bois de chênes. Les forêts étaient souvent le repaire des brigands, mais elle n'avait pas le choix.

Le cabriolet suivit le sentier défoncé jusqu'à une bâtisse en ruine.

La nuit commençait à tomber ; la pluie avait cessé, laissant place à un brouillard glacé qui suintait du sol. Vinka conduisit le cheval à l'abri d'une grange, dont la toiture était en partie intacte. Elle dételá l'animal, puis, en furetant le long des murs, elle découvrit l'entrée d'une cave, qui pourrait leur servir de refuge. Lorsqu'elle voulut l'explorer, cependant, Thierry retint son bras et lui fit signe qu'elle ne devait pas descendre.

– Il faut quitter cet endroit !

– Pourquoi ?

Les deux mains du garçon se dressèrent, simulant des griffes.

— Un ours ?

Thierry secoua la tête. Il se coiffa de son manteau et avança sur sa sœur en feignant de flotter au-dessus du sol.

— Des fantômes ?

Il approuva frénétiquement. Vinka, qui ne craignait pas les esprits, ne put s'empêcher de sourire. Elle alla chercher son épée et la planta dans le sol. Puis, elle s'agenouilla devant elle, et, suivant la coutume de ses ancêtres, sollicita la protection de Wotan, dieu de la guerre. Un éclair, alors, sillonna le ciel comme une réponse divine. Rassurée, la jeune fille récupéra des allumettes soufrées au fond de la malle du cabriolet, et enflamma quelques brindilles de bois sec, qu'elle jeta dans le trou. Aussitôt, la lueur des flammes révéla une pièce voûtée qui ferait un abri idéal.

Après avoir nourri leur cheval, ils descendirent à l'intérieur et se réchauffèrent autour d'un feu de bois ; au centre de la voûte, un orifice absorbait la fumée. Vinka s'étendit sur le sol, son épée à portée de main, et s'assoupit rapidement.

Il lui sembla qu'elle venait à peine de s'endormir lorsque Thierry la secoua. Dehors, le cheval hennissait et secouait sa corde. Saisissant une torche et son épée, Vinka se précipita vers la sortie. À la limite du rideau de pluie, il lui sembla apercevoir une forme noire glisser entre deux arbres.

– Qui est là ? cria-t-elle.

D'autres silhouettes apparurent, puis s'évanouirent en silence, comme des fantômes. Vinka sentit sa chair se hérisser...

Chapitre 9

Les Bagaudes

Une branche morte craqua derrière Vinka et la fit sursauter. La lueur d'une torche trouant la nuit, cependant, la rassura : elle préférait affronter les vivants que les morts.

Elle fit signe à Thierry de rester à l'abri. Puis elle éteignit sa torche sous son talon et affermit son épée dans sa main droite.

Brusquement, quatre hommes firent irruption dans la grange ; parmi eux, Vinka reconnut l'officier romain qui l'avait interpellée.

– On se retrouve, ma belle !

– Que voulez-vous ? demanda Vinka.

– T'arrêter, répondit l'officier.

– Vous n'avez pas le droit! protesta la jeune fille. Je suis citoyenne romaine et mon père est sénateur.

– Et cette superbe demeure est la sienne, je présume, ricana l'officier. Allez, jette ton arme. Nous savons qui tu es.

– Vraiment?

Tout en parlant, Vinka observait les soldats disposés en demi-cercle devant elle, essayant de repérer leurs faiblesses.

– Vraiment! répéta l'officier, en brandissant deux tablettes d'affranchissement. Tu es une esclave qui se fait passer pour la fille d'un sénateur.

La malle du cabriolet était ouverte; manifestement, les Romains l'avaient fouillé.

– J'ai été affranchie, se défendit-elle. Ces plaquettes le prouvent.

– Mais tu es une voleuse. Cette voiture, ce cheval, cet argent, à qui les as-tu dérobés? Tu mérites d'être marquée au fer!

– Je ne suis pas une voleuse! cria Vinka. Je suis une princesse franque! Mon père est le roi Richemer.

– Te voilà princesse, à présent! gloussa l'un des soldats.

Vinka sentit la colère la submerger.

— Vous êtes pires que des cochons, écuma-t-elle : vous êtes des Romains !

Vive comme l'éclair, elle bondit sur le légionnaire qui se trouvait à sa gauche et le blessa au bras. Puis, elle se retourna contre son voisin, esquiva son attaque et le frappa si bien qu'il s'effondra.

Les deux autres, revenus de leur surprise, s'avancèrent ensemble, et, frappant sans relâche, ils la poussèrent vers l'extérieur de la grange, où la pluie risquait de l'aveugler. Elle fit semblant de céder, recula d'un pas, puis feinta à droite et attaqua à gauche. Sa lame effleura une épaule, faisant jaillir le sang. Mais l'officier se jeta sur elle, et, en voulant l'éviter, elle glissa et tomba dans la boue. Instinctivement, elle roula sur le côté ; l'épée de son adversaire la frôla et se planta dans le sol. Elle en profita pour se relever.

57

L'officier se battait bien. Il parait habilement les coups et simulait ses attaques sans les pousser au bout. De cette manière, il cherchait à épuiser son adversaire tout en l'exposant aux assauts de son compagnon.

Vinka chercha celui-ci du coin de l'œil et, soudain, elle le vit qui sortait de la cave, son poignard sur la gorge de Thierry.

— Fini de jouer ! cria-t-il. Jette ton arme !

Vinka obéit. Aussitôt, l'officier l'empoigna par son manteau et la poussa contre le mur, si violemment qu'elle se blessa au front. Ses vêtements se déchirèrent, révélant les cicatrices de son dos.

— Tiens, tiens, railla l'officier. On dirait que tu as déjà reçu une bonne correction. Ça me donne une idée... Cornelius, un bâton !

Le légionnaire rejeta Thierry au fond de la cave et ramassa un gourdin. Son chef, saisissant la longue tresse de Vinka, fit se courber la jeune Franque jusqu'au sol. Cette dernière se débattit de toutes ses forces, mais les deux hommes étaient trop forts, et bien déterminés à venger la mort de leur compagnon.

Au moment où le bâton se levait au-dessus d'elle, Vinka ferma les yeux et invoqua Wotan.

— Lâche-la ! fit alors une voix puissante.

On aurait dit que le dieu lui-même venait de se manifester.

L'officier romain se redressa vivement ; la grange était envahie d'une foule de créatures silencieuses, recouvertes de longs manteaux. C'étaient les ombres que Vinka avait entrevues quelques instants auparavant !

Le chef de ces fantômes était immense et barbu ; lui seul portait un uniforme romain : casque de bronze et cuirasse d'écailles. D'un coup de pied, il faucha l'officier, qui s'écroula dans la boue.

Vinka, libérée, examina son sauveur avec curiosité.

— Qui es-tu ?

L'homme désigna l'officier, qui se relevait lentement, et le légionnaire désarmé :

— Eux, ils savent qui je suis...

— Aelianus, chef des Bagaudes, murmura l'officier, avec un mélange de peur et de dégoût.

59

— Les Bagaudes ? répéta Vinka, visiblement ignorante.

— Tu es la fille de Richemer et tu ne sais pas qui sont les Bagaudes ? rugit Aelianus.

Il montra ses hommes, occupés à dépouiller les Romains, morts et vivants.

— Des Romains déserteurs, comme moi ; des esclaves, des colons en fuite, des morts de faim, des révoltés qui sont obligés de piller les riches Romains pour nourrir leurs familles.

— Alors, vous me plaisez ! lança Vinka avec conviction.

– Toi aussi, tu me plais, dit Aelianus avec un rire généreux. Tu es bien la fille de ton père. J'ai combattu avec lui sur la frontière du Danube, jadis. C'était un fameux guerrier ! Tu ne te débrouilles pas mal non plus.

– Vous avez assisté au combat ?

– Depuis le début, sans en perdre une miette.

– Pourquoi n'êtes-vous pas intervenus ?

– Je voulais voir comment tu t'en sortirais. Et je n'ai pas été déçu !

Comme le chef des Bagaudes lui tournait le dos, l'officier romain, auquel on venait d'arracher son casque et sa cuirasse, tira un poignard caché sous sa tunique et bondit sur lui. Vinka, penchée en avant, ramassait son épée ; voyant l'attaque traîtresse et désespérée du Romain, elle releva son arme d'un geste agile. En plein élan, l'officier s'empala sur sa lame.

Sans le réflexe incroyable de la jeune fille, Aelianus aurait été poignardé. Pourtant, il grogna simplement :

– Pas mal ! Pas mal du tout !

Chapitre 10

Les cendres d'Hostium

Aelianus se montra géné-
reux envers celle qui lui avait sauvé la vie.
Il fournit à Vinka des chevaux, de l'argent et des
vivres. En outre, il mit à son service deux de ses
hommes ; ceux-ci accompagneraient les deux
jeunes gens jusqu'au Rhin, et veilleraient à ce
qu'ils échappent aux patrouilles romaines.

Avant de se rendre à Trèves, capitale des
Gaules, où étaient cantonnées les troupes de
Richemer, Vinka décida de s'arrêter à Hostium.
Là, à quelques kilomètres du *limes*, la frontière
germanique, s'étendaient les domaines de son

père. Dans sa maison et les fermes voisines, vivait jadis la famille de Vinka : sa mère, ses sœurs et ses nombreux cousins. Ses frères aînés y étaient venus plus rarement, puisqu'ils servaient dans l'armée de la frontière.

Les guides bagaudes prirent congé des deux adolescents aux abords du Rhin. Thierry était épuisé par leur longue chevauchée. En revanche, Vinka se sentait renaître.

Ils avaient quitté Rome plus de deux mois auparavant. L'hiver était venu ; les paysages étaient couverts de neige et la température baissait chaque jour davantage. La jeune Barbare retrouvait enfin son pays à la beauté austère et à la blancheur immaculée. En chemin, elle avait jeté ses tuniques, son manteau, tous les souvenirs de Rome. Vêtue de fourrures, pour la première fois depuis longtemps, elle se sentait elle-même : une jeune princesse franque.

– Regarde, Thierry ! Voici Hostium, s'écria-t-elle, joyeuse.

Elle avait reconnu la colline, surmontée d'une tour de bois, avec sa couronne de sapins noirs. Leur maison se trouvait juste derrière !

Elle s'élança au galop, tandis que Thierry

restait pétrifié, le visage ravagé par une vision d'horreur et de désespoir.

Lorsqu'elle eut contourné la colline, Vinka immobilisa soudainement son cheval. La maison de ses parents n'était plus qu'un amas de ruines recouvert de neige; les fermes voisines, dont les poutres noircies crevaient le linceul blanc, avaient été incendiées. Sous la neige, les vignes étaient à l'abandon; la plaine, autrefois prospère, n'était plus qu'un désert.

Comme Thierry la rejoignait, Vinka s'étrangla :
– Il y a eu la guerre...

63

Thierry secoua la tête. Il tendit le poing devant lui et tourna le pouce vers le sol.

– Les Romains? L'empereur? voulut savoir sa sœur.

Thierry acquiesça avec un air perdu. Dès son arrivée, la vision du carnage l'avait frappé en plein cœur : le massacre des femmes et des enfants, les champs brûlés, les bêtes abattues... Des larmes silencieuses se mirent à couler sur son visage.

Vinka, elle, refusait de s'abandonner à la douleur. Quelque chose comme un espoir fou lui disait que son père était encore en vie. Richemer ne pouvait pas mourir, pas ainsi! Elle cingla rageusement le cheval de son frère et l'entraîna au galop jusqu'à l'extrémité de la plaine. À cet endroit, les maisons étaient encore intactes; devant l'une d'entre elles, un vieil homme fendait du bois.

– Que s'est-il passé? lui demanda Vinka en montrant Hostium.

D'abord, l'homme ne répondit pas; puis, comme elle insistait, il marmonna, sans cesser de manier sa hache:

– Je ne sais pas.

– Tu es un Franc, n'est-ce pas?

64 – Que t'importe? Je suis vétéran de l'armée du Rhin, maître de cette terre et citoyen de Rome!

– Avant de lécher les pieds des Romains, tu étais un Barbare, non?

L'homme s'interrompit et dévisagea la jeune fille avec un air farouche:

– Qui es-tu?

Elle releva fièrement la tête.

– Je suis Vinka, fille de Richemer.

– Alors, tu devrais être chez Pluton, le dieu des morts, comme ton père et tous les traîtres de son espèce!

Folle de rage, Vinka tira son épée et chargea le vétéran. Celui-ci voulut lui porter un coup de hache, mais le cheval le heurta et le fit tomber dans la neige. Le soldat se releva et courut se réfugier dans sa maison. Au moment où il franchissait le seuil, son épouse jaillit de la bâtisse en crachant :

— Va-t'en, fille de Richemer. À cause de ton père, mes fils sont morts. Que ton nom soit maudit !

Elle claqua la porte et Vinka, la rage au cœur, s'éloigna en direction d'un village tout proche, suivie de près par son frère. « Lâches ! pensat-elle. Au lieu de haïr les Romains, leurs bourreaux, ils crachent sur mon père qui les a toujours protégés ! »

65

Cependant, on aurait dit que la nouvelle de son arrivée s'était propagée comme le vent. Sur son passage, les portes des maisons se fermaient l'une après l'autre. Naguère, vivaient là les membres de son clan. Or, les rares individus qu'elle entrevoyait aujourd'hui lui étaient inconnus.

Qu'étaient devenus les sujets de Richemer ?

Ils croisèrent une troupe de soldats romains qui se rendaient à la relève, sur la frontière. Elle ne répondit ni à leur salut ni à leurs plaisanteries grossières.

Le paysage offert par le Rhin ne ressemblait pas aux souvenirs qu'en avait Vinka. Une

puissante clôture de bois empêchait maintenant d'atteindre l'eau. Un camp militaire s'était
installé, vaste, bordé de constructions civiles :
granges, écuries, relais de poste, entrepôts...

Les deux jeunes Francs se replièrent vers la
campagne. Au nord, les villageois semblaient
moins méfiants. Ils s'habillaient à la romaine,
mais ne cachaient pas leurs origines germaniques.
Cependant, comme tous semblaient étrangers à la
région, Vinka renonça à les interroger.

À la sortie d'un village, malgré tout, quelqu'un
cria le nom de la fille de Richemer. C'était une
femme blonde. Elle courait dans la neige pour les
rejoindre.

— Tu ne me reconnais pas ? demanda-t-elle, tout
essoufflée.

Vinka plissa le front : le visage de la femme
ne lui était pas inconnu, mais elle était incapable
de se rappeler son nom. Elle fouilla sa mémoire
et, soudain, elle se souvint :

— Gerda !

La femme était l'épouse d'un des officiers
préférés de Richemer. Elle venait du pays des
fjords, dans le Grand Nord.

— Tu es devenue grande et belle, dit Gerda en

souriant. Tu ressembles tellement à ton père ! C'est grâce à cela que je t'ai reconnue. Ça fait...

– Cinq ans, l'aida Vinka. Dis-moi, où sont les miens ?

Gerda secoua la tête avec tristesse :

– Je n'ai revu ni ta mère, ni tes sœurs, ni mon époux, Kodran. On ne sait ce qu'ils sont devenus.

Vinka sauta de cheval et demanda doucement :

– Que s'est-il passé ?

– On raconte que Richemer a trahi le nouvel empereur, Maximien. Il y a eu un massacre. J'étais dans le Nord. À mon retour, j'ai essayé de savoir. Je me suis rendue à Trèves, mais la plupart des hommes de ton père ont disparu. Et ceux qui restent refusent de parler. On m'a même menacée...

– Ne t'inquiète pas, dit Vinka. J'irai trouver ces hommes, et je te jure qu'ils m'écouteront. Ensuite, je reviendrai te chercher.

– Sois prudente, lui conseilla Gerda en regardant autour d'elle avec un air méfiant.

Cependant, elle ne remarqua pas l'homme qui se tenait tout près, tapi derrière une clôture. Lorsque Vinka s'en alla, il partit de son côté, satisfait de ce qu'il avait entendu.

Chapitre 11

Boromir

La ville de Trèves, sur les bords de la Moselle, était devenue l'une des capitales de l'Empire romain. Puissamment fortifiée, elle constituait la pièce maîtresse du *limes* dressé contre les invasions germaniques. Le nouvel empereur, Maximien, nommé par l'empereur Dioclétien pour régner sur la partie ouest de l'empire, y avait installé sa cour et son quartier général.

Vinka était déterminée à découvrir ce qu'étaient devenus les siens. Or, le seul moyen de connaître la vérité était d'interroger les responsables de leur disparition : Maximien et Valens.

Richemer était un grand roi ! Ses troupes, nombreuses et fidèles, n'avaient pas pu s'évanouir sans laisser de traces ! À Hostium, les Romains avaient semé la terreur et la désolation ; mais, à Trèves, Richemer avait des amis haut placés qu'il n'était pas aisé de faire taire : l'ancien empereur Probus et ses généraux, qu'il avait maintes fois menés à la victoire contre les Vandales, les Burgondes et les Alamans.

Bien sûr, les choses avaient changé : le préfet des Gaules, Valens, qui était comme un frère pour Richemer, l'avait brusquement abandonné. Or, le fourbe était là, à quelques kilomètres seulement, à l'abri derrière ses remparts.

« Rien ne pourra m'arrêter ! » songea Vinka avec une excitation sauvage.

Comme les portes de Trèves étaient bien gardées, et les étrangers sévèrement contrôlés, Vinka avait résolu de passer par le port, moins surveillé. Moyennant quelques pièces d'argent, elle s'était entendue avec le patron d'une barque qui transportait du vin sur la Moselle.

Avant de monter à bord, elle s'était habillée en garçon, cachant ses longs cheveux sous un

69

bonnet de fourrure et noircissant son visage ;
Thierry avait subi la même métamorphose.

L'embarcation, halée par des esclaves, remontait
lentement le fleuve ; il lui fallut une journée entière
pour atteindre son but. Après être passé sous un
énorme pont de basalte noir, le bateau accosta le
long d'un quai de bois. Tandis que les esclaves
attachaient les amarres et que les employés chargés de l'approvisionnement de la ville contrôlaient
la cargaison, sous l'œil vigilant des soldats des
cohortes urbaines, Vinka et Thierry se faufilèrent
à travers la foule des bateliers et des marchands.

Ils longèrent une zone d'entrepôts, suivirent
des rues boueuses, et atteignirent enfin des voies
mieux fréquentées. Près d'un grand bâtiment,
entouré de jardins, et qui ressemblait à des
thermes, ils se nettoyèrent à l'eau d'une fontaine.

Comme Vinka essayait de repérer l'emplacement du palais impérial, un grand gaillard la
bouscula. Elle lui jeta un regard instinctif, et
comme il s'éloignait à grands pas, elle cria :

– Boromir !

L'homme se retourna. Elle ne s'était pas
trompée : c'était bien Boromir, l'un des guerriers
de son père. Il la dévisagea avec un air froid,

sans la reconnaître. Alors, elle ôta son bonnet de fourrure et secoua ses cheveux blonds. Le visage du Franc s'éclaira aussitôt :

– Vinka ! Je te croyais morte ! fit-il, en approchant son visage du sien, comme pour s'assurer qu'il ne rêvait pas.

– Tu n'as pas changé, dit-elle.

Boromir était un géant ; sa force et son courage étaient légendaires.

– Je ne peux pas en dire autant de toi, grogna-t-il. Tu as tellement changé ! Que fais-tu ici ?

– Je suis venue pour mon père...

Il baissa la tête avec un air gêné :

– Ton père est mort. Si tu ne veux pas subir le même sort, ne reste pas ici. Viens, suis-moi !

– Attends ! Mon frère est avec moi, dit Vinka.

– Le muet ?

Elle regarda autour d'elle, mais Thierry avait disparu. Ils fouillèrent la rue et les jardins sans découvrir trace de lui.

– Il faut le retrouver ! s'affola Vinka.

– Je m'en charge, la rassura Boromir. Ne t'inquiète pas : il ne doit pas être bien loin, et Trèves est une ville sûre. Viens d'abord, je vais te raconter ce qui s'est passé.

71

Cette promesse la décida. Ils traversèrent un forum orné de statues et bordé de boutiques. Puis ils suivirent une rue pavée, dont les caniveaux étaient recouverts de glace.

— Si on l'avait enlevé? dit Vinka, se reprochant soudain d'avoir abandonné son frère.

— Thierry a toujours ses pouvoirs?

Elle acquiesça en souriant.

— Alors il n'est pas perdu.

Boromir invita Vinka à pénétrer dans une maison de pierre, bâtie autour d'une cour carrée recouverte d'un velum. Les hommes armés qui se trouvaient là examinèrent Vinka avec curiosité.

— Je vous présente la fille de Richemer, annonça Boromir.

— C'est chez toi? demanda Vinka en découvrant les lieux.

— Non, dit simplement Boromir.

Vinka était impatiente :

— Que sont devenus mes parents?

— Ton père a choisi la mauvaise voie, soupira Boromir.

— La mauvaise voie?

— Je l'ai mis en garde, et je ne suis pas le seul.

Mais il n'en a fait qu'à sa tête. Il s'est opposé à Valens, quand le préfet s'est dressé contre Probus.

— Si je comprends bien, dit Vinka d'une voix glacée, Valens a trahi son empereur alors que mon père lui est resté fidèle ?

— Ce n'est pas aussi simple...

Vinka le dévisagea, soupçonneuse :

— Et toi, qu'as-tu fait ?

Boromir hocha la tête :

— J'ai sauvé ce qui pouvait l'être.

— Tu veux dire que tu as sauvé ta peau ? fit-elle, ironique.

— Je n'allais pas me sacrifier pour une cause qui n'était pas la mienne ! se défendit le géant.

— Tu sembles avoir oublié ce que t'a octroyé mon père : les terres, les richesses, la gloire... s'indigna Vinka. N'est-ce pas une cause suffisante ?

— Et toi, tu oublies ce que j'ai fait pour lui, fulmina Boromir. Combien de fois lui ai-je sauvé la vie, au cours des batailles !

— Je n'oublie rien, dit Vinka avec tristesse. Je supposais seulement que les combats livrés côte à côte, les dangers affrontés ensemble et les victoires partagées renforçaient l'amitié.

La voix de Boromir se chargea d'amertume :

73

– Tu n'es pas un guerrier, tu ne peux pas comprendre. La loi de la guerre est une loi sans pitié. En se plaçant dans le camp des vaincus, Richemer s'est rendu responsable de la mort de tous les siens.

– Tous ? murmura Vinka d'une voix douloureuse. Et mes frères ?

– Maximien n'est pas homme à pardonner, grimaça Boromir. J'ai fait ce que j'ai pu. Pour les autres je n'ai pas réussi, mais pour toi, c'est différent.

Vinka resta muette. Elle avait beau s'attendre à une révélation pareille, celle-ci la laissait sans force. Toute sa famille !

– Je n'ai pas besoin de ton aide, dit-elle avec une lassitude méprisante.

– Pourtant, il faudra t'y faire, dit le géant. Je ne te laisserai pas courir à la mort.

Il fit signe à ses hommes, qui désarmèrent la jeune Barbare et la forcèrent à s'asseoir.

– Tu vas attendre sagement mon retour, ordonna Boromir.

– Je savais que tu étais un traître, Boromir, cria-t-elle. Mais je ne te savais pas lâche !

Fou furieux, le géant fracassa une table d'un coup de poing, avant de quitter les lieux.

Chapitre 12

Torwald le Rouge

Une demi-heure plus tard, Boromir était de retour ; un homme l'accompagnait. Vinka était résolue à garder un silence dédaigneux, jusqu'à ce qu'elle trouve une occasion de s'enfuir. Pourtant, quand elle aperçut le nouveau venu, une exclamation lui échappa :

– Torwald ! Torwald le Rouge !

Sans atteindre la taille de Boromir, l'homme était aussi imposant que lui. Sa corpulence était telle qu'on aurait dit que sa tunique de cuir bardée de fer était près de craquer. C'était un pillard cruel. Son goût du sang lui avait valu son surnom : Torwald le Rouge.

Torwald avait toujours été le rival et l'adversaire de Richemer. Celui-ci l'avait souvent vaincu, mais il lui avait épargné la mort, en souvenir de leur enfance commune dans les marais de Skyl, au cœur de la Germanie. Que faisait Boromir avec cet assassin?

— Tu te souviens de moi, petite? grogna Torwald en saisissant le menton de Vinka d'une main brutale.

Vinka se dégagea avec dégoût:

— Lâche-moi, vieux chacal!

Torwald éclata d'un rire gras:

76 — Ce que j'aime en toi, c'est ta douceur! Tout le portrait de ta mère: beauté, fierté et courage. C'est une folie de débarquer à Trèves comme ça! Si Valens l'apprenait, je ne donnerais pas cher de ta peau. Un courrier est arrivé de Rome; je ne sais pas ce que tu as fait à son épouse et à son fils, mais le préfet a offert une récompense de six mille deniers pour ta capture. C'est une sacrée somme!

— Qu'attends-tu pour me livrer? gronda Vinka à l'adresse de Boromir.

Celui-ci n'osa affronter son regard.

— Rien ne presse, reprit Torwald avec un sourire fourbe. Vois-tu, j'ai le cœur sensible.

J'aimais beaucoup ta mère, avant qu'elle ne s'entiche de ton père. Tu lui ressembles : aussi blanche, blonde et ardente. Épouse-moi, et tu auras tout ce que tu désires.

— T'épouser ? s'écria Vinka, sidérée.

— Si tu deviens sa femme, tu n'auras plus rien à craindre, confirma Boromir. Torwald commande trois légions, et l'empereur Maximien le protège. Valens n'osera plus s'attaquer à toi.

— Évidemment, murmura Vinka, songeuse.

— Réfléchis bien, conseilla Torwald avec une douceur hypocrite. Rien ne presse : ici, tu es en sécurité. J'attendrai ta réponse.

— Je vais te répondre immédiatement, fit Vinka en souriant.

Torwald s'approcha ; alors, de toutes ses forces, elle lui cracha au visage.

Chapitre 13

Les sept voleurs

En voyant Boromir, Thierry avait immédiatement ressenti la vérité : l'homme était un traître qui avait livré son roi à ses ennemis. Il avait su, aussi, que cette rencontre n'était pas due au hasard. Le géant, qui les suivait depuis Hostium, l'avait provoquée pour gagner la confiance de Vinka.

Le jeune garçon avait essayé de prévenir sa sœur, mais elle était si contente d'avoir retrouvé Boromir qu'il n'était pas parvenu à attirer son attention, et il s'était dissimulé dans les jardins des thermes. Il était resté sourd à ses appels et n'était sorti de sa cachette que pour la suivre jusqu'à la demeure de Boromir, à proximité de laquelle il avait attendu.

Quand Boromir était ressorti, il avait entrebâillé la porte et examiné l'intérieur. Puis il était entré et, d'un vestibule donnant sur l'atrium, à l'abri des regards derrière une large tenture, il avait vu sa sœur, assise sur un tabouret de fer, sous la garde de quatre hommes armés, visiblement des Francs.

Le jeune garçon eût aimé délivrer sa sœur. Cependant, il était seul, faible et démuni, et ne pouvait rien faire. Il avait donc regagné la rue, et s'était mis à la recherche d'une arme et d'un moyen d'allumer du feu. Le plan qu'il avait imaginé consistait à enflammer les tentures de la maison pour surprendre ses adversaires, à frapper par surprise, puis à s'en remettre à Vinka, qui saurait profiter de la confusion pour se débarrasser de ses ennemis.

Par chance, Vinka lui avait confié le sac contenant l'argent remis par Aelianus. Thierry s'était rendu dans une boutique du forum, où il avait acheté de l'huile et des allumettes ; puis, chez un forgeron, il avait choisi deux poignards.

Il tendait la main vers le petit sac de cuir pendu à sa ceinture, lorsqu'il sentit une main s'en emparer. Avant qu'il ait pu réagir, un couteau coupa le lacet qui le retenait. Le voleur s'enfuit aussitôt.

Incapable de crier, Thierry lâcha l'huile et les allumettes pour s'élancer à sa poursuite. Il le rattrapa peu à peu, mais le détrousseur accéléra et reprit l'avantage dans les ruelles glissantes qui menaient au port.

Soudain, il disparut dans un entrepôt ; Thierry bondit derrière lui. Il entendit des hennissements et des aboiements. Son voleur devait être là, caché au milieu des bêtes.

Thierry avança prudemment dans la pénombre, entre des piles de sacs et de paniers d'osier. Il crut entendre du bruit, se retourna. Un bras robuste lui encercla le cou et une lame s'appuya sur son ventre.

– Qu'est-ce que tu cherches, avorton ?

La voix était jeune et enjouée, mais la main armée n'avait pas l'air de plaisanter. Le jeune garçon fit comprendre à son agresseur qu'il était incapable de parler. Celui-ci le libéra et alluma une torche.

– Le muet ? dit alors la voix. C'est toi, Thierry ?

Thierry ouvrit de grands yeux en reconnaissant son cousin Elric, un robuste gaillard qui n'avait jamais eu froid aux yeux. Il reconnut aussi les garçons qui l'accompagnaient : Hans, Manus, Kurk et Siegfried, qui tous étaient devenus des hommes. Seuls les deux plus jeunes lui étaient inconnus.

– Qu'est-ce que tu fais là ? s'étonna Elric.

D'un geste vif, Thierry arracha sa bourse des mains de son voleur, ce qui fit rire les sept vauriens. Puis il essaya d'expliquer qu'il avait besoin de leur aide pour délivrer sa sœur. Mais en vain...

81

Avisant un morceau de charbon de bois, il se mit à écrire sur une dalle. Ils le regardèrent tous les sept d'un air idiot : aucun d'entre eux ne savait lire. Alors, Thierry saisit la main d'Elric et le tira en avant.

– D'accord, petit homme, je te suis, dit Elric en riant. Vous autres, attendez-moi ici.

Tout en courant le long des rues, Thierry admira son cousin. Celui-ci était devenu un beau guerrier ! Juste ce qu'il fallait pour libérer Vinka !

De son côté, Elric regardait le jeune infirme avec une curiosité affectueuse. Le muet était pour lui un être à part, doué de pouvoirs surnaturels. Une sorte de magicien !

Lorsque Thierry lui indiqua la maison de Boromir, Elric cracha par terre avec mépris. Visiblement, il n'aimait pas beaucoup l'ancien lieutenant de Richemer. Thierry l'entraîna à l'intérieur, et souleva la tenture.

Elric avait toujours été amoureux de sa cousine. En la revoyant, cinq ans après leur séparation, la beauté de Vinka le fascina.

Il entraîna vivement Thierry hors de la maison. Le hasard voulut qu'à peine une minute plus tard, ils virent s'approcher Boromir et Torwald.

– Pilleurs de tombes ! grommela Elric.

Pour un Franc, c'était la pire des insultes.

Durant un long moment, ils surveillèrent la demeure. Elric voulait connaître le sort réservé à Vinka. Cependant, Thierry devenait nerveux.

– Ne t'inquiète pas, murmura Elric. J'ai une idée...

Un étrange cortège approchait. C'était le jour des Saturnales, fêtes consacrées au dieu Saturne ; les esclaves, pendant quelques heures, étaient délivrés de leur servitude pour défiler dans la rue. Certains d'entre eux, déguisés en animaux, dansaient avec des citoyens romains.

– Continue à surveiller la maison, ordonna Elric. Surtout, ne tente rien avant mon retour.

Il disparut.

De longues minutes s'écoulèrent. Thierry vit repartir Torwald et Boromir, et devina qu'ils envisageaient de vendre leur prisonnière à Valens pour six mille deniers. Comme Elric ne revenait pas, son inquiétude se mua en panique. C'est alors qu'il se vit entouré par une bande d'esclaves couverts de fourrures brunes, et arborant des têtes de cerfs et de taureaux.

Le jeune garçon se débattait comme il pouvait au milieu de cette meute lorsque, soudain, l'un des esclaves souleva son masque; le visage d'Elric apparut, bientôt suivi de ceux de ses comparses.

Elric couvrit la tête de Thierry avec un masque de sanglier. Puis, les huit faux esclaves entrèrent dans la demeure de Boromir, traversèrent le vestibule en silence et envahirent l'atrium.

Surpris par cette intrusion, les gardiens de Vinka voulurent chasser ceux qu'ils prenaient pour des esclaves. Cependant, les envahisseurs

étaient armés de gros bâtons. En quelques
secondes, Elric et Hans, les plus forts de la
bande, assommèrent deux des gardes. Les autres,
roués de coups, battirent en retraite vers la rue,
mais Vinka, qui avait bondi sur son épée, se
dressa devant eux. D'une attaque foudroyante,
elle toucha l'un des fuyards au front et désarma
l'autre. Les bâtons firent le reste... Les quatre
hommes furent jetés derrière un tas de bois et
recouverts de bûches.

Lorsque ses sauveurs enlevèrent leurs masques,
Vinka ne put s'empêcher de rire en reconnaissant
son frère et ses cousins. Cependant, Elric ne lui
laissa pas le temps de savourer leurs retrouvailles :

– On quitte la ville, décida-t-il.

Elle secoua la tête :

– Partez si vous voulez. Moi, je reste.

– Tu n'as pas envie de revoir ton peuple ?

Vinka le dévisagea avec stupeur.

– Tes cousins, tes amis, les vieux compagnons
de ton père... enfin, ceux qui ont survécu, ajouta-
t-il pour la décider.

– Ils sont à Hostium ?

– Non, à Skyl, au-delà du Rhin, au milieu des
marais. Tu n'as pas oublié Skyl, tout de même ?

– Je veux d'abord voir Valens.

Elric fit la grimace :

– Je ne sais pas ce que tu as dans la tête, mais tu ne peux pas réussir seule ! Nous nous occuperons de lui plus tard, et nous serons nombreux.

Elle sentit qu'il avait raison.

– Soit ! Je vous suis.

Ils l'affublèrent d'un masque et d'un manteau et la conduisirent en chahutant jusqu'à l'entrepôt qui leur servait de repaire. Là, ils détachèrent les chevaux qu'avait aperçus Thierry, quelques instants auparavant.

– Belles bêtes ! apprécia Vinka.

– Elles appartiennent à un marchand romain, **85** expliqua Elric. Il nous paie pour les dresser, les soigner et les surveiller. Il prétend qu'il n'existe pas de meilleurs palefreniers que nous dans toute la région. Le moment est venu de savoir s'il a raison.

Ses compagnons éclatèrent de rire, puis ils se mirent à récolter du crottin.

– Qu'est-ce que vous faites ? s'étonna Vinka.

– Nous préparons nos passeports, répondit Siegfried. Allons-y !

Les jeunes Francs s'élancèrent en dansant dans la rue conduisant à la porte Nigra. Percée dans l'enceinte nord de la ville, celle-ci était gardée par des soldats qu'ils bombardèrent de boules de crottin. Fous furieux, ces derniers quittèrent leur poste de garde pour les disperser ; aussitôt, les fugitifs sautèrent à cheval et franchirent la porte au grand galop, bousculant sans pitié la foule qui se pressait devant l'enceinte.

Chapitre 14

Le passage du Rhin

En voyant les faux esclaves passer les remparts, des cavaliers romains se lancèrent à leur poursuite. Cependant, les Francs avaient plusieurs avantages : ils étaient plus légers et leurs chevaux plus rapides. En outre, la nuit tombait, et leurs traces disparaissaient dans l'obscurité.

— Avec de la chance, le fleuve sera gelé ! cria Elric.

— Et sans la chance ? demanda Vinka.

— Nous devrons combattre. Tu n'as pas peur ?

Elle talonna son cheval sans répondre. Il la rejoignit, craignant de l'avoir offensée.

– Nous n'avons rien à craindre, dit-il. Car la fille de Richemer nous accompagne. Le dieu Wotan est avec nous !

– Il a abandonné mon père, fit remarquer Vinka d'une voix amère.

– Richemer a péri les armes à la main, cria Elric. Il vit maintenant au Walhalla, le paradis des héros.

Ils arrivèrent au bord du Rhin au milieu de la nuit. L'air était si froid qu'il était coupant comme du verre. Heureusement, leurs masques les protégeaient.

88

Depuis une hauteur, ils aperçurent la haute palissade qui défendait l'accès du fleuve. Une tour de bois la flanquait tous les cent mètres. Sur le chemin de ronde, quelques lueurs tremblotantes révélaient la marche lente des guetteurs.

– Le problème, ce sont les chevaux, grogna Hans.

– Nous ne passerons pas en force, dit Elric. D'abord, il faut éliminer les gardes.

– Ensuite, il faudra franchir le fleuve. Avec les chevaux, c'est impossible, insista Hans.

– Si tu as peur, tu peux faire demi-tour, lui jeta Elric, agressif.

Hans haussa les épaules avec dédain :

– C'est pour Vinka.

– Toi, Hans, Manus, Kurk et Siegfried avec moi, commanda Elric. Les autres garderont les chevaux et nous rejoindront au signal.

– Je vous accompagne, décréta Vinka en tirant son épée.

Elric faillit protester, mais il avait déjà fait l'expérience de son mauvais caractère et il ne voulait pas risquer de lui déplaire.

Ils s'approchèrent lentement de la palissade, faisant craquer la neige sous leurs pieds dans la nuit obscure. Les plus agiles escaladèrent les piliers du chemin de ronde pour neutraliser les guetteurs. Pendant ce temps, Kurk et Vinka surveillèrent le corps de garde, robuste bâtiment de bois accoté à la palissade, au voisinage de la porte qui permettait d'accéder au fleuve.

La plupart des soldats dormaient. Vinka entendait leurs ronflements à travers les murs de bois. Puis elle perçut des bruits étouffés : c'étaient les sentinelles qui tombaient, l'une après l'autre, poignardées par Elric, Hans et Siegfried.

L'adversaire de Manus, plus coriace que les autres, se mit à hurler, avant de sauter du haut de la palissade dans la neige épaisse. Les Francs bondirent à sa suite pour le faire taire, mais il était trop tard : le corps de garde était alerté.

Deux soldats jaillirent, brandissant des torches et des javelots.

– Aux armes !

Vinka sortit de l'ombre, brandissant son épée. Son assaut fut si fulgurant que Kurk eut à peine le temps de voir les deux hommes s'écrouler.

Déjà, d'autres gardes faisaient irruption, à peine vêtus. Vinka se rua sur eux, frappant, puis disparaissant dans la nuit pour réapparaître, où ils ne l'attendaient pas. Elric, Hans et Siegfried accoururent pour lui prêter main-forte et les soldats assaillis durent se replier dans le corps de garde.

Soudain, un buccin retentit.

– La porte, ouvrez la porte ! hurla Elric.

Les trois jeunes Barbares qui gardaient les chevaux dévalèrent la pente et se présentèrent devant l'édifice, tandis que Hans et Kurk ôtaient les lourdes barres qui bloquaient l'ouverture.

Les Francs allaient crier victoire lorsque des torches apparurent au sommet de la colline. C'étaient les légionnaires d'un camp voisin qui arrivaient en masse, alertés par le buccin.

– À cheval, vite ! commanda Elric.

Excepté Manus, légèrement blessé à la jambe, ils étaient tous indemnes. Ils galopèrent jusqu'au bord du Rhin, et mirent pied à terre.

– En douceur, recommanda Elric. La glace a l'air épaisse, mais on ne sait jamais...

Ils invoquèrent Wotan, maître de la glace et des tempêtes, et se mirent en marche.

– Ça a l'air de tenir ! murmura Hans d'une voix tendue.

Thierry sonda le fleuve, comme il sondait les esprits, et, malgré les hennissements des chevaux, fit signe qu'il avait confiance.

Soudain, les torches apparurent sur la berge.

– Les Romains ! cria Hans.

– Ils sont trop lourds, dit Elric, ils ne pourront pas nous suivre.

Ils avaient dépassé le milieu du fleuve. Devant eux, l'autre rive était silencieuse et plongée dans l'obscurité.

– On y est presque ! cria Elric.

Cependant, le comportement des Romains inquiétait Vinka. Au lieu de descendre au bord du Rhin, ils étaient restés au sommet du talus et semblaient attendre quelque chose...

Tout à coup, Thierry écarta les bras, comme pour empêcher ses compagnons de poursuivre leur traversée. Son visage reflétait la terreur ; les Francs s'arrêtèrent, indécis.

– Avancez ! dit Elric, en poussant le jeune garçon en avant d'un geste nerveux.

Une énorme traînée de feu traversa le ciel et s'abattit quelques mètres devant eux.

– Les catapultes ! cria Siegfried.

Les Romains, qui avaient installé leurs machines derrière la berge, lançaient d'énormes balles de foin, enduites de poix enflammée, pour faire fondre la glace et engloutir les fugitifs.

– À cheval ! ordonna Elric.

Il était trop tard : un craquement sinistre retentit. À la lueur du brasier, ils virent avec horreur la glace se fendre et s'enfoncer dans l'eau noire du fleuve.

Chapitre 15

La loi des mâles

Manus, qui avançait en tête, bascula et disparut sous l'eau avec sa monture. Vinka voulut se précipiter à son secours, mais Elric la ramena brutalement en arrière.

– Trop tard! Il faut avancer. À cheval!

Un autre projectile explosa à leur gauche, suivi d'un autre, un peu plus loin. Ils sautèrent à cheval, firent un détour vers l'amont du fleuve et avancèrent vers l'autre rive aussi vite que possible.

À l'instant où ils s'approchaient du bord, une boule de feu tomba au milieu d'eux, dispersant les chevaux et enflammant les cheveux de Siegfried. Excellents cavaliers, ils restèrent en selle, escaladèrent la berge et s'arrêtèrent à l'orée de la plaine, où Siegfried plongea dans la neige pour éteindre sa chevelure.

– Dommage, tu éclairais le chemin, dit Hans.

Ils se mirent à rire. Leur pays était là, devant eux. Ils avaient franchi le *limes* et se sentaient invincibles. Vinka contempla ses compagnons et se dit qu'avec une centaine de guerriers aussi ardents, elle viendrait à bout de ses ennemis.

94

Ils s'élancèrent dans la neige profonde. Au lever du soleil, ils atteignirent une forêt de sapins noirs, qu'on disait habitée par des dieux sauvages.

Épuisés par leur longue chevauchée et leur nuit d'insomnie, ils firent halte pour la nuit aux abords d'un marais. Un brouillard bleuté flottait sur le sol, masquant traîtreusement un univers mouvant où les corps pouvaient disparaître, attirés par les démons de la terre. Ils allumèrent un grand feu. Sous la chaleur, leurs corps trempés se mettaient à fumer et leurs visages glacés brûlaient. Vinka retrouva les sensations de son enfance, du temps où son père l'emmenait à la chasse aux loups, en plein hiver. Elle s'endormit, l'esprit bercé par la musique du vent et le craquement des arbres.

Le lendemain dès l'aube, ils reprirent la route à travers la brume. La pellicule blanche qui couvrait leurs cheveux et leurs sourcils leur donnait des allures de fantômes.

Vers midi, le soleil perça timidement le brouillard. Ils entendirent des bruits étranges, tout autour d'eux ; des frôlements, des cris aigus, des battements d'ailes...

– Les veilleurs..., annonça Elric.

Vinka sourit. Au lieu de l'inquiéter, la présence furtive de ces hommes la rassurait. Elle était venue de très loin pour entendre de nouveau ces bruits, sentir cette odeur de fumée qui annonçait un village perdu au milieu de ces terres saturées d'eau.

Soudain, le brouillard se leva et, sur une île entre les deux bras d'une rivière, un village apparut.

– Skyl ! lança Elric.

Vinka ne reconnut pas le village de son enfance, berceau de son clan. Mais elle se sentit enveloppée de sensations bouleversantes. Derrière une palissade masquée par une végétation sauvage, elle découvrit une cinquantaine de maisons de bois ou d'argile. Au centre, sur une place boueuse, des gens étaient rassemblés, surtout des femmes et des enfants, blonds, les joues rougies par le froid, vêtus de fourrure et chaussés de bottes de cuir crottées. Vinka chercha en vain un visage familier; elle aperçut quelques vieillards, mais pas un seul guerrier.

Les huit cavaliers avaient mis pied à terre.

— Voici Vinka et Thierry, les enfants du glorieux Richemer, lança Elric.

La foule demeura distante, indifférente. Seuls quelques gamins curieux vinrent rôder autour des nouveaux venus. Vinka, déçue, caressa les cheveux de lin d'une fillette; cet accueil glacial la décevait. Puis, un vieil homme s'approcha d'eux avec lenteur. Il était très grand, maigre et voûté. Une impression de force extraordinaire se dégageait de cette apparence ascétique.

— Salut, Morgal, dit Elric avec respect.

— Tu es Morgal, le forgeron? s'écria Vinka en se précipitant vers le vieillard. Mon père m'a souvent parlé de toi, de tes exploits. Tu étais son ami le plus cher!

— Il était le mien, grogna le vieil homme.

Mais c'était avant qu'il aille combattre pour les Romains.

Vinka connaissait son histoire : lorsque Richemer s'était allié à Rome, le forgeron était resté au fond de ses marais, au grand désespoir du roi. Car les épées de Morgal, et sa manière de s'en servir, étaient célèbres dans toute la Germanie.

Tandis qu'ils parlaient, les veilleurs les rejoignirent. Ils étaient jeunes et armés d'arcs à double courbure, empruntés aux Mongols. Peu de temps après, une soixantaine de cavaliers survint à son tour. Les femmes de Skyl s'animèrent pour accueillir les guerriers qui revenaient d'une expédition. Ils avaient belle allure, mais tous étaient très jeunes : certains avaient à peine quinze ans, et leur chef, Harald, ne devait pas en avoir plus de vingt-cinq. Vinka se souvenait de lui comme d'un adolescent arrogant, batailleur et obstiné, que Richemer et ses officiers traitaient avec sévérité, car il avait la tête dure et désobéissait aux ordres.

De retour de razzia, les cavaliers précédaient un troupeau de vaches, quelques chevaux, et deux chariots chargés du butin. Pendant que les

97

femmes déchargeaient les sacs de blé, les jarres d'huile et les tonneaux de vin, ils regroupèrent les bêtes avant de procéder au partage.

Elric, Hans, Siegfried et tous leurs compagnons saluèrent joyeusement les cavaliers francs. Vinka, restée à l'écart, évaluait déjà les guerriers, les armes, les chevaux... Elric vint lui prendre la main et la conduisit devant le chef du village.

— Tu reconnais Vinka ?

Harald hocha la tête, sans un mot de bienvenue. Quatre jeunes guerriers se tenaient à ses côtés, ses lieutenants sans doute. Parmi eux, la jeune Barbare reconnut Gerd et Varan. Le premier, énorme, était doté d'une force de taureau et d'une intelligence limitée ; le second, Varan, vif, dangereux comme un serpent, l'observait avec méchanceté.

— La Romaine..., ricana-t-il.

— Avec son infirme de frère..., ajouta Gerd. Beau renfort !

Vinka serra les poings pour contenir sa colère.

— Où sont les officiers de mon père ?

— Ceux qui sont encore vivants ont été emprisonnés, répondit Harald d'un ton indifférent.

— Où ça ?

— À Trèves.

Elle se tourna vers Elric.

— Pourquoi ne m'as-tu rien dit?

— Je n'en ai pas eu le temps, s'excusa le jeune Franc en souriant. Depuis ton retour, c'est la tempête.

Vinka secoua ses longs cheveux d'un air farouche:

— Il faut les délivrer et venger notre roi!

Les lieutenants d'Harald éclatèrent de rire.

— Ici, tu n'as pas le droit à la parole! tonna ce dernier, sauf si je consens à t'interroger. Va plutôt aider les femmes à décharger!

99

Furieuse, la jeune Franque frappa son épée du plat de la main:

— J'ai autre chose à faire!

— Si tu veux manger, lui rétorqua le jeune chef, tu dois travailler.

Elric s'interposa:

— Si tu l'avais vue combattre, tu saurais qu'elle est digne du sang de son père.

— Je n'ai que faire du sang de son père! riposta Harald, méprisant.

Vinka se planta devant lui:

— Tu crèves de peur, pas vrai? C'est pour ça que tu ne veux pas aller à Trèves. Tu préfères te cacher, et piller tes voisins francs ! Tu n'as que faire de la vie de nos guerriers.

Le visage d'Harald se durcit. Pendant quelques instants, la fureur l'empêcha de prononcer un mot. Puis, lorsqu'il parla, sa voix était méconnaissable.

– Pendant que ton père jouait les héros et que tu te prélassais à Rome, j'ai rassemblé les débris de mon peuple et les ai conduits ici, en lieu sûr. Ensuite, j'ai dû les nourrir, soigner les blessés, défendre les femmes et les enfants contre le froid, les loups, les pillards. Tout ça, avec une poignée de survivants ! Et tu voudrais que j'envoie mes guerriers au massacre pour satisfaire ton désir de vengeance ? Sache que je n'ai pas de leçon de courage à recevoir de toi. Quant à ton père, ce qui lui est arrivé n'est que justice. À force de servir Rome, il avait fini par se prendre pour un Romain. Il a trahi son peuple ! Il est responsable du massacre de sa famille, de ses fidèles et d'une partie de notre clan !

– Menteur ! hurla Vinka, hors d'elle. Tu oses te considérer comme un chef ? Laisse-moi rire. Tu n'es qu'un vulgaire pillard, indigne de prononcer le nom de Richemer !

100

Harald bondit sur celle qui osait le défier, mais Vinka esquiva et le frappa du pied dans l'estomac, le faisant se plier en deux. Stupéfait, il se redressa et marcha sur elle. Une fois encore, elle lui échappa avec une incroyable agilité et le fit trébucher à deux reprises.

Voyant son chef ridiculisé devant ses hommes, Varan faucha Vinka par-derrière ; celle-ci s'effondra avec un gémissement de douleur. Gerd en profita pour lancer un bâton à Harald, qui le saisit au vol et se précipita sur l'insoumise.

– Arrête ! cria Elric en tentant de maîtriser Harald.

Fou de rage, celui-ci le frappa au visage, tandis que ses hommes, tirant leurs armes, tenaient Hans, Kurk et Siegfried en respect. Ensuite, il libéra sa violence sur Vinka, toujours à terre. Frappée aux jambes, aux bras et à la tête, elle perdit connaissance. Harald l'aurait achevée, si Thierry ne s'était pas précipité sur le corps de sa sœur pour la protéger, car alors la main puissante de Morgal paralysa son bras.

– Assez pour aujourd'hui ! gronda le forgeron.

Harald jeta son bâton et quitta la place, suivi d'une partie de ses hommes.

Chapitre 16

Force divine

Vinka avait du mal à respirer. Elle grelottait et son bras gauche la faisait souffrir jusqu'à la nausée. Elle ouvrit les yeux et les referma aussitôt : la lumière lui était une torture insupportable.

– Cet endroit..., balbutia-t-elle.

– C'est ma maison, lui répondit la voix rude de Morgal.

– On gèle.

– Tu as de la fièvre...

– Depuis quatre jours, mima Thierry.

– À cause de ces misérables ! grommela Elric.

— Ces misérables veillent sur le clan, reprit Morgal avec sévérité. Harald était dans son droit : une fille n'a pas à donner de leçon à son roi !

Vinka se redressa sur sa couche, malgré la douleur :

— Ce n'est pas mon roi et je ne suis pas n'importe quelle fille ! Je suis la fille de Richemer.

— Aussi orgueilleuse que lui ! grommela le vieux forgeron.

Vinka n'eut aucune réaction, car elle sombra de nouveau dans l'inconscience. L'ombre de la mort était sur elle ; durant des jours, elle demeura plongée dans un sommeil ponctué de délire. Thierry, qui la veillait constamment, ne voyait plus son destin qu'à travers un brouillard opaque.

103

Matin et soir, Hul, l'érilar, grand prêtre de Wotan, apportait les herbes et les champignons qui guérissent. Morgal les administrait à la malade sans douceur. Il n'aimait pas les filles, qu'il trouvait tout juste bonnes à semer le désordre dans le clan. Vinka allait peut-être mourir. Bon débarras !

Cependant, malgré sa tête fendue, son bras fracturé, ses côtes brisées et ses plaies infectées, au bout de trois semaines, Vinka finit par retrouver la parole :

— J'ai faim !

Le vieux forgeron déposa une écuelle de soupe sur la pierre d'âtre où se consumaient des bûches de sapin. Elle mangea avidement, de sa main valide, puis elle réclama à boire :

— Pas d'eau, de la bière !

Pour qui se prenait-elle ? Il posa le gobelet si violemment qu'il éclaboussa la fourrure sur laquelle elle était étendue, à même le sol.

Tandis qu'elle buvait, il maugréa :

— Tu n'es pas belle à voir !

— Toi non plus, vieux bouc !

Thierry se tortilla sur le sol, ce qui était sa manière à lui de hurler de rire. Vexé, Morgal disparut dans sa forge. Quelques instants plus tard, on entendit le ronflement du soufflet, puis le martèlement du fer. Bercée par ce bruit familier, Vinka se rendormit.

Jour après jour, la jeune Franque reprit des forces ; ses plaies guérirent et la blessure de son crâne se referma. Bientôt, elle put respirer normalement et détacha les bandages qui l'oppressaient. Seuls ses jambes et ses bras restaient douloureux ; elle avait de la peine à se mouvoir. Comme elle avait peur de rester infirme, elle se força à marcher jusqu'à l'épuisement, sous le regard de l'érilar qui l'approuvait en silence.

En février, le froid devint si rigoureux que les femmes et les enfants ne sortaient pratiquement plus. Ils restaient dans la chaleur du feu et des bêtes, car les étables communiquaient avec le reste de la maison. Pendant ce temps, Vinka charriait du bois dans la forêt, durant des heures, ou bien elle se rendait au milieu des marais pour pêcher sous la glace. Au début, elle faisait cela avec un seul bras, le droit. Puis elle se servit de son bras gauche, à demi paralysé.

Thierry l'accompagnait. Parfois, lorsqu'il ne partait pas en expédition, Elric se joignait à eux. Vinka appréciait sa compagnie, mais elle refusait son aide.

Le 22 février, le village célébrait les morts en leur apportant des victuailles. L'air était si glacé que les oiseaux tombaient comme des pierres et jonchaient la glace des étangs. Vinka fut la seule à passer la journée sur les tombes, comme l'exigeait la coutume.

Chaque soir, elle se réfugiait dans l'atelier de Morgal. Durant des heures, elle contemplait le forgeron qui travaillait sans répit, forgeant chaque lame jusqu'à trente fois. D'ordinaire, elle restait silencieuse, et Morgal n'était pas bavard. Un jour, cependant, elle demanda :

– Pourquoi tant de fois ?

Morgal, qui n'avait pas l'habitude de partager ses secrets, leva la tête et grogna :

– Plus on le travaille, et plus le métal est résistant. Le mystère d'une bonne épée, c'est un cœur d'acier doux pour la flexibilité, et une gaine d'acier dur pour le tranchant. C'est grâce à ça que nous vaincrons les Romains : nos armes sont meilleures que les leurs.

– Tu me forgeras une épée ? supplia Vinka.

Il éclata d'un gros rire :

– Toi ? Tu ferais un fameux guerrier !

– Je n'ai pas peur de me battre !

– On voit le résultat !

Vexée, Vinka redoubla d'efforts pour retrouver l'usage complet de ses jambes et de son bras. En la voyant si acharnée au travail, Harald se réjouissait secrètement : la leçon qu'il lui avait infligée semblait l'avoir matée, et cela servirait d'exemple à ceux qui voudraient contester son autorité, comme Elric et sa bande. Il ignorait que la jeune fille, loin d'être soumise, brûlait de se venger ;

de lui, d'abord, et des meurtriers de son père, le moment venu.

En attendant, elle s'exerçait à la patience, supportant sans broncher les moqueries des jeunes guerriers qui la traitaient comme une esclave, surtout Gerd et Varan, les plus grossiers. Parfois, elle songeait avec tristesse que les mois qui passaient diminuaient ses chances de libérer les compagnons de Richemer. Toutefois, loin de la décourager, cette pensée fortifiait sa volonté.

Lorsque vint le printemps, non seulement elle était guérie, mais elle se sentait plus forte qu'auparavant. De l'aube jusqu'au crépuscule, elle courait à travers la forêt, grimpait aux arbres, se baignait dans l'eau glacée et s'entraînait secrètement à l'arc et à l'épée. Elle participait également aux travaux des champs. Dans une plaine bien drainée, voisine des marais, les Francs cultivaient le blé, l'orge et le lin. Vinka désherbait ou coupait des arbres à la hache pour aider à gagner de l'espace sur la forêt.

107

Lorsqu'elle rentrait au village, tous voyaient en elle une fille comme les autres. Seul l'érilar souriait derrière ses moustaches blanches, car son savoir lui disait que Vinka avait été élue par Wotan.

Un matin, tandis qu'elle tirait à l'arc au bord de la rivière, en amont du village, Gerd et Varan la surprirent.

— Curieux instrument de cuisine, railla Varan.

— Interdit aux filles, ricana Gerd.

Vinka leur adressa un sourire sans joie. Elle avait une revanche à prendre sur ces deux-là et brûlait d'expérimenter sa force retrouvée.

— Les femmes franques ont toujours su se battre, dit-elle.

— Mais tu n'es pas une femme franque, répliqua Varan.

108

— Tu es une Romaine! cracha Gerd avec mépris.

Ses manières étaient-elles trop raffinées pour ces rustres? se demanda Vinka.

— Pourquoi ne pas me l'enlever? suggéra-t-elle en montrant son arc.

— Tu fais la fière! rugit Varan. C'est une rossée que tu veux?

— Elle y prend goût! ricana Gerd.

Vinka jeta son arc et s'avança vers eux, les mains nues. Cette audace leur parut si comique qu'ils ne prirent même pas la peine de se mettre en garde.

— Première leçon, dit Vinka: ne jamais se laisser surprendre!

Se glissant d'un bond derrière Varan, elle lui faucha les jambes, de la même manière qu'il l'avait abattue au cours de son duel contre Harald. Le jeune guerrier tomba comme une masse et sa tête heurta la souche d'un sapin.

À la vue de son compagnon étendu sur le sol, assommé, Gerd se rua sur la jeune fille. Celle-ci l'évita aisément. Elle lui fit un croc-en-jambe et le colosse s'étala dans la boue. Il se releva et tira son couteau.

— Fini de jouer, grogna-t-il.

Vinka recula de quelques pas.

— Deuxième leçon, dit-elle : ne jamais sous-estimer l'adversaire.

Au moment où Gerd se précipitait pour lui porter un coup mortel, elle se courba sous la lame et le frappa au bas-ventre. Emportée par son élan, la brute trébucha et s'écroula.

— Debout, grosse vache ! cria Vinka.

Il se redressa en grimaçant. Son bras droit était tout raide ; il s'était blessé en tombant sur son arme.

— Interdit aux filles ! se moqua Vinka, en ramassant le poignard et en le jetant dans la rivière.

Chapitre 17

L'âme de Richemer

—C'est toi qui as rossé Gerd et Varan ? demanda Elric.

Vinka dévisagea le jeune Franc. En quelques mois, il avait encore grandi et dépassait la plupart de ses compagnons. Il avait un beau visage. Des traits durs adoucis par un regard gris et mélancolique. On ne reconnaissait plus le voleur de Trèves. Vif et intrépide, excellent cavalier, il était devenu l'un des meilleurs guerriers de Skyl.

– Méfie-toi d'Harald, ajouta-t-il.

– Pourquoi tu me dis ça ?

Elric hocha la tête.

– Tu le sais bien.

Oui, elle le savait : il était amoureux d'elle. Parfois même, elle avait envie de se laisser aller dans ses bras, mais elle résistait à la tentation. Elle avait une vengeance à accomplir, et cela lui interdisait la faiblesse comme le bonheur. Et l'amour, à ses yeux, était une faiblesse.

Elle songea à Licinius. Elle avait repoussé le jeune tribun qu'elle aimait passionnément. Alors, pourquoi céderait-elle à Elric ?

Elle trouva un élément de réponse dans les yeux gris qui la contemplaient avec admiration. Licinius était romain, tandis qu'Elric faisait partie de son peuple, de sa famille. Le même sang coulait dans leurs veines. Elle murmura :

– Il ne faut pas m'aimer. La haine porte malheur, et j'ai trop de haine dans le cœur pour faire le bonheur d'un homme.

Elric sourit :

– Il est trop tard.

Il la serra contre lui. Ses mains caressèrent ses cheveux, saisirent son visage avec douceur, puis il l'embrassa.

Quelques jours plus tard, Vinka admirait une épée que venait de forger Morgal lorsqu'elle eut l'impression que Wotan lui disait : « Prends-la, cette arme a été forgée pour toi. » Jamais le vieux forgeron n'avait créé une aussi belle lame. Peut-être le dieu l'avait-il inspiré... Elle murmura :

– Donne-la-moi.

Elle ne suppliait pas, elle exigeait. Sa hardiesse énerva Morgal :

– Cette épée est destinée à un guerrier !

– Faisons un marché, proposa Vinka. Battons-nous. Si tu es vainqueur, je me chargerai de toutes tes corvées durant une année entière. Si je triomphe, l'épée sera à moi.

112

– Tu oses me défier ? écuma-t-il.

Il n'y avait pas de meilleur combattant que lui à l'épée. Durant des dizaines d'années, il avait enseigné son maniement à tous les Francs de son clan, à bien des chefs, à Richemer lui-même. Décidément, l'arrogance de Vinka dépassait les bornes !

– Mais j'y pense, dit-elle. Il y a une éternité que tu ne t'es plus battu... Entraîne-toi d'abord, on en reparlera lorsque tu seras en forme.

Autour d'eux, les femmes du village se mirent à rire. Elles n'étaient pas fâchées de voir une fille river son clou à ce vieux tyran de Morgal.

Le forgeron blêmit de rage. Cette peste lui pourrissait la vie depuis des mois. Si c'est une correction qu'elle voulait, elle n'allait pas être déçue ! Il lui lança une arme, saisit l'épée qu'il venait de forger et se mit en garde.

– Voyons ce que tu sais faire, lança-t-il avec un sourire carnassier.

Vinka se déplaça lentement autour de Morgal, assurant ses pieds dans la boue. Elle tenait son épée du côté droit, loin du corps, dans une position contraire à tous les préceptes.

« Trop facile ! » pensa Morgal.

113

Son arme jaillit soudain, visant le crâne de Vinka du plat de la lame. Mais l'épée ne rencontra que le vide ; la jeune Barbare avait esquivé le coup.

Elle riposta aussitôt : Morgal para, mais une deuxième attaque faillit lui tailler le visage.

Il se replia de quelques pas et observa plus attentivement son adversaire. Il avait rarement vu une telle rapidité. L'épée de Vinka devait bien peser dans les deux kilos. Or, elle la maniait avec une aisance sidérante, qui révélait des muscles d'acier. Elle était impassible, souriante, l'épée toujours à droite, le corps découvert, incroyablement sûre d'elle, alors que l'assaut avait essoufflé le vieux guerrier.

«Attends, petit scorpion! grinça-t-il intérieurement. Je vais t'enseigner l'humilité!»

Il s'avança, l'épée levée, feinta à droite, puis à gauche. Vinka fit un bond en arrière et son pied glissa. Morgal, impitoyable, abattit sa lame. Elle para, mais le coup, porté avec une force redoutable, l'envoya rouler sur le sol. Il ne restait à Morgal qu'à achever son adversaire du plat de l'épée. Pourtant, au lieu d'atteindre sa cible, l'arme se planta dans la boue. Avec une vivacité inouïe, Vinka s'était dérobée.

114

Comme il relevait sa lame, Morgal sentit une douleur cuisante aux mollets et tomba à genoux. L'épée de la jeune Barbare l'atteignit à la nuque. Il devina qu'elle retenait ses coups. Il se retourna, mais, du pied, elle le renversa sur le dos, et sa lame pesa sur la gorge de son adversaire.

– L'épée est à moi! cria-t-elle, triomphante.

Ceux qui avaient assisté au combat manifestèrent leur admiration. Les guerriers capables de vaincre Morgal, malgré son âge, se comptaient sur les doigts d'une main.

– Tu l'as méritée! grogna le forgeron.

Cependant, il repoussa la main qu'elle lui tendait et se remit debout avec dignité.

— J'ignore qui t'a enseigné l'art du combat, dit-il, mais je peux te dire que ce n'était pas un manchot. Un seul de mes élèves aurait été capable de te battre aujourd'hui: il s'appelait Richemer.

Durant un instant, une profonde émotion s'empara de l'assistance. Puis celle-ci fut rompue par un rire moqueur. Harald s'avança, bousculant les femmes et les guerriers qui faisaient cercle autour des combattants.

— Tu es devenu beaucoup trop vieux pour ce genre d'exercice, Morgal, et trop pleurnicheur. Contre un vrai guerrier, cette morveuse ne tiendrait pas trois minutes !

— Tu veux essayer? proposa Vinka d'une voix douce.

— Le bâton ne t'a pas suffi?

— C'est toi qui le tenais, rappela Vinka. Maintenant, les armes sont plus égales.

— Plus dangereuses, dit Harald, en tirant son épée avec une joie cruelle.

Chapitre 18

La guerrière fantôme

Vinka et Harald se placè-
rent face à face. Le chef des Francs était confiant
dans sa force. Au cours des deux années précé-
dentes, il avait vaincu tous ses ennemis : il ne
ferait qu'une bouchée de celui-là. Il n'était
pas fâché de se débarrasser d'elle une fois pour
toutes, car elle devenait encombrante.

Non seulement elle se prenait pour l'héritière
légitime de Richemer et contestait son autorité,
mais en outre elle avait châtié ses plus fidèles
lieutenants et conquis la plupart des femmes du
clan, qui appréciaient son courage. Elle avait

même recruté des partisans : Elric, Hans, Kurk, Siegfried et une vingtaine d'autres. Ces derniers l'admiraient et ne s'en cachaient pas. Il était grand temps de mettre un terme à cette dissidence.

Il se préparait à porter sa première attaque lorsque Hul, l'érilar du clan, s'interposa entre les deux combattants.

— Bas les armes ! cria-t-il. J'ai consulté les runes, les textes sacrés : tu ne peux pas affronter la fille de Richemer !

— Qui m'en empêche ? ricana Harald.

Hul leva une main au ciel :

— Wotan ! L'âme de Richemer s'est réincarnée dans sa fille. Le dieu de la guerre la protège. Malheur à celui qui ose la défier !

— Malheur à moi, alors ! cria Harald en portant une attaque par surprise.

Vinka esquiva d'un bond désespéré ; l'épée du jeune roi lui frôla les cheveux. Furieux d'avoir manqué son coup, Harald attaqua à nouveau, de toutes ses forces. Cette fois, Vinka était sur ses gardes. Chacun des assauts du jeune chef aboutit dans le vide. Sa frêle adversaire était vive, agile, insaisissable.

Elle se contentait, du reste, de s'effacer devant ses attaques brutales sans chercher à riposter. Et ce jeu finit par exaspérer Harald. Dans sa hâte d'atteindre la guerrière fantôme, il frappait sans relâche, au mépris de toute prudence.

Au bout de dix minutes, il s'arrêta, le souffle court, et contempla son adversaire. Vinka se tenait devant lui, l'épée négligemment éloignée du corps, désinvolte. Il crut la voir sourire.

« Elle se moque de moi ! » se dit-il.

La plupart de ses hommes assistaient au combat. Ils étaient les témoins de son humiliation. Cette pensée lui fut insupportable. Il se jeta brusquement sur Vinka, avec une telle violence qu'elle dut porter un coup en avant pour briser son élan. Au lieu de parer, il leva son épée. La pointe de Vinka glissa sur le haut de sa cuirasse et lui traversa la gorge.

Harald tomba sans un cri.

Tandis que les compagnons du jeune roi se précipitaient vers le vaincu, Vinka resta toute droite, les deux mains appuyées sur la garde de son épée, pétrifiée par sa victoire foudroyante. Elle n'avait pas voulu la mort d'Harald ; Wotan avait décidé pour elle en punissant celui qui l'avait défiée.

La plupart des villageois, qui se souvenaient des paroles prophétiques de l'érilar, la contemplaient

avec respect. Ce dernier resta à l'écart, le visage
levé vers le ciel. Ce fut Elric qui s'adressa au clan.

– Skyl avait un roi courageux, dit-il. À présent,
il aura une reine, glorieuse et invincible : la fille
de Richemer. Telle est la volonté de Wotan !

Les jours qui suivirent, la majorité des
membres du clan accepta cette décision. Cependant, vingt-six guerriers quittèrent Skyl avec leurs
familles, leurs armes et leurs bêtes, pour se
mettre au service d'un autre roi. Certains agis-
saient ainsi par fidélité envers Harald ; d'autres,
comme Gerd et Varan, par haine de Vinka, ou
parce qu'ils trouvaient humiliant de combattre
sous les ordres d'une femme.

Lorsque Vinka réunit ses troupes, elle
dénombra quarante-huit guerriers et se dit
qu'il était urgent de leur donner confiance. Les
Francs étaient des pillards. S'ils avaient la
certitude d'amasser des richesses, ils iraient au
combat sans réfléchir, et d'autres se joindraient
à eux.

Elle envoya aussitôt Hans et Kurk prendre
contact avec les Bagaudes. Aelianus la rensei-
gnerait sur les caravanes romaines, en échange
d'une part de butin.

Pendant ce temps, elle organisa les funérailles d'Harald. Un gigantesque bûcher fut dressé sur l'Himinborg, les Monts du Ciel, lieu sacré des Francs, et les fêtes destinées à célébrer l'entrée du jeune guerrier au Walhalla durèrent plusieurs jours. Lorsqu'elles s'achevèrent, Vinka fit agrandir le village et renforça la palissade. Ensuite, elle commença l'entraînement de sa petite armée, enseignant à ses hommes les tactiques de guerre romaine et les techniques de combat auxquelles Licinius l'avait initiée.

120
Cependant, les guerriers brûlaient de se battre et devenaient nerveux. Chaque jour, des querelles éclataient; les épées sortaient des fourreaux, les haches volaient dangereusement.

– Les Worgs sont riches. Pourquoi ne pas leur rendre une petite visite? suggéra Elric. Ce serait l'occasion de mettre en pratique ce que tu nous as appris.

Vinka fronça les sourcils:

– Les Worgs sont des Francs, si j'ai bonne mémoire.

– Nous les avons toujours combattus, fit remarquer Siegfried.

Vinka secoua la tête:

– Plus maintenant. Nous n'avons qu'un ennemi : Rome. Les Francs sont nos frères d'armes. Tous les Francs !

– Alors, il faudra avertir toutes les tribus, plaisanta Siegfried, car il se peut qu'elles aient une autre conception de la fraternité !

Les guerriers explosèrent de rire. Vinka daigna sourire :

– Elles seront prévenues...

Chapitre 19

La déesse de la guerre

Le convoi romain était impressionnant : quarante chariots, encadrés par une bonne centaine de soldats. Son chargement était destiné à approvisionner l'annone militaire de Cologne.

Le chef des Bagaudes avait été particulièrement efficace : grâce à lui, Vinka connaissait avec précision le nombre de sacs de grain, celui des jarres d'huile, l'importance du troupeau de bœufs et de moutons qui accompagnait le convoi. Elle savait que deux des chariots transportaient des armes et deux autres, les éléments d'une énorme catapulte. Au centre, un véhicule était réservé à la solde des légionnaires.

La caravane avançait pesamment le long de la voie romaine. Au bout d'une plaine monotone, le paysage devint soudain montagneux. Au pied d'une côte s'élevait un relais. L'officier commandant le convoi ordonna une halte, comme l'avait prévu Vinka.

Une heure auparavant, la jeune reine avait attaqué le poste et ses guerriers avaient endossé les uniformes des légionnaires neutralisés.

Au moment où l'officier et ses hommes mettaient pied à terre et s'avançaient vers le relais, Vinka donna le signal de l'attaque, et les Romains furent criblés de flèches. Puis, quarante cavaliers francs attaquèrent les soldats qui tentaient de fuir.

En quelques minutes, le combat tourna à l'avantage des pillards.

– Jetez vos armes ! ordonna Vinka.

La plupart des légionnaires se rendirent. Ceux qui résistaient furent décimés.

Après avoir pris possession du convoi, Vinka achemina le butin, les prisonniers et l'immense troupeau vers son camp. Deux kilomètres plus loin, un chemin s'enfonçait dans la forêt. Les

Francs dételèrent les chevaux et brûlèrent les chariots. Le butin fut chargé sur des traîneaux plus légers, capables de traverser l'épaisse forêt et de se faufiler à travers le labyrinthe des marais.

Deux jours plus tard, Vinka fit une entrée triomphale à Skyl. La prise était considérable. Les granges regorgèrent de grain. Les étables furent incapables de contenir les centaines de bêtes : bœufs, vaches, moutons et chevaux. Vinka vendit aux Alamans ses prisonniers : soldats, marchands et caravaniers romains. Elle libéra les esclaves et proposa à certains de se joindre à sa petite armée. Seize d'entre eux acceptèrent. Enfin, elle fit parvenir aux Bagaudes la moitié de l'argent de la solde. En retour, elle reçut un message d'Aelianus : « Bien joué, déesse de la guerre. »

— Belle victoire ! apprécia Elric, lorsque le clan fut réuni. Mais que feras-tu lorsque l'empereur Maximien apprendra ce qui s'est passé ? Car il le saura tôt ou tard. La nouvelle de notre coup d'éclat se répand déjà chez nos voisins...

— Je veux que l'empereur sache, répondit Vinka. Le butin ne m'intéresse pas ; mon but est de provoquer la colère de Maximien. Nous nous acharnerons sur lui comme des taons sur la croupe d'un taureau.

Les Francs se mirent à rire. Elric secoua la tête d'un air désapprobateur :

– Nous ne sommes pas de taille à affronter l'armée romaine, tu le sais bien.

– Nous, non, répliqua Vinka. Mais les Francs réunis le seront.

– Les autres clans ne combattront jamais avec nous, prévint Hans, sceptique.

Vinka haussa les épaules.

– L'Empire romain est un grand poulailler, assura-t-elle, et le peuple franc un renard. Je compte sur le goût du sang et l'odeur du butin pour allécher les prédateurs, du Rhin jusqu'à la mer du Nord.

Les guerriers approuvèrent bruyamment. Vinka savait trouver les mots pour les convaincre. Cependant, Elric demeurait soucieux. Lorsque le clan se dispersa, il prit la reine à part :

– Tu n'as pas répondu à ma question, Vinka : que feras-tu lorsque l'armée romaine marchera sur Skyl ?

– Au milieu de ces marais ? dit Vinka, ironique. Je choisirai mon champ de bataille. Mais nous

125

n'en sommes pas encore là. Je dois m'absenter ;
tu vas prendre le commandement de l'armée en
mon absence.

— Où vas-tu ? s'écria-t-il.

— En voyage.

— Je t'accompagne.

— Tu dois rester : je n'ai confiance qu'en toi.

— Tu vas me manquer, dit Elric.

— Toi aussi.

Il la sentait froide et préoccupée. Lorsqu'ils
s'aimaient, c'était toujours en cachette, car elle
ne voulait pas que les autres soient au courant
de leur liaison. Il en souffrait, mais, en même
temps, il ne pouvait pas s'empêcher d'admirer
sa force et son courage. Ses guerriers, fanatisés,
avaient adopté le nom donné par Aelianus :
« la déesse de la guerre » ; s'ils l'avaient sue
amoureuse, peut-être ne l'auraient-ils plus admirée autant.

Chapitre 20

Les prisonniers

Pendant les deux mois qui suivirent, Vinka, accompagnée de Thierry, de Morgal et de Hul, fit le tour des tribus franques. Elle fut plutôt bien accueillie, mais trois clans seulement, sur une quarantaine, acceptèrent de rallier son armée pour de courtes expéditions.

– C'est peu, grommela Morgal, tandis qu'ils regagnaient Skyl.

– Trois cents hommes, c'est suffisant ! Notre armée doit être mobile et unie.

Les semaines suivantes, elle frappa successivement les villes de Deutz, Neuwar, Haussen et

Sieg, pillant les caravanes et les entrepôts, transperçant la frontière, attaquant les postes militaires les plus vulnérables. Par sa faute, la circulation fut paralysée dans une grande partie de la Germanie rhénane, et l'approvisionnement de l'armée romaine devint problématique.

Vinka abandonna la plus grande partie du butin à ses alliés, avant de ramener son armée dans les marais de Skyl.

— Ce n'est pas ainsi que tu enrôleras de nouveaux guerriers, fit remarquer Hans, mécontent.

Vinka observa ses hommes. Ils étaient cent trente, à présent, bien armés et bien nourris. Trop bien, peut-être... L'instant était venu de les mettre à l'épreuve.

— Mon rêve, dit-elle, ce n'est pas de commander une bande de pillards. L'or, les bijoux, les chevaux doivent servir à faire la guerre, pas à parader devant les femmes.

— À quoi rêves-tu, alors ? demanda Kurk.

— Je veux une armée de héros.

— Pour quoi faire ?

— Pour harceler les Romains.

— C'est ce que nous faisons !

Vinka rejeta ses cheveux en arrière, d'un geste farouche.

— Nous remportons de petites victoires sur de petits adversaires : des marchands, des fonctionnaires, des vétérans, avant de disparaître comme des voleurs. Ce n'est pas très héroïque.

— Que veux-tu faire, maintenant ? demanda Hans. Assiéger Rome ?

— Pas Rome, Trèves.

Tous se regardèrent, atterrés, comme si Vinka avait brusquement perdu la raison.

— Tu sais combien il y a de soldats, à Trèves ? demanda Elric.

— Six mille six cents à l'intérieur des murs. Dix-huit mille en comptant les prétoriens et les camps voisins, répondit Vinka sans hésiter.

129

— Je vois que tu es bien renseignée. Tu sais aussi que nous sommes cent trente !

— Je n'ai pas l'intention de prendre la ville. Je veux libérer nos compagnons.

— Tu parles des fidèles de ton père ?

— De grands guerriers, vos amis, vos parents... dit Vinka.

— Ils sont enfermés dans la Prison Noire, dit Kurk. Du moins, ils y étaient, car depuis le temps, les Romains ont dû nettoyer les cachots...

— Ils sont vivants ! assura Vinka.

Elric laissa échapper un geste impatient :

– Encore une information de tes espions bagaudes ! Tu as vraiment confiance dans ces brigands ?

– Cette fois, dit Vinka, ce n'est pas Aelianus, mais Thierry, qui me renseigne. Je ne vous oblige pas à venir avec moi. J'ai besoin de vingt volontaires, pas davantage.

– La Prison Noire est une forteresse imprenable, fit observer Kurk. Elle se trouve derrière les remparts de la ville.

Vinka balaya l'objection :

– J'ai un plan pour entrer.

130

– C'est ton plan pour sortir qui nous intéresse, dit Hans en riant.

Les autres partagèrent son hilarité ; Vinka manifesta son agacement :

– Alors, c'est oui ou c'est non ? Décidez-vous : le temps presse !

– Parce qu'en plus, c'est urgent !

– Il faut partir après-demain. Maximien est absent ; il conduit une grande expédition contre les Alamans et ses meilleurs soldats l'accompagnent. C'est notre chance.

– Si c'est notre chance, alors, tu auras tes volontaires, lâcha Elric avec une sombre ironie.

Les vingt-quatre membres de l'opération se mirent en route le surlendemain. Grâce aux nombreuses dépouilles ramenées de ses expéditions, Vinka avait transformé ses hommes en parfaits cavaliers romains : casques, armures, armes, enseignes, chevaux, chariot. Ils passèrent le Rhin sur un radeau qui servait de bac, à la hauteur de Lauriacum ; puis ils marchèrent sur Trèves.

À quelques kilomètres de la ville, ils s'arrêtèrent dans une forêt.

— Il est temps d'exécuter notre plan, décréta Vinka. Comme vous le savez, Maximien a ordonné des persécutions contre les chrétiens.

— Les chrétiens ? s'étonna Hans. Pourquoi ?

— Parce que ce sont des gens étranges qui n'adorent qu'un seul dieu. Ils sont pacifiques, inoffensifs, mais les Romains pensent qu'ils mettent leur empire en danger en contestant l'autorité de l'empereur. Alors, ils les emprisonnent, avant de les livrer aux bêtes dans l'amphithéâtre, ou bien de les noyer dans le fleuve.

— Quel rapport avec nous ?

— Ils sont enfermés dans la Prison Noire, expliqua Vinka. Dix d'entre nous se déguiseront en chrétiens, les autres joueront le rôle des

131

légionnaires chargés de les conduire jusqu'à la forteresse.

Elle prit des robes de laine blanche et des toges dissimulées dans les chariots, et elle les distribua.

— Eh ! je n'ai pas envie de servir de repas aux lions ! protesta Hans.

— Tu es trop coriace, dit Siegfried, les fauves ne voudraient pas de toi. Tandis que Vinka... Miam !

La jeune Barbare enfila une robe et détacha ses longs cheveux.

— Jolie martyre ! apprécia Elric.

132 Ceux qui jouaient les prisonniers cachèrent leurs armes sous le plancher du chariot.

— Baissez la tête, comme si vous étiez en prière, recommanda Vinka. Et surtout ne répondez pas aux provocations. On va vous insulter, vous frapper, peut-être. Quoi qu'il arrive, restez calmes !

— Ah, non ! rugit Hans. Je vous préviens : si un de ces chiens lève la main sur moi, je le taille en pièces !

— Si tu bouges, c'est moi qui te taille en pièces ! s'emporta Vinka.

— Change avec moi, grogna Siegfried.

— Tu es un véritable ami ! s'écria Hans, tout joyeux, en sautant du chariot.

Il jeta sa robe à Siegfried et reprit son habit de légionnaire.

– La robe t'allait mieux, constata Elric.

Hans haussa les épaules en se renfrognant.

– Ce n'est pas un jeu ! rappela Vinka. À partir de maintenant, chaque minute compte. Kurk nous attendra ce soir au bord du Rhin. En route !

Une demi-heure plus tard, le chariot se présenta devant la porte de la ville.

– Encore ces maudits chrétiens ! Il en sort de partout ! pesta l'officier de la garde.

Alors qu'ils traversaient la ville, la population proférait des insultes ou lançait des pierres sur le chariot. C'était une période de guerre et de famine, et l'on faisait croire aux gens que les chrétiens étaient responsables de tous leurs malheurs. Devant cette explosion de haine, Vinka essayait de conserver son calme et ses hommes serraient les poings.

Elric et ses légionnaires dispersaient les furieux à coups de lance quand une dizaine de soldats romains, des vrais ceux-là, surgirent devant eux.

– Halte ! cria leur chef. Arrêtez ce chariot !

« Nous sommes trahis ! Tout est perdu ! » se dit Vinka, en cherchant à saisir son arme.

Chapitre 21

La Prison Noire

—Où allez-vous, avec ces condamnés? À l'amphithéâtre? demanda un officier.

– Pas encore, mais ça viendra, dit Elric en poussant hardiment son cheval vers le Romain. Fais patienter tes fauves.

Les soldats se mirent à rire et Vinka réprima un sourire, car Elric jouait son rôle à la perfection. Cependant, l'officier conserva un air sévère.

– Tu es bien jeune, pour un centurion, fit-il remarquer, en observant la cuirasse et le cep du jeune Barbare.

— Et toi, bien vieux, répliqua Elric en riant. Laisse-nous passer, l'ami : on nous attend à la Prison Noire.

— C'est bon ! grommela l'officier. Dispersez-vous, vous autres ! Allons, place !

Ses hommes ouvrirent un passage à travers la foule.

La prison était attenante à la porte Nigra. C'était une énorme construction en pierre, renforcée de tours carrées aux quatre angles. L'intérieur était sombre et sinistre.

Huit soldats et quatre geôliers accueillirent les nouveaux venus. Ils ouvrirent la lourde porte de bronze et firent entrer le chariot. Puis la porte se referma derrière la troupe.

— Les arcs, murmura Vinka.

Tandis qu'Elric et ses légionnaires occupaient les Romains, Vinka et ses chrétiens saisirent leurs armes.

— Maintenant ! cria Vinka.

Aussitôt, dix arcs se tendirent et criblèrent de flèches les gardes et les geôliers, tandis qu'Elric et ses compagnons abattaient les fuyards à coups d'épée. En quelques instants, il ne resta plus de vivant qu'un geôlier tremblant de peur.

135

— Épargnez-le ! ordonna Vinka. Il va nous guider.

— Tout ce que vous voudrez, bégaya l'homme.

— Toi, Elric, tu vas explorer la forteresse et supprimer tout ce qui ressemble à un Romain. Vous autres, remettez vos uniformes.

Les faux chrétiens obéirent avec empressement. Comme tous les guerriers francs, ils avaient peur de mourir désarmés, car alors le Walhalla, paradis des héros, leur serait interdit.

Vinka poussa le geôlier à la pointe de l'épée :

— Conduis-nous aux hommes de Richemer !

136 Dépêche-toi !

Docile, le geôlier les précéda le long d'un escalier ruisselant d'humidité. Au bas des marches, les torches éclairèrent un sol de vase puante et des barreaux de fer rongés par la rouille, derrière lesquels remuaient des êtres fantomatiques, maigres et dépenaillés.

— Ouvre ! ordonna Vinka.

Le geôlier fit grincer sa clé. Au fond d'un trou infect, une dizaine de prisonniers aux yeux hagards regardaient les uniformes romains. La jeune Franque ôta son casque et fit crouler ses cheveux d'or.

— Je suis Vinka, fille de Richemer, dit-elle.

— Vinka! s'exclama une voix familière.

Othon, l'un des lieutenants de son père, s'avança en chancelant.

— Je suis Kodran, tu me reconnais? dit un autre.

Vinka sourit:

— Je te reconnais. Ton épouse, Gerda, t'attend à Hostium. Je l'enverrai chercher. Pour l'instant, il faut sortir d'ici. Le temps presse! Vous êtes tous là?

— Nous étions cent, dit Othon. Les autres sont morts.

— Vous pouvez marcher?

Une cohorte vacillante sortit du cachot.

— Aidez-les! ordonna Vinka à ses hommes.

D'un coup d'épée, elle cingla le derrière du geôlier.

— Toi, conduis-moi chez les chrétiens.

Le geôlier s'exécuta. Le long de couloirs lugubres, éclairés de rares torches fixées aux murs, ils parvinrent dans une salle au plafond voûté et noirci. Là, une centaine d'hommes, de femmes et d'enfants étaient agenouillés. À la vue des uniformes romains, ils crurent qu'on venait les chercher pour les livrer aux lions. Certains éclatèrent en sanglots; les autres se mirent à prier à haute voix.

– Écoutez-moi ! lança Vinka qui avait coiffé son casque et adoptait les manières rudes des légionnaires. Nous ne sommes pas romains, mais francs. Nous n'éprouvons aucune haine envers vous ou envers votre dieu. Venez avec nous : nous vous conduirons vers la liberté.

– Comment être sûrs que vous dites la vérité ? demanda un homme vêtu comme un noble romain.

Vinka haussa les épaules :

– Vous ne pouvez être sûrs que d'une chose : si vous restez, vous serez dévorés par les lions.

138

Elle rejoignit ses guerriers. Elric et les siens avaient fait place nette, mais à tout moment de nouvelles troupes risquaient de se présenter à la porte de la forteresse. Débarrassés de leurs haillons, les fidèles de Richemer avaient revêtu les robes et les toges abandonnées par les Barbares ; ils gisaient au fond du chariot.

Bientôt, les chrétiens arrivèrent. Vinka fit monter les enfants et les malades sur le chariot ; les autres suivaient à pied.

– Que veux-tu faire de ces gens-là ? s'étonna Elric.

Vinka sourit :

– Ils vont nous aider à quitter la ville.

– Ils sont plus de cent. Nous n'aurons jamais assez de chevaux !

– Les chevaux sont inutiles : nous partons en bateau.

– En bateau ?

Vinka hocha la tête :

– Des pirates doivent nous attendre au port. J'ai tout arrangé.

– Tu espères que tes pirates vont venir nous chercher ici, au milieu de l'armée romaine ? s'exclama Elric, incrédule.

– Ils me coûtent assez cher ! rétorqua Vinka.

Elric éclata de rire :

139

– Puisqu'il faut mourir, autant que ce soit avec toi !

– Ouvrez la porte ! commanda Vinka.

Aussitôt, la longue procession, précédée par le chariot et encadrée par les Barbares en uniformes de légionnaires, prit le chemin du port. Tout en marchant, les chrétiens chantaient un cantique. La foule, massée sur les deux côtés de la rue, les contemplait avec pitié ou ironie.

– Dis-leur de se taire, murmura Elric, tendu.

– Au contraire, répondit Vinka sur le même ton. Regarde-les : de vrais martyrs ! Tout le monde va croire qu'on les conduit à la mort.

Une porte voûtée permettait d'accéder aux quais ; à cet endroit, les soldats des cohortes urbaines étaient très nombreux. Le cortège s'arrêta.

— Où allez-vous ainsi ? demanda un officier.

— C'est le jour du baptême, plaisanta Elric.

Les marchands et les marins du port s'esclaffèrent, car l'empereur Maximien avait déjà ordonné de noyer des chrétiens dans la Moselle pour parodier leur sacrement.

— Vous comptez les jeter ici ? s'étonna un officier romain.

140

— Non, ils sont beaucoup trop nombreux, dit Elric. Pas question de souiller le port avec cette racaille. Nous les emmenons plus au nord, sur le fleuve.

Comme il disait cela, il se tourna vers Vinka pour savoir où il devait se diriger. Cette dernière lui indiqua une galère amarrée près des entrepôts.

Ils s'approchèrent du bateau, où de grands gaillards blonds finissaient de décharger des ballots de fourrure et des quartiers de viande séchée.

— Je t'amène ta cargaison, l'ami, dit Elric au capitaine.

L'œil du pirate s'alluma :

– Des esclaves ?

– Des passagers, rectifia Vinka en s'avançant.

– Ah ! c'est toi, la fille de Richemer. Je ne t'avais pas reconnue sous cet accoutrement !

– Parle moins fort ! ordonna Vinka, voyant les soldats romains rôder autour d'eux.

– Jamais je ne pourrai embarquer tout ça ! protesta le pirate.

– Il faudra bien...

L'homme plissa les yeux d'un air roublard.

– Alors, ça va te coûter plus cher.

– Pas un sesterce, assura Vinka, imperturbable.

– Et si tu restais ici ?

La jeune fille montra discrètement son épée :

– Tu resterais aussi.

Le pirate explosa de rire :

– Tu me plais, mauviette !

– Prouve-le, grogna Vinka : bouge tes fesses !

En les voyant discuter âprement, l'officier romain s'approcha :

– Que se passe-t-il ?

– Ce bateau est réquisitionné, dit Vinka. Mais ce bandit de marchand trouve les chrétiens trop nombreux.

141

– Prenez un deuxième bateau, suggéra l'officier, en montrant une galère militaire amarrée un peu plus loin.

Vinka maudit intérieurement le Romain qui faisait du zèle et le pirate qui se moquait d'elle. Heureusement, Elric la tira d'affaire :

– Inutile de mobiliser l'une de nos galères pour cette vermine ! Ce bateau suffira.

– Tout est une question de prix ! insista le pirate.

– Ou une question de poids ! grinça Vinka en pointant son arme sur le ventre du pirate. Tu n'as qu'à rester à terre. Gras comme tu es, tu occupes la place de six chrétiens !

142

Les Romains se mirent à rire. Mais, au même instant, le son des buccins de la Prison Noire retentit dans la ville. Aussitôt, l'officier rassembla ses hommes et les conduisit vers la porte de la cité.

– Pressons ! fit Vinka.

Les chrétiens grimpèrent à bord de la galère. Le pirate lui-même précipita le mouvement, car il ne tenait pas à voir resurgir les Romains avant d'avoir détaché ses amarres.

Elric et Hans firent descendre les compagnons de Richemer de la charrette et les conduisirent parmi les chrétiens. Cette hâte brutale terrorisait les femmes et les enfants, qui se demandaient si, finalement, les soldats qui embarquaient à présent n'allaient pas les noyer dans le fleuve. D'autant que la foule, assemblée sur le quai, criait :

– Ce sont les poissons qui vont être contents !

Lorsque tout le monde fut à bord, les pirates larguèrent les cordages et poussèrent le navire au milieu du courant. Il était temps, car une troupe de soldats envahit bientôt le port, et des légionnaires se mirent à courir le long du quai.

– Ramez ! ordonna le chef des pirates. Plus vite ! **143**

Les géants blonds sortirent leurs avirons et la galère prit de la vitesse.

Pendant une heure, ils descendirent la Moselle et atteignirent le confluent du Rhin à la tombée de la nuit. Le pirate, alors, traversa le fleuve pour accoster sur l'autre rive, alors que des bateaux marchands, lourdement chargés, remontaient le Rhin.

– Belles proies ! dit le pirate.

Vinka ne put s'empêcher de rire. Ces Francs maritimes étaient incorrigibles ; ils n'avaient peur de rien. On prétendait qu'ils naviguaient à travers l'océan jusqu'aux mers ensoleillées.

Dès que la galère toucha la berge, Vinka sauta à terre et chercha Kurk. Celui-ci devait se trouver là, quelque part, avec les hommes et les chevaux; cependant la rive semblait déserte.

Le temps était lourd. De gros nuages noirs pesaient sur la plaine, qui s'obscurcissait avec la nuit.

– Les torches! commanda Vinka.

Le pirate commençait à s'impatienter:

– L'or que tu m'as promis, où est-il? Je te préviens que si tu m'as trompé, tu vas le regretter!

144

– Je n'ai qu'une parole, le rassura Vinka. Tu auras ton or. En attendant, fais descendre ces pauvres gens.

Elle s'efforçait d'avoir l'air serein; pourtant, au fond d'elle-même, elle était inquiète, car Kurk aurait dû être là depuis longtemps. «Il a dû lui arriver quelque chose», songea-t-elle. Or, sans Kurk et les chevaux, ils ne pourraient pas regagner Skyl.

– Si, dans cinq minutes, l'argent n'est pas là, je garde les chrétiens pour les vendre comme esclaves! gronda le pirate.

Ses hommes et ceux d'Elric avaient tiré leurs

armes ; déjà, ils s'affrontaient du regard. Dans l'atmosphère sulfureuse du crépuscule, la moindre étincelle, en déchaînant les haines, risquait de déclencher une explosion.

Soudain, un galop retentit, annonçant l'arrivée d'une troupe nombreuse.

Les cavaliers ne tardèrent pas à surgir.

– Les Romains ! hurla le pirate. Au large !

Les rameurs poussèrent la galère vers le milieu du fleuve ; Vinka se retrouva seule sur la rive, face à ses ennemis.

Chapitre 22

La foudre

Vinka tira son épée. Le pirate l'avait trahie, pensa-t-elle ; les Romains croyaient la prendre au piège, mais jamais ils ne l'auraient vivante !

— Vinka, enfin ! Mais, où sont les autres ? demanda alors une voix qu'elle connaissait.

Elle escalada la rive et découvrit les hommes de Kurk, équipés comme des légionnaires, ainsi que les chevaux qu'elle attendait.

— Kurk, c'est toi ? Je croyais que tu ne viendrais pas !

– Je l'ai cru aussi, grogna Kurk. Torwald rôde dans les parages. Il a dix cohortes et brûle les villages ! Nous avons dû faire un détour.

– L'or et les bijoux ? coupa Vinka.

Kurk brandit deux sacs lourdement remplis. Vinka courut le long du fleuve. La galère était encore à portée de voix.

– Pillards ! cria-t-elle. Votre butin est ici !

Elle entendit des cris, des jurons, des armes qui s'entrechoquaient, des corps qui tombaient dans l'eau. Puis, la galère fit demi-tour et revint vers le rivage. Lorsqu'elle accosta, Elric, blessé à l'épaule, sauta sur la berge, suivi du pirate.

147

– Mon or ! cria ce dernier.

– Le voici, dit Vinka.

Kurk apporta les sacs. Le pirate les ouvrit ; il fit couler l'or et les bijoux entre ses doigts avec un rire énorme :

– C'est un plaisir de traiter avec toi, princesse !

– Pas pour moi, rétorqua Vinka d'un ton acerbe.

Plusieurs de ses compagnons étaient blessés à la suite du combat féroce qui avait éclaté à bord, et Hans revenait à la nage.

– Je ne suis pas très patient, grommela le pirate pour expliquer son départ précipité.

— Tu es surtout stupide ! lui répliqua Elric avec rancune.

Ils aidèrent les chrétiens à descendre à terre. Ensuite, tandis que le bateau pirate s'éloignait, Vinka fit distribuer des vivres aux femmes et aux enfants.

— Allez vers le sud, recommanda-t-elle. Les Thuringes se sont convertis à votre religion. Ils vous accueilleront.

Une jeune femme se précipita pour lui baiser la main.

— Que Dieu te protège ! sanglota-t-elle.

— Un dieu me protège, répondit Vinka en la relevant, mais ce n'est pas le même que le tien.

— Il faut faire vite ! s'impatienta Kurk. Sinon, ton dieu ne pourra plus rien pour toi. Torwald doit nous chercher. Son armée est puissante.

Le visage de Vinka, soudain, s'illumina. Elle avait délivré les compagnons de son père, porté la guerre au cœur de Trèves, conquis la forteresse noire, défié l'empereur et humilié ses soldats. Après tant de victoires, ses guerriers la considéraient comme leur reine. Elle était prête : sa vengeance pouvait enfin s'accomplir. Elle songea à Valens et à Torwald, les meurtriers de Richemer.

Puis elle planta son épée en terre, s'agenouilla et leva les bras au ciel, invoquant Wotan.

Au loin, l'orage gronda. Un éclair déchira le ciel, annonçant la tempête qui allait se déchaîner sur l'empire de Rome.

Il lui laissa songer tendrement, ajouta que si
Jean le tua à présent, ce serait la perte.

Au loin, l'orage gronde. Il tend l'oreille le
plus doucement le par près qui s'en allait rôder
en campagne ...

Deuxième partie

La fille de Wotan

Chapitre 1

L'épée céleste

Torwald le Rouge était ivre de rage. Depuis un mois entier, il sillonnait la Germanie à la poursuite d'une ennemie insaisissable. À six reprises, il avait cru la tenir, mais Vinka lui avait à chaque fois échappé. Dans cette région sauvage, à l'est du Rhin, la jeune reine jouissait de mille complicités. La plupart des tribus franques la protégeaient, même celles qui étaient jadis ennemies de Richemer. Sa légende se répandait ; on la surnommait la déesse de la guerre et on racontait que son épée lui avait été offerte par Wotan.

— Mensonges ! hurla Torwald.

D'un coup de pied, il renversa un brasero, répandant les braises qui enflammèrent la toile de sa tente. Ses hommes se précipitèrent pour éteindre le feu qui gagnait les fourrures et les objets précieux.

L'un des guerriers, pourtant, resta agenouillé. À la différence de ses compagnons, il ne portait pas la cuirasse d'écailles des auxiliaires romains. Malgré la veste en peau de loup qui le protégeait du froid, il tremblait.

— Parle-moi de Skyl, ordonna Torwald.

Sa voix avait pris une douceur effrayante.

154

— Skyl n'existe plus, répondit l'homme.

— Tu te trompes ! rugit Torwald. Skyl ne peut pas disparaître. C'est une forteresse, un pays tout entier !

— Une palissade écroulée, des maisons abandonnées, des champs en friche... rectifia l'homme. Nous avons tout incendié, mais c'était inutile : il ne restait presque rien, ni personne, pas même un chien.

— Si, toi, grogna Torwald. Un chien galeux !

Ses yeux, réduits à deux fentes, lui donnaient un air cruel. Il tira son épée.

— Cette fille est un démon ! protesta le guerrier agenouillé.

Il n'eut pas le temps d'en dire davantage : l'épée de Torwald s'abattit. La tête de l'homme roula sur le sol, éclaboussant les fourrures.

– Tu as eu tort, dit Boromir. Wolf était un bon guerrier.

– Un incapable ! rugit le chef. Comme vous tous !

– Dis-moi où est Vinka, puisque tu es si malin, ricana Boromir. J'irai te la chercher.

Torwald dévisagea son lieutenant avec colère.

– Inutile de te déranger, grinça-t-il. Elle viendra me voir d'elle-même.

Boromir hocha la tête d'un air faussement impressionné :

155

– Vraiment ? Alors, dis-lui de se dépêcher, car l'empereur s'impatiente.

– Maximien est dans les Alpes. Il fait la chasse aux Alamans, il a d'autres chats à fouetter.

– Profites-en !

Tandis que ses hommes emportaient le corps du supplicié, pour apaiser sa fureur, Torwald fracassa son fauteuil de chêne à coups d'épée. Puis, lorsque le sol fut jonché de débris, la brute se calma. Il savait que Boromir avait raison : l'empereur allait revenir à Trèves et lui demander des comptes. Avec dix cohortes, Torwald avait cru venir rapidement à bout de Vinka. Né à Skyl, il connaissait le pays comme sa poche, et croyait avoir des alliés et des espions partout; mais la fille de Richemer s'était montrée la plus forte. Elle frappait à l'ouest quand il était à l'est, coupait les routes, isolait les villes, rançonnait les marchands romains, désorganisait l'approvisionnement, incitait les autres tribus à la révolte. Il occupait le pays avec ses soldats, mais c'était elle qui faisait la loi.

Comment vaincre un ennemi invisible? Il pensait avoir trouvé une réponse à cette question.

— Nos troupes sont à Erbeck, Roessen, Koros, Lengyel, pas vrai?

— Et Kronach, ajouta Boromir.

— Eh bien, qu'on brûle tous ces villages, ordonna Torwald avec un mauvais sourire.

— Même Koros, notre allié?

— Tous! confirma Torwald. Je ne veux pas qu'il reste une seule maison, un habitant, pas même un chien!

— Tu espères l'attirer en massacrant des innocents? demanda Boromir, peu convaincu.

La brute plissa les yeux:

— Elle viendra.

Chapitre 2

Terreur

Du sommet du Rochesburg, où il avait établi son camp, Torwald regardait brûler Horgen, le quatorzième village qu'il ravageait. Les habitants qui n'avaient pas fui avaient été crucifiés le long de la route de Cologne, et la terreur qui se répandait sur la Germanie commençait à porter ses fruits : trois tribus étaient venues spontanément faire leur soumission.

« Bientôt, songea le Rouge, ces abrutis comprendront que c'est à elle que nous faisons la guerre. Ils refuseront de l'aider, ou bien ils nous la livreront. »

Soudain, il entendit des cris d'alarme et le grondement d'une horde de chevaux. Il se tourna vers le nord. Les cavaliers étaient déjà sur eux. Il réalisa brusquement son erreur : confiant dans ses huit cents hommes et sa position élevée, il avait négligé de fortifier son camp !

En un instant, les cavaliers francs se déployèrent. En tête, galopait une silhouette blanche qu'il reconnut aussitôt. Vinka ! Son manteau semblait planer comme les ailes d'un faucon. Torwald eut juste le temps d'empoigner sa grande épée ; autour de lui, c'était la panique.

158

La rebelle était venue, il avait vu juste ; mais son audace le laissait incrédule. Dans un cauchemar, il perçut le choc des épées contre les corps désarmés, le hennissement des chevaux, les hurlements d'agonie.

Voyant le premier rang des cavaliers ennemis lancer des projectiles, il eut juste le temps de s'écarter. Une jarre d'huile enflammée explosa sur sa tente et la transforma en torche.

Puis les Francs se retirèrent, aussi rapidement qu'ils étaient apparus. Leur galop faiblit et s'éteignit au loin. Ils n'avaient frappé qu'une fois, comme la foudre. Le camp était en flammes ;

une cinquantaine d'auxiliaires romains gisaient à terre. La plupart des chevaux s'étaient éparpillés, interdisant la poursuite. Et pas un seul Barbare n'avait été atteint !

— Canailles ! hurla Torwald.

Ignorant si leur chef parlait des Francs ou bien des guetteurs surpris par l'attaque, ses soldats s'éloignèrent prudemment de lui. Ils abattirent les tentes en feu pour tenter de sauver ce qui pouvait l'être.

— Elle est venue, ainsi que tu l'avais prédit, murmura Boromir avec ironie.

Torwald le dévisagea avec haine. Certains jours, il avait envie de tuer son lieutenant. Cependant Boromir était un homme précieux : aussi fort, cruel et roublard que lui. Son seul tort était d'en avoir conscience.

— À Bérulf, aux prochaines calendes, grogna-t-il. C'est là que nous l'aurons.

— Tu lui as donné rendez-vous ? se moqua Boromir.

— On ne peut rien te cacher, dit Torwald avec une soudaine bonne humeur. Cette garce ne pourra pas résister à l'appât que je lui tends. Imagine : la plus riche caravane jamais assemblée dans ce

pays. De l'or, du fer, des épices, des fourrures...
Un trésor royal !

– Tu crois qu'elle va tomber dans le piège ?

Torwald fit le geste d'étrangler un ennemi.

– Elle a déjà basculé, dit-il, les yeux brillants.
J'ai mes informateurs. Je sais comment elle atta-
quera : le jour, le lieu, le nombre de ses cavaliers.
Elle est à nous !

– Elle était déjà entre nos mains à Trèves,
souviens-toi...

– Je n'ai pas oublié. Mais cette fois, je ne lui
proposerai pas de m'épouser. Son époux, ce sera
la mort !

Chapitre 3

Pièges

Depuis la lisière de la vaste forêt où se dissimulaient ses cavaliers, Vinka regarda s'éloigner le dernier contingent de l'armée romaine. Torwald avait dissimulé des troupes un peu partout ; elles convergeaient maintenant vers Bérulf, où il espérait la prendre au piège. Elle se tourna vers Elric :

— Tu es sûr que ses espions ont dit la vérité ?

— Ils ont été tous les trois sincères et bavards, répondit le jeune guerrier en riant.

Vinka contempla son compagnon avec une certaine tendresse. Ses autres guerriers se doutaient-ils qu'Elric était amoureux d'elle? Si c'était le cas, ils ne paraissaient pas s'en soucier. Hans, Kurk, Siegfried étaient du même sang que lui. Ils aimaient la guerre et n'avaient peur de rien. Leur seul désir était de mourir l'épée à la main pour entrer au Walhalla, le paradis des héros. Ils la suivraient aveuglément, jusqu'au cœur de Rome, s'il le fallait. Plusieurs centaines de jeunes Francs étaient à leur image.

Les plus âgés étaient d'anciens officiers de son père : Othon, Kodran, Hagar. Elle les avait délivrés des prisons de Trèves et ils lui obéissaient, mais elle sentait que ces glorieux soldats, jadis alliés de Rome, jalousaient les plus jeunes et souffraient d'être commandés par une fille.

Lorsqu'elle jugea que Torwald s'était assez éloigné, elle décida d'agir.

– La cohorte ! ordonna-t-elle.

Après onze victoires, elle avait assez d'armes et d'uniformes romains pour équiper une armée. Cependant, elle ne disposait que de trois cents hommes, alors qu'une cohorte en comportait le double. Ces hommes, elle les avait disciplinés, formés, entraînés à la romaine selon les préceptes de Licinius.

Les faux légionnaires se mirent en route vers le camp romain dans un ordre parfait.

– Avancez lentement, recommanda-t-elle. Et surtout, n'ayez pas peur de faire du bruit.

Sa défaite à Rochesburg avait servi de leçon à Torwald. Cette fois-ci, son camp était solidement défendu par une palissade et quatre tours de bois.

Cachée dans la forêt avec une cinquantaine de cavaliers, Vinka surveilla la progression de sa troupe.

La cohorte, précédée de ses aigles, était commandée par Siegfried, qui parlait parfaitement le latin. Arrivés devant la porte de l'enceinte, ses soldats s'immobilisèrent. Vinka crut que ceux-ci allaient entrer aussitôt, afin de maintenir la porte ouverte pour permettre l'irruption de ses cavaliers. Cependant, le temps s'écoula et la porte resta fermée.

– Qu'est-ce qu'il attend? s'impatienta Vinka.

– Il parlemente avec un officier, la rassura Elric qui observait la scène du haut d'un arbre.

– Tout ce qu'on lui demande, c'est de forcer la porte!

Si jamais l'officier examinait les hommes de la cohorte, il découvrirait la supercherie: les

Francs répugnaient à couper leurs cheveux, et leurs longues tresses blondes juraient avec leur équipement.

– Il n'a rien compris! s'emporta Vinka en voyant Siegfried pénétrer dans le camp avec deux de ses hommes.

La jeune guerrière fit signe à Elric et aux cinquante cavaliers de se mettre en selle. Elle avait espéré envahir le camp par surprise, mais son plan s'écroulait : ils allaient devoir le prendre d'assaut.

– Tu es sûre que tu veux attaquer? demanda Elric.

164

Elle haussa les épaules. Au loin, le buccin retentit. Des soldats romains surgirent au sommet de la palissade. Vinka talonna son cheval.

À l'instant où elle jaillissait de la forêt à la tête de ses cavaliers, la porte du camp s'ouvrit enfin. Voyant charger leurs compagnons, les faux légionnaires qui se trouvaient au pied de la palissade s'élancèrent à l'attaque. Les premiers rangs atteignirent la porte et refoulèrent les Romains à l'intérieur du camp.

La mêlée était confuse; l'ennemi résistait mieux que prévu. Un instant, la porte sembla même sur le point de se refermer. Au lieu de ralentir sa charge, Vinka accéléra l'allure au risque de s'écraser contre l'enceinte. Stimulés par les grondements des cavaliers, les Francs de la cohorte pesèrent plus vivement sur la porte et ouvrirent un passage dans la masse des Romains.

La force des Barbares résidait dans leur fureur et leur rapidité. Ils franchirent la palissade au galop et se répandirent dans le camp. Avec son épée sanglante et son manteau blanc, Vinka inspirait à tous une terreur superstitieuse. Tandis que ses adversaires fuyaient devant elle, les hommes de la cohorte montèrent à l'assaut de la clôture et des tours. Il fallut moins d'une heure pour maîtriser la garnison. Les derniers défenseurs jetèrent leurs armes.

165

– Pas de violence ! recommanda Vinka.

La tente de Torwald renfermait un véritable trésor, fruit de ses pillages. Les richesses et les vivres furent chargés sur des chariots.

– Vieux vautour ! grogna Elric.

Après avoir enchaîné les prisonniers romains et libéré les esclaves barbares, les Francs incendièrent le camp.

– Plus haut les flammes ! commanda Vinka. Je veux qu'on les aperçoive de loin !

– De Bérulf ? suggéra Elric en riant.

– Pourquoi Bérulf? demanda Othon.

– Parce que c'est là que Torwald nous attend avec ses cohortes, expliqua Vinka.

Othon eut un geste d'agacement, motivé par l'amertume de n'avoir pas été mis au courant:

– La guerre n'est pas un jeu!

Le regard de la jeune reine se durcit:

– Qui parle de jouer? Torwald a assassiné mon père. Tu l'as déjà oublié? Il est temps de lui faire payer ses crimes!

Chapitre 4

La bataille des crânes

—Tu es sûre que tu veux affronter Torwald ? demanda Siegfried.

Vinka inclina la tête :

– Le moment est venu.

– En réunissant nos alliés, nous sommes six cents, fit remarquer Kurk, et ils sont six mille.

– Tu as peur ?

Le jeune guerrier sourit sans se sentir offensé.

– Au contraire : je regrette de voir la guerre finir si vite. Pourquoi ne pas continuer à les harceler ? Torwald est furieux, il devient fou. Il ressemble à un chien sur un nid de guêpes. On lui pille tous ses convois. Tout le monde se moque de lui.

– Tu oublies les villages incendiés, les gens crucifiés, dit Vinka.

Elric intervint à son tour:

– Le meilleur moyen de protéger les nôtres, c'est de rester en vie. Kurk a raison: Torwald s'est installé dans la vallée des Crânes, ce n'est pas un hasard. Le terrain est découvert et accidenté. Il nous verra venir de loin. Il espère sûrement une attaque...

168

– Alors il ne sera pas déçu, le coupa Vinka. Il s'est fortifié pour attendre des renforts; les Bagaudes parlent d'une légion entière. Le temps joue contre nous: lorsqu'il aura doublé ses effectifs, il pourra contrôler toute la région. Il a découvert l'emplacement de notre nouveau village, les marais eux-mêmes ne nous protégeront plus.

– Pourquoi ne pas gagner la montagne, l'obliger à nous poursuivre? suggéra Siegfried.

– Fuir?

– Une simple retraite tactique, pour mieux ronger son armée.

– Nous ne sommes pas des renards, mais des loups! s'emporta Vinka. Et puis Torwald est trop malin pour se mettre en première ligne. Il observera les opérations de loin et interviendra seulement à coup sûr. Or, c'est lui que je veux.

– Tu fais passer ta vengeance avant l'intérêt de ton peuple, critiqua Othon.

– Ma vengeance ? s'emporta Vinka. Tu oublies que ce traître a fait massacrer la moitié des hommes de mon père.

– Tu prends le risque de sacrifier l'autre moitié, fit remarquer Othon.

– Libre à toi de rester en compagnie des femmes et des enfants, lâcha Vinka avec mépris.

– Tu les auras, tes guerriers, s'interposa Elric d'un ton apaisant.

– Alors, préparez vos armes !

Elle quitta brusquement l'assemblée et arpenta sa tente d'un pas nerveux. Elle se sentait exaspérée et vaguement coupable. Son entreprise était folle, elle le savait ; cependant, elle n'imaginait pas de reculer. Assis sur le sol, Thierry, son jeune frère, la regardait avec intensité.

– Qu'est-ce qu'il y a ? demanda-t-elle, agressive.

Le muet pointa son doigt vers elle et secoua la tête.

– Tu me donnes tort ? C'est ça ?

Il approuva avec vigueur, puis il fit le geste de saisir une proie.

– Un piège?

Elle avait constaté que Torwald avait fait creuser de profondes tranchées, planter des pieux et installer des barbelés de buissons sur plusieurs rangs. Les chevaux ne pourraient pas franchir ces défenses, mais celles-ci se retourneraient contre les Romains si elle arrivait à les attirer dans la vallée.

Cette dernière était parsemée de petites collines rondes, d'où son nom: la vallée des Crânes. Sur les sommets recouverts de hautes herbes, ses hommes pourraient se dissimuler durant la nuit. Si les Romains sortaient de leur camp, Vinka et ses cavaliers les chargeraient, et ses archers les prendraient à revers du haut des collines.

La tactique était simple et plutôt sûre. Alors, qu'est-ce qui inquiétait Thierry? Il savait prédire l'avenir, mais l'avenir changeait sans cesse en fonction du présent.

– Je ne prendrai aucun risque, assura Vinka. À la moindre résistance, nous gagnerons les marais et nous nous replierons vers le village.

Le muet baissa la tête. Il savait qu'il était inutile d'insister lorsque sa sœur avait pris une décision.

Au cours de la nuit du lendemain, Vinka lança les Francs à l'assaut des collines. Puis, lorsque le jour se leva, elle divisa son armée en six corps de cent cavaliers, qui tourbillonnèrent autour des lignes romaines et les harcelèrent de flèches et de javelots. Mais le camp romain demeura étrangement silencieux, et il n'y eut pas la moindre riposte.

Contrairement aux camps romains traditionnels, qui comportaient quatre issues orientées vers les quatre points cardinaux, celui-ci n'en avait qu'une. Vinka s'avança seule et s'immobilisa face au pont de bois qui franchissait le fossé. Isolée, vulnérable dans son manteau blanc qui volait au vent, elle était la proie idéale. C'était pour elle que Torwald avait levé toute une armée, bouleversé le pays et construit ces retranchements. Et elle était là, à sa merci. Qu'attendait-il ?

« Viens me prendre ! Allez, viens ! » supplia-t-elle intérieurement. En même temps, elle jeta un coup d'œil sur les hauteurs, où ses guerriers étaient à l'affût.

Tout à coup des trompettes retentirent et le pont s'abaissa. Les portes s'ouvrirent ; l'armée romaine parut.

171

« Oui ! » triompha Vinka.

Cependant, au lieu de la lourde infanterie qu'elle comptait voir apparaître, ce furent des cavaliers qui surgirent et se placèrent aussitôt en position de combat devant les fossés.

Vinka leva la main et se replia lentement. Sa stratégie consistait à attirer les Romains dans un couloir où ses propres cavaliers les prendraient en tenaille, tandis que ses archers, dissimulés sur les hauteurs, les décimeraient.

La cavalerie romaine entra aussitôt en action. Ce n'étaient pas les lourds escadrons impériaux, mais des auxiliaires barbares, rapides, légèrement armés. En apparence, ils étaient moins nombreux que leurs adversaires, mais leurs réserves se préparaient sans doute à attaquer à leur tour. Pour Vinka, il s'agissait de frapper vite. Privé de cavalerie, Torwald serait prisonnier dans son repaire. Il ne resterait plus qu'à l'enfumer.

Les auxiliaires étaient dans la nasse et déjà Vinka se réjouissait. Mais, au moment où elle croyait tenir la victoire, la bataille bascula brutalement. Des collines où devaient se tenir ses guerriers, une nuée de flèches s'abattit sur elle et ses compagnons.

C'étaient les Romains qui occupaient les hauteurs, et non les siens !

Torwald avait découvert son stratagème et l'avait retourné contre elle !

Une flèche abattit son cheval ; elle s'écroula avec lui, et se coinça une jambe sous le poitrail de l'animal. Autour d'elle, c'était la confusion. Des cris, des râles, des hennissements, le bruit des corps qui tombaient... Elle réussit à se dégager et tira son épée. Encerclée par les cavaliers ennemis, elle se battit avec rage. L'un d'eux s'effondra, puis un second ; les autres restèrent à distance, se contentant de tourner en cercle autour d'elle. Torwald avait dû ordonner de la prendre vivante.

« Plutôt mourir ! » songea-t-elle.

Alors qu'elle se précipitait sur ses assaillants pour en finir, un coup l'atteignit à la nuque, et elle perdit connaissance.

Chapitre 5

Le maître des runes

Lorsqu'elle reprit connaissance, Vinka était attachée à un pieu, au centre de la vallée, à cinq cents mètres du camp romain. Autour d'elle, l'armée ennemie tout entière était rassemblée pour assister à son exécution.

Torwald lui décrivit avec complaisance les supplices qu'elle allait subir avant d'être écartelée entre quatre chevaux sauvages.

— Tu crois me faire peur? dit la jeune guerrière avec un sourire méprisant.

Les yeux de Torwald s'étrécirent:

— Ta bande de pouilleux va pouvoir constater que tu n'es pas la fille de Wotan.

Vinka redressa fièrement la tête :

— Je leur montrerai comment meurt la fille de Richemer.

Torwald sourit avec cruauté. Il haïssait la jeune Barbare qui l'avait repoussé, vaincu, humilié. Il espérait que ses hurlements et ses supplications retentiraient dans la vallée pour proclamer sa victoire et démoraliser ses ennemis.

Il fit signe au bourreau. Celui-ci, un homme au corps épais et velu, saisit des tenailles qui rougissaient sur un lit de charbons ardents. Avec elles, il allait arracher la peau de sa victime, lambeau par lambeau. Il aimait son métier et savait faire souffrir en prolongeant à volonté la vie des suppliciés.

175

— Tu te crois fort, Torwald, s'écria Vinka, mais d'autres se lèveront pour me venger !

— Qu'est-ce que tu attends, bourreau ? s'impatienta Torwald.

L'homme obéit. La jeune guerrière sentit la brûlure des tenailles sur sa peau. Elle ferma les yeux et invoqua Wotan. Jamais elle ne s'était sentie aussi atrocement seule, face à sa peur.

À cet instant, un flottement parcourut les rangs des Romains. Un homme cria :

— Arrête !

Le bourreau, frappé par la puissance surhumaine de cette voix, suspendit son geste. Torwald se retourna, ivre de rage. Qui osait enfreindre ses ordres, le défier ?

Un vieillard aux longs cheveux gris, vêtu d'une robe de laine noire, s'approcha. C'était Hul, l'érilar, grand prêtre de Wotan. Les soldats de Torwald, pour la plupart des auxiliaires germains, l'avaient reconnu. Ils craignaient ses pouvoirs et s'écartaient devant lui avec respect.

— Arrête ! répéta Hul. Tu ne peux pas faire mourir cette guerrière. Elle est protégée par Wotan, le maître de la mort et des tempêtes.

— Vieux fou ! grogna Torwald. Écarte-toi, si tu ne veux pas subir le même sort !

— Malheur à toi, si tu lèves la main sur elle ! s'écria Hul.

Comme il disait ces mots, un éclair zébra le ciel et le tonnerre ébranla la vallée. Les soldats, persuadés qu'il s'agissait d'une manifestation divine, courbèrent la tête. Torwald pointa un doigt furieux sur Vinka.

— Fais ton œuvre ! cria-t-il au bourreau.

La brute, superstitieuse, semblait paralysée d'effroi. Le ciel s'était subitement assombri. Les

176

soldats contemplaient les nuées en échangeant des regards terrifiés.

– Obéis ! exigea Hul.

Voyant sa vengeance et son triomphe lui échapper, Torwald tira son poignard et frappa l'érilar. Le vieil homme s'écroula. Devant ce sacrilège, une partie des auxiliaires germains s'avancèrent en grondant vers leur chef, oubliant la peur qu'il leur inspirait.

– Libère la fille de Wotan ! cria l'un des soldats.

– Oui, libère-la ! reprirent plusieurs voix.

– Jamais ! hurla Torwald.

Et il leva son poignard sur Vinka.

Chapitre 6

La forêt du châtiment

Au moment où la lame de Torwald allait toucher Vinka, un flot de soldats bouscula le meurtrier, l'éloignant de sa prisonnière.

– Chiens, vous me le paierez! vociféra Torwald.

Cependant, ce n'était pas la révolte, comme il le crut d'abord, qui avait précipité les hommes sur lui, mais un danger plus pressant: profitant du désordre provoqué par la mort tragique de l'érilar, la cavalerie franque, emmenée par Elric, venait de charger par surprise.

La panique s'empara des lignes romaines. Ceux qui firent face aux Barbares furent taillés en

pièces. Les autres, les plus nombreux, se déban-
dèrent et cherchèrent refuge dans leur camp.

– Vite! cria Vinka, tandis que Siegfried tranchait
ses liens. Torwald s'enfuit! Il faut le rattraper!

Voyant la partie perdue, Torwald et ses fidèles
s'enfuyaient vers le nord.

– Tu ne renonces jamais, toi! grogna Elric. La
victoire ne te suffit pas?

Il montra la vallée occupée par les Francs, et
les Romains en déroute. Mais la jeune fille secoua
la tête.

– La seule victoire, c'est la mort du traître! cria-
t-elle en bondissant sur le cheval que lui amenait
Kurk.

179

Un guerrier lui lança une épée, qu'elle saisit
au vol. Puis, sans attendre ses compagnons, elle
pressa son cheval et s'élança au galop dans la
direction prise par Torwald et ses principaux
lieutenants. À l'extrémité de la vallée, Elric la
rattrapa avec une dizaine de cavaliers, dont Hans,
Kurk et Thierry, qui leva le poing en signe de
victoire.

Après six kilomètres d'un galop enragé, la
petite troupe pénétra dans une forêt aux arbres
majestueux.

– C'est la bonne piste, tu es sûre ? cria Elric.

Il connaissait l'endroit. On le disait habité par les dieux. Les meurtriers s'en écartaient prudemment et les guerriers n'y entraient que désarmés, par crainte de déclencher la colère divine. Cependant, la soif de vengeance de Vinka était si ardente, qu'elle poursuivit sa course sans se laisser distraire.

Elric regarda Thierry. Le jeune garçon souriait. Cette euphorie le rassura : il avait confiance dans les pouvoirs du muet. Si un danger les avait menacés, celui-ci l'aurait aussitôt décelé. Toutefois, la route choisie par les fuyards le laissait perplexe. Torwald ne pouvait pas espérer s'échapper par là, à moins d'avoir perdu la tête, car elle aboutissait dans les marais d'Hungnir, un piège dont il ne sortirait pas vivant.

Soudain, Vinka s'arrêta si brutalement que le cheval d'Elric heurta le sien et faillit la renverser. Elle leva la main pour imposer silence à ses compagnons. Un long moment, elle resta immobile et attentive. D'abord, ils entendirent le reniflement nerveux des chevaux environnés de vapeur, et, de temps en temps, les craquements formidables de la forêt. Puis un silence absolu

180

les suffoqua. On aurait dit que la forêt elle-même retenait son souffle.

Vinka se remit en marche lentement, dans une direction presque opposée à celle qu'ils avaient suivie jusqu'ici. Ses compagnons lui emboîtèrent le pas, aux aguets.

De temps en temps, la jeune guerrière levait la tête, telle une louve reniflant une proie. Un peu plus loin, elle s'arrêta de nouveau. Soudain, sans prévenir, elle chargea. Devant elle, Torwald et ses hommes jaillirent des buissons. Ils étaient trois fois plus nombreux que les cavaliers francs, mais ils avaient abandonné leurs chevaux et leur apparition ne freina pas l'attaque de Vinka. Elle plongea sur l'encolure de sa monture pour éviter la grande épée de Boromir, et, en pleine course, renversa son adversaire d'un revers de lame.

181

Elle n'eut pas le temps de le voir chanceler et tomber à genoux : d'autres soldats se dressaient devant Torwald pour le protéger. Le traître souriait ; il croyait la tenir. Ses hommes dressaient un rempart de fer qui le mettait à l'abri. Cette fois, il ne se donnerait pas la peine de la prendre vivante.

Il vit broncher le cheval de la rebelle. Du sang coulait du poitrail de l'animal et de l'épaule de Vinka. Croyant celle-ci à sa merci, il se précipita pour la tuer de sa propre main. Mais, au moment où il s'élançait, elle fit virevolter son cheval et, tout en tournant sur elle-même, assena à ses adversaires une grêle de coups furieux. Un Romain s'effondra ; un second porta les mains à son visage en hurlant. Les autres battirent en retraite.

Torwald reconnut la technique de combat de Richemer, son rival, qu'il continuait à admirer et à haïr au-delà de la mort. Où sa fille avait-elle appris à se battre ainsi ? C'était un véritable démon !

– Attaquez-la ! hurla-t-il, battant en retraite.

Malgré son courage, la peur s'insinuait au cœur de sa haine. Inférieurs en nombre, les cavaliers francs tenaient tête à ses hommes. Il se maudit d'avoir écouté Boromir et abandonné ses chevaux. Se voyant menacé, il hurla :

– À moi !

Ses guerriers se regroupèrent autour de lui. Certains, même blessés comme l'était Boromir, demeuraient redoutables, mais Vinka et ses compagnons frappaient sans répit et ses adversaires tombaient les uns après les autres.

182

Torwald jeta son épée et saisit un arc à double courbure. Il embrassa la pointe de la flèche et visa la fille de Richemer.

– Va rejoindre ton père! cracha-t-il.

À l'instant où il lâchait son trait, la grande forêt frémit subitement; un vent furieux se leva, détournant la flèche qui se perdit dans les feuillages. Les Auxiliaires se figèrent, comme s'ils avaient perçu dans ce souffle brutal la présence d'un dieu.

Tout à coup, on entendit un bruit de galop, et un cavalier surgit. Torwald, en reconnaissant Hul, se mit à trembler violemment.

«C'est impossible! se dit-il. Je l'ai frappé. Il était mort!»

C'était bien l'érilar, pourtant; à moins que ce ne soit son fantôme.

Le vieil homme pointa le doigt sur le traître:

– Je t'avais prévenu! s'écria-t-il.

– Va-t'en! balbutia Torwald en se masquant le visage.

Ses soldats, terrorisés, s'enfuirent aussitôt. Seul Boromir, qui ne craignait ni les esprits ni les dieux, resta. Vinka bondit sur lui, esquiva son attaque avec une sorte de grâce et le frappa à la gorge. Puis, dans son élan, elle chargea Torwald, qui abandonna son arc pour se jeter sur son épée. Il se redressait, lorsque la lame de Vinka s'abattit sur lui. Le colosse tressaillit, mais il était puissant, vêtu de fer et brûlant de haine. Un deuxième coup lui arracha un grognement; un troisième le fit vaciller. Cependant, il tenait encore debout.

Le vent avait cessé. La forêt était muette, comme en attente. Les Francs, fascinés, observaient le châtiment du monstre.

Torwald regarda son adversaire à travers un voile de sang. Réunissant ses dernières forces, il se précipita sur elle. Mais l'acier était devenu trop lourd; son bras faiblit, il trébucha.

– Richemer! bégaya-t-il.

En entendant le nom de son père, qu'il avait trahi et assassiné, Vinka lui porta un coup fatal. Sa lame se brisa et Torwald s'écroula, foudroyé.

La jeune reine sauta de son cheval et contempla son ennemi. Richemer était vengé! Pour célébrer sa victoire, un rayon de soleil perça le feuillage et posa un disque d'or à ses pieds. Une paix soudaine l'envahit.

Ses compagnons avaient mis pied à terre et la regardaient en souriant, partageant sa joie. Seul Hul conservait un air farouche.

— Qui t'a rendu la vie ? lui demanda Vinka avec respect.

Le vieil homme écarta le haut de sa robe de laine, découvrant, suspendu à son cou, un disque d'or, symbole du dieu de la guerre. Le poignard de Torwald avait entaillé le bijou avant de balafrer la poitrine de l'érilar.

— Le soleil de Wotan est solide ! s'esclaffa Kurk.

Hul fronça les sourcils :

— Tu ne devrais pas rire. C'est Gungnir, la lance magique du dieu, qui a détourné l'arme de Torwald. Elle a été forgée par les nains, et, si elle sait protéger ses fidèles, elle sait aussi châtier les insolents !

Chapitre 7

Gurda le Grand

Selon la coutume franque, les corps de Torwald et de Boromir furent précipités au fond d'un lac, avec leurs armes et leurs armures.

En voyant Vinka revenir, ses soldats regroupés l'acclamèrent longuement. Les Romains, privés de chefs, avaient commencé leur retraite vers la frontière ; elle renonça à les poursuivre. Pour la première fois depuis deux ans, elle avait le cœur léger. Sa vengeance n'était pas complète : il restait Valens, le tout-puissant préfet des Gaules, qui se disait l'ami de son père et n'avait pas hésité à le trahir. Il y avait aussi l'empereur Maximien qui l'avait condamné injustement. Mais, pour affronter ces grands personnages, son armée était trop faible. Elle devrait encore tisser des alliances avec les tribus germaniques qui ne s'étaient pas soumises à Rome. Nul doute que sa victoire face à Torwald allait frapper les esprits et inciter de nouveaux clans à se joindre au sien...

C'est à cela qu'elle songeait en revenant vers Skyl. À ses côtés, ses hommes plaisantaient gaiement en commentant le combat, selon leur habitude. Si les cavaliers avaient subi peu de pertes, par contre, les archers envoyés sur les collines avaient été exterminés jusqu'au dernier par les Romains. Mais cette destinée faisait partie de la vie des guerriers francs, qui rêvaient tous de mourir en héros.

— Voilà ce qui arrive lorsqu'un Franc descend de cheval, conclut Siegfried.

— Et lorsqu'il abandonne son épée pour un arc, proclama Kurk en levant son arme. Rien ne vaut une bonne épée !

Vinka reconnut l'épée qu'elle avait perdue au cours du combat, lorsque les Romains l'avaient assommée par traîtrise. Celle que Morgal avait forgée!

— Rends-moi mon épée! ordonna-t-elle.

Kurk simula la surprise:

— Ton épée? Où ça?

— Tu n'as tout de même pas l'audace de t'appro-prier l'épée de Wotan? s'indigna Vinka.

— L'épée de Wotan, non, répliqua Kurk d'un ton effronté. Celle-ci, je l'ai prise à un Romain. Il ne s'en servait pas trop mal, ma foi, mais je t'assure qu'il n'avait rien d'un dieu de la guerre!

Ses compagnons gloussèrent; Vinka elle-même réprima un sourire.

— Et si je te la rachetais? suggéra-t-elle.

— Voilà un langage que je comprends! approuva Kurk. Cette arme est un vrai trésor. On raconte qu'elle a pillé à elle seule plus de Romains que tous les Francs réunis. Je sens que je vais devenir riche.

Au milieu de l'hilarité générale, Vinka secoua ses tresses blondes.

— Tu n'auras pas un sesterce, dit-elle. Ce que je te propose, c'est un duel. Le vainqueur aura l'épée.

— Si j'étais toi, Kurk, conseilla Elric en riant, je rendrais l'arme gentiment.

Kurk remit l'arme dans son fourreau de peau.
– Pas question. Par tous les monstres de Fafnir !
Maintenant qu'elle n'a plus de Romains à piller,
voilà qu'elle veut dépouiller ses frères d'armes !
Et puis, crois-moi, je ne risque rien : sans l'épée
de Wotan une fille est juste bonne à filer la laine !

Maintenant que le défi était lancé et relevé, les
Francs étaient impatients d'arriver à Skyl, où
aurait lieu le combat.

Pour échapper aux raids sauvages de Torwald,
Skyl avait changé deux fois d'emplacement. Il se
trouvait maintenant à l'est, sur une terre riche, et
plus facile à défendre.

Quand les cavaliers de Vinka entrèrent dans
le village, la nouvelle de leur victoire les avait
précédés. Une foule de guerriers, de femmes et
d'enfants se pressait sur leur passage. Parmi eux,
Vinka aperçut les chefs de tribus voisines, venus
participer à la fête qui suivait toujours ses
triomphes. Derrière elle, ses cavaliers ne plaisantaient plus ; ils redressaient fièrement la tête sous
les regards admiratifs des femmes.

Dès qu'ils mirent pied à terre, Kurk voulut
affronter sa reine, mais Vinka décréta :

– Demain !

Le jeune guerrier fit grise mine ; il avait prévu de passer la nuit à se gorger de bière avec ses compagnons, et la perspective du duel le forçait à la sobriété. Vinka, elle, fit honneur au banquet. Malgré les épreuves qu'elle avait subies, les combats et la longue chevauchée du retour, elle dégageait une énergie étonnante. Lorsque Kurk, épuisé, alla s'effondrer sur sa peau de loup, elle conversait toujours avec ses invités.

À l'aube du lendemain, une main vigoureuse secoua Kurk. Celui-ci poussa un grognement.

190

– Viens voir ! lui dit Elric.

Le jeune guerrier se leva en bâillant et jeta un regard maussade au-dehors. Il faisait un froid mordant. Au centre de la place du village, une mince silhouette, légèrement vêtue, se tenait immobile derrière une épée plantée en terre. C'était Vinka.

– Elle ne s'est pas couchée, ma parole ! maugréa Kurk.

– Exact, confirma Elric en riant. Elle n'a pas dormi et elle est prête à filer la laine.

Tandis que des jeunes Francs faisaient irruption dans les maisons du village pour annoncer le début du combat, Kurk s'habilla, saisit l'épée de Wotan et s'avança vers son adversaire.

– Tu as repris des forces, j'espère ? s'inquiéta Vinka, ironique.

Pour toute réponse, Kurk se redressa. Il la dépassait d'une tête et pesait bien trente kilos de plus qu'elle. Autour d'eux, la foule grossissait de minute en minute. Pour les Francs, c'était toujours une fête d'assister à un duel. Quant aux chefs des autres clans, qui avaient entendu le récit des exploits de la jeune reine sans l'avoir jamais vue l'épée à la main, ils bouillaient d'impatience.

– Je suis prête ! lança Vinka.

Cependant, elle ne fit pas le moindre geste pour saisir l'arme plantée à ses pieds. Kurk comprit qu'elle cherchait à l'endormir pour mieux le surprendre ensuite. «Cette fille est un serpent, songea-t-il avec un petit sourire. Méfiance ! Surtout ne pas s'exposer à ses morsures.» Évitant de se précipiter, il commença à tourner lentement autour d'elle.

Au lieu d'accompagner son mouvement circulaire, Vinka resta immobile. À présent, elle se trouvait de dos. N'importe quel guerrier aurait choisi cet instant-là pour porter son attaque, mais Kurk savait que c'était l'erreur à ne pas commettre et que sa seule chance était d'attendre un moment d'inattention de la jeune guerrière.

La foule était muette ; les étrangers, stupéfaits de l'imprudence de la reine, se demandaient s'il ne s'agissait pas d'un simulacre de combat.

Kurk acheva son tour et se retrouva face à Vinka. À cet instant précis, elle saisit son épée, si rapidement que son adversaire eut juste le temps de reculer. Cependant, elle se garda d'attaquer.

– Je t'attends, dit-elle en souriant, son arme loin du corps.

– Toi d'abord, répondit Kurk. Honneur à la reine.

Vinka bondit aussitôt, son épée fendant l'air. Mais, emportée par son élan, elle trébucha. Kurk en profita pour porter son attaque de haut en bas : un plat de lame destiné à assommer son adversaire. Pourtant, au lieu d'atteindre le crâne, son épée rencontra une autre épée. Le fer dévia le fer, puis lui cingla les jambes au niveau des jarrets, et Kurk s'écroula. Au moment où son dos touchait le sol, un pied écrasa son poignet droit et la pointe de l'épée qui venait de le faucher pesa sur sa gorge.

– Bien joué! concéda-t-il.

Il s'était laissé prendre comme un novice. Autour d'eux, les spectateurs poussaient des hurlements de joie.

– À qui appartient l'épée de Wotan? demanda la reine.

– À celui qui l'a conquise, grogna le vaincu d'une voix étouffée.

Le fer pesa plus lourdement sur sa gorge.

– À qui?

– À moi, mais personne n'en fera un plus glorieux usage que toi, petite déesse, admit Kurk d'une voix étranglée.

193

Vinka ramassa l'arme reconquise et la brandit vers le ciel. Puis elle sourit à Kurk qui se relevait.

– Pour te remercier de m'avoir permis de récupérer mon épée, je te laisse ma part de butin.

– L'or? Les chevaux?

– Tout.

Kurk éclata d'un rire joyeux:

– C'est un plaisir d'être vaincu par toi, ma reine.

– Très impressionnant!

Celui qui venait de prononcer ces derniers mots était un géant à la peau brune et aux yeux bridés.

– Gurda le Grand, murmura Elric à l'oreille de Vinka.

– Le roi des Alamans! s'exclama la jeune guerrière.

Elle jeta autour d'elle un regard inquiet et déconcerté. Ses hommes, qui bavardaient avec insouciance, n'avaient pas l'air de se douter que les Alamans étaient assez puissants pour détruire Skyl et réduire ses six cents guerriers en esclavage.

– Je ne suis venu qu'avec dix cavaliers, la rassura Gurda avec un petit sourire, comme s'il devinait son appréhension.

194

Vinka le dévisagea, impressionnée par son courage! Les Romains auraient donné une fortune pour mettre la main sur ce redoutable ennemi.

– C'est un honneur de te recevoir parmi nous, dit-elle.

Gurda le Grand s'inclina.

– Je t'ai vue combattre, l'honneur est pour moi!

Vinka observa l'homme avec plus d'attention. On racontait qu'il avait du sang mongol dans les veines, qu'il était vif, malgré sa stature, malin, courageux, et insatiable. Contrairement aux Francs qui avaient longtemps fait le jeu de Rome en continuant à se battre entre eux, il avait réussi à fédérer la plupart de ses tribus.

D'un geste, Vinka l'invita à entrer chez elle ; sa maison de bois était pauvre, mais elle n'avait pas honte de son dénuement. Les guerriers alamans qui escortaient leur chef restèrent devant la porte.

– Je te croyais en train d'affronter Maximien, observa-t-elle.

Gurda eut un sourire sans joie :

– Le Romain nous a taillés en pièces. C'est pourquoi je suis là.

Elle avait peine à le croire. D'après ce qu'elle savait, Gurda était capable d'aligner cinquante mille guerriers, alors qu'elle-même commandait à une poignée d'hommes...

195

– J'ai besoin de toi pour envahir l'empire, annonça-t-il gravement.

Vinka ne put s'empêcher d'éclater de rire. Elle montra le décor :

– Observe ma puissance... Penses-tu que je sois de taille ?

Gurda haussa les épaules.

– J'ai suivi tes victoires, dit-il.

– Des combats de fourmis...

– Mais l'ennemi était chaque fois très supérieur en nombre, et tu l'as toujours emporté.

– Ce n'est pas suffisant pour affronter un empire ! Les Francs demeurent désunis et mon clan est isolé, soupira Vinka.

– Tu es seule à pouvoir les rassembler.

– Une femme ?

– On l'oublie en te voyant combattre. Il y a en toi quelque chose de... divin.

Vinka sourit :

– Ça, c'est ma légende.

– Une légende, voilà ce dont j'ai besoin, enchaîna Gurda avec conviction. Si j'attaque seul, les Romains réuniront leurs forces pour m'écraser ; ils l'ont déjà fait. Si nous les assaillons de concert, ils devront diviser leur armée et nous serons vainqueurs. Imagine : nous franchissons le Rhin ensemble, puis nous nous partageons le pays : les Francs au nord, les Alamans au sud. Maximien ne saura plus où donner de la tête. La Gaule est riche ; nous aurons chacun notre part.

– Ta proposition est généreuse. Elle mérite réflexion.

– Généreuse, non, corrigea Gurda : habile. Réfléchis. En attendant, je t'offre mon alliance.

Il détacha son épée et la tendit à Vinka. C'était une arme splendide, à la poignée ornée de cabochons de rubis.

196

– Si tu as besoin de moi, qu'un de tes guerriers me ramène cette arme, et tu me trouveras à tes côtés. Et toi, viendras-tu à mon aide, si je t'appelle ?

Vinka lui en fit la promesse, mais elle avait du mal à se défaire de son arme. Le roi des Alamans surprit son hésitation.

– C'est l'épée de Wotan, n'est-ce pas ? Tu peux m'en confier une autre, si tu préfères...

Vinka lui tendit la lame divine avec orgueil.

– Ton alliance n'a pas de prix, affirma-t-elle.

Chapitre 8

La prise d'Aqualia

Vinka avait projeté de constituer une grande armée pour attaquer le préfet des Gaules, Valens, le bourreau de son père, dont elle voulait se venger. Mais les semaines avaient passé sans voir se réaliser le ralliement espéré. Les rares tribus qui avaient rejoint la sienne étaient modestes, elle devait se faire une raison. Son unique consolation était de se dire que leurs guerriers étaient courageux.

Que demander de plus ? Le courage était la plus grande vertu des Barbares, surtout lorsque la haine le fortifiait. Au bout de deux mois, elle jugea qu'elle avait suffisamment différé sa vengeance et elle réunit ses compagnons.

– Nous allons attaquer Aqualia, décréta-t-elle.

Des grognements d'approbation saluèrent sa déclaration; ses hommes étaient aussi impatients qu'elle de reprendre le combat.

– Gros butin? demanda Siegfried.

– Énorme!

Elle fit signe à un Bagaude d'origine franque, rallié à eux quelques mois auparavant:

– Farix, explique-leur.

L'homme était grand, mince, taciturne, avec quelque chose d'aristocratique dans son maintien. Il s'avança avec nonchalance et confirma:

199

– Le domaine est immense et très riche.

– Bien défendu?

– Deux cents hommes.

– Si peu?

– Les esclaves peuvent combattre eux aussi, s'il le faut.

– Les esclaves! répéta Hans en crachant avec mépris.

– Certains sont de bons guerriers, fit remarquer Farix.

– Qu'est-ce que tu en sais?

– J'ai été l'un d'entre eux, dit Farix avec simplicité.

Hans hocha la tête et enchaîna :

– Beaucoup de bêtes ?

– Mille, peut-être plus.

Un sifflement admiratif s'éleva de l'assemblée des guerriers.

– Et l'or ? Parle-nous de l'or, demanda Siegfried, dont les yeux brillaient de convoitise.

Farix sourit :

– Un plein chariot ! Sans compter les bijoux, l'ivoire, les statues, les étoffes précieuses, les épices d'Orient...

– C'est la demeure d'un roi ! s'exclama Kurk.

Farix secoua la tête :

– D'un préfet.

Toutes les têtes se tournèrent vers Vinka.

– Valens, oui, confirma-t-elle.

– Mais alors, Aqualia, c'est en Gaule ? dit Elric.

– Au nord d'Argentoratum, précisa Vinka.

Le silence s'installa, puis quelqu'un déclara :

– Le butin, c'est bien beau, mais comment le ramènera-t-on en Germanie, à travers la frontière ?

– Les Bagaudes nous aideront : ils attaqueront

le *limes* pour faire diversion, tandis que nous franchirons le Rhin.

— Tu as confiance dans ces anciens esclaves ? grommela Kurk.

— Je connais Aelianus, leur chef. Je lui ai sauvé la vie, autrefois. Et depuis, il m'a plusieurs fois aidée.

— Aelianus..., soupira Elric, peu convaincu. Pourquoi ne pas plutôt faire appel à Gurda ? Les Alamans sont puissants.

Vinka haussa les épaules.

— Trop. Ce qu'ils veulent, c'est une armée, pas une bande de pillards. Et puis ils ne se contenteraient pas de quelques chariots de butin.

201

— Alors pourquoi ne pas renoncer à Aqualia et choisir une proie plus ambitieuse, capable d'intéresser les Alamans ? suggéra Othon.

— Parce que c'est Valens que je veux, et qu'il se trouvera à Aqualia en septembre, expliqua Vinka.

— Comme chaque année, confirma Farix. Il vient assister aux vendanges et célébrer la fête de Bacchus. Il est fier de ses vignes et de son vin.

Othon ne semblait pas convaincu.

— Ta vengeance va nous porter malheur, Vinka ! maugréa-t-il.

– Je n'ai pas, comme toi, la mémoire courte, rétorqua-t-elle sèchement.

Trois semaines plus tard, quatre cents cavaliers barbares franchirent la frontière par petits groupes, déguisés les uns en marchands, les autres en soldats romains. Ils se regroupèrent à quelques kilomètres d'Aqualia. On était aux ides de septembre et il faisait chaud comme au plus fort de l'été.

À l'orée d'une forêt, où ils avaient cheminé pour ne pas alerter les populations, ils découvrirent une plaine magnifique.

202

– Aqualia, murmura Farix.

Les cultures dessinaient une mosaïque colorée jusqu'à l'horizon. Les vignes, très hautes, couvraient le versant sud des coteaux. Sur les chemins, au milieu des champs, des bœufs avançaient par couples, paisiblement, tirant des chariots ou traînant d'immenses bois de charpente. Au centre de la plaine, dans la boucle d'une rivière, s'élevait une villa blanche, entourée d'arbres et de parterres fleuris. Le paysage reflétait la douceur et l'harmonie. Même les sons, les cloches des troupeaux, le martèlement du fer dans une forge invisible, le grincement des roues, parvenaient assourdis.

– Tu crois qu'il est là ? s'inquiéta Vinka.

Farix haussa les épaules :

– Valens ? Certainement.

– Son escorte ?

– En général, une centaine d'hommes.

« Si c'est le cas, nous aurons contre nous trois cents hommes, plus les esclaves, calcula Vinka. Mais ils n'auront pas le temps de s'organiser. Nous frapperons comme la foudre. »

Aussitôt, elle donna ses ordres. Cent cinquante guerriers, les meilleurs archers, encerclèrent le domaine. Leur mission consistait à interdire le passage à ceux qui tenteraient d'alerter les garnisons voisines. Puis elle dit à Farix :

– Rendez-vous demain, à la Croix des Loups, à la quatrième heure.

C'était l'heure et l'endroit où les Francs et les Bagaudes devaient faire leur jonction. Lorsque Farix eut disparu, les Barbares bondirent en selle. La horde, divisée en trois groupes, se répandit dans le domaine en semant la terreur et la désolation. Pris par surprise, les soldats de Valens, gaulois pour la plupart, furent désarmés, attachés et jetés dans une grange.

Avec Elric, Kurk, Hans, Siegfried et une dizaine de guerriers, Vinka fit ensuite irruption dans la riche demeure et neutralisa les derniers défenseurs. Elric piqua son poignard sur la gorge de l'un d'entre eux.

– Où est le préfet ? Vite !

L'homme roula des yeux épouvantés.

– Il n'est pas là.

– Tu mens !

Le sang perla sur le cou du prisonnier.

– Je crois qu'il dit la vérité, grogna Vinka. Tout cela est trop facile. Valens se déplace toujours avec une centaine de guerriers d'élite, et nous n'avons rencontré aucune résistance.

Alors qu'ils fouillaient la somptueuse demeure, Vinka frappait rageusement les tentures et les superbes mosaïques. Elle ne supportait pas ce luxe insolent qui lui rappelait le palais romain où elle avait tant souffert.

– Approchez les chariots ! ordonna-t-elle.

– Qu'est-ce qu'on prend ? demanda Siegfried.

– Tout ce dont tu as envie. Moi, je ne veux rien ; ces richesses m'écœurent.

Les Barbares affluaient maintenant. Après avoir parqué les esclaves et les intendants dans la cour, ils déménageaient la maison avec des cris de joie.

— Quand vous aurez fini, brûlez tout ! ordonna Vinka d'une voix dure. Je veux qu'il ne reste du domaine qu'un tas de cendres.

Elle rappela à l'ordre ceux qui se baignaient dans une immense piscine de marbre rose, alimentée par trois fontaines ornées de naïades et de tritons. Puis elle assomma sans pitié deux guerriers qui se battaient pour une statuette d'argent.

Soudain, la voix de Kurk retentit :

— Venez voir ce que j'ai trouvé !

Elric et Vinka le rejoignirent. Les Barbares avaient démonté de grands panneaux de bois peints incrustés d'ivoire et d'argent, et avaient mis au jour un réduit aménagé à l'intérieur du mur. Dans cette cachette, quatre personnes se serraient frileusement. Vinka reconnut Julia, l'épouse de Valens, ses deux filles : Lavinia et Fulvia, et Caius, son fils aîné, ce lâche qui l'avait tant fait souffrir lorsqu'elle était leur prisonnière.

— Je vous présente la fine fleur de la noblesse romaine, lança-t-elle avec une joie sauvage. De belles victimes pour notre bûcher !

Chapitre 9

La trahison
des Bagaudes

—Je te préviens, s'écria Julia d'une voix hystérique : si tu oses porter la main sur nous, tu le paieras cher !

Vinka la saisit par le haut de sa robe et l'extirpa de son refuge comme un paquet de chiffons. Devant le sort réservé à leur mère, Lavinia et Fulvia sortirent à leur tour en jetant sur la jeune Franque des regards horrifiés. Jamais personne n'avait traité la noble Julia d'une manière aussi insultante !

Puis Caius tenta de se lever ; mais il était si terrifié que ses jambes se dérobèrent et qu'il retomba au fond de son trou.

– Voici notre héros ! plaisanta Vinka.

Elle saisit les pieds du garçon, en dépit de ses ruades de bête affolée, et le tira jusqu'au milieu de la pièce.

– Emmenez-les ! ordonna-t-elle avec dégoût.

Julia repoussa les Barbares.

– Ne me touchez pas ! s'écria-t-elle. Vous ignorez qui je suis. Mon époux paiera une fortune pour notre liberté.

– Sa fortune, elle est déjà à nous ! ricana Siegfried, en montrant les chariots où s'entassaient les richesses de Valens.

– Nous n'avons pas besoin de richesses, mais d'esclaves, ajouta Vinka.

207

– Tu n'oserais pas ? s'indigna Julia.

– Je vais me gêner ! C'est toi qui m'as donné l'exemple, à Rome, en me vendant à un vulgaire marchand. Rappelle-toi ce que je t'ai dit, alors : Un jour, tu me supplieras à genoux. Eh bien, ce jour est arrivé.

– Épargne au moins mes enfants, pria Julia.

Vinka se mit à rire.

– Caius ? Tu veux rire ! J'ai une belle prison pour lui.

Dans l'une des cours de la villa, il y avait une cage aux barreaux dorés renfermant deux lévriers blancs. On délivra les bêtes, puis on poussa Caius à l'intérieur, avec beaucoup de difficulté, car le jeune Romain avait encore grossi depuis deux ans. Le prisonnier affolé tremblait si fort que la cage vibrait sur le sol de marbre.

– Vous n'avez rien oublié ? demanda Vinka.

– Les chariots sont pleins. Onze en tout, annonça Siegfried.

– Alors, rassemblez les prisonniers et les esclaves. Ensuite, brûlez tout : la villa, les fermes, les moulins. Coupez les arbres. Arrachez les vignes. Qu'il ne reste rien de ce domaine maudit !

208

Durant plusieurs heures, Julia et ses enfants assistèrent au saccage impitoyable de la propriété qui faisait l'orgueil de Valens. Les Francs, ivres de vin et de vengeance, brandissaient des torches et des haches, et les Romains apeurés se disaient qu'ils finiraient massacrés. Cependant, vers la fin du jour, Vinka mit fin à la dévastation. La cage de Caius fut hissée sur un chariot, ainsi que Julia et ses filles. Puis le convoi se dirigea vers le Rhin à la faveur de l'obscurité. Les chariots croulant sous le butin, les bêtes, les esclaves et les quatre cents cavaliers francs formaient une immense caravane.

— Les Romains ont dû voir les lueurs de l'incendie, dit Elric.

Vinka éclata d'un rire farouche :

— J'y compte bien, après tout le mal que je me suis donné pour me faire remarquer !

— Et tu espères vraiment franchir la frontière avec ce bazar ?

— Bien sûr.

— Avec toutes les armées qui doivent nous attendre ?

— Tu oublies les Bagaudes...

— Aucun risque de les oublier, ceux-là, grommela Elric.

209

Cette expédition était une vraie folie, il l'avait toujours su. Pourtant, il n'avait pas peur. Il aimait Vinka plus que sa vie et voulait se montrer digne d'elle.

La nuit se passa sans encombre ; à l'aube, comme prévu, ils atteignirent la Croix des Loups, à quelques kilomètres du fleuve. L'endroit semblait étrangement désert.

«Les Bagaudes doivent se cacher en attendant notre arrivée», se dit Vinka.

Elle envoya des cavaliers en reconnaissance ; ils revinrent au galop, annonçant que les Bagaudes ne viendraient pas. Six croix se dressaient au carrefour ; sur l'une d'elles, Farix agonisait.

Vinka le fit détacher. Avant de mourir, Farix raconta qu'Aelianus avait fait sa soumission, et que ceux qui l'avaient remplacé avaient livré les Francs aux Romains.

Le brouillard du petit matin se dissipa peu à peu, découvrant la plaine du Rhin, où se dressait une légion romaine en ordre de bataille.

– Et maintenant ? demanda Elric.

Vinka esquissa un petit sourire féroce :

– Maintenant, les Romains vont sagement s'écarter et nous ouvrir la frontière.

À la tête d'une dizaine de cavaliers, elle se dirigea vers le centre de l'armée adverse où se concentraient des aigles d'or et des manteaux rouges. À cinq cents mètres, elle s'immobilisa et essaya de repérer Valens, car elle était certaine qu'il se trouvait là, sous la protection de ses soldats.

Dix minutes s'écoulèrent. La jeune reine attendait, impassible. Des vautours tournoyaient dans le ciel. Le soleil commençait à tiédir la terre que les chevaux avaient labourée. Enfin, un groupe de cavaliers se détacha pour s'avancer à leur rencontre.

— Rends-toi! ordonna Valens qui marchait à leur tête.

Vinka sourit :

— J'allais te demander la même chose.

— Tu n'as aucune chance ! gronda le préfet.

— Ton épouse et tes enfants non plus !

La fureur déforma les traits de Valens.

— Si tu leur fais le moindre mal, tu finiras sur la croix. Je te poursuivrai sans répit.

— Inutile de te donner cette peine, lui répondit Vinka. Le moment venu, c'est moi qui viendrai à toi.

Le silence s'éternisa, puis le préfet finit par dire :

— Que veux-tu ?

— Éloigne ton armée et ouvre la frontière. Je passerai le fleuve. Ensuite, je relâcherai les tiens.

— Qu'est-ce qui me garantit que tu le feras ?

— Je te le promets.

Valens laissa paraître un sourire de mépris.

— Ma parole vaut mieux que celle que tu as donnée à mon père, dit Vinka.

D'un geste rageur, le préfet fit tourner sa monture et regagna ses lignes au galop. Vinka rejoignit les siens, mais avec plus de lenteur.

— Il va céder ? lui demanda Elric.

211

Vinka sourit :

– Aucun doute.

Malgré l'assurance qu'elle affichait, elle demeurait préoccupée, car elle savait que Valens ne pouvait pas se permettre de capituler aussi facilement. Elle était devenue trop dangereuse, trop compromettante ; le feu de résistance qu'elle avait allumé risquait d'embraser la Germanie tout entière.

Elle interdit à ses hommes la consommation du vin et, comme elle redoutait un piège, elle leur demanda de redoubler de vigilance. L'attitude des Romains confirma ses craintes : le lendemain, la légion campait toujours sur ses positions, interdisant l'accès à la frontière.

– C'est comme s'ils nous assiégeaient, fit remarquer Kurk.

– Ils essaient de gagner du temps, affirma Vinka. À mon avis, ils préparent quelque chose. Une fois de l'autre côté, il faudra faire attention.

Comme les Francs avaient emporté des centaines de bêtes et plusieurs chariots de vivres, ils pouvaient tenir presque indéfiniment. La nourriture influant sur leur moral, les hommes étaient joyeux.

Le surlendemain, enfin, lorsque le soleil parut, les Francs virent la plaine déserte. Des cavaliers, envoyés en éclaireurs, rapportèrent que le *limes* était inoccupé, les portes ouvertes, les chalands amarrés au bord du Rhin.

– En route ! triompha Vinka.

L'interminable caravane se mit en marche. La garde fut renforcée autour des otages. Précaution inutile : les Romains ne se montrèrent pas.

Le passage du fleuve prit une demi-journée. Les Francs occupèrent d'abord la rive opposée, et, de là, ils lancèrent de petits groupes de reconnaissance dans toutes les directions. La voie s'avérant libre, le gros de la troupe traversa à son tour.

– Où allons-nous ? demanda Julia.

– Tais-toi, esclave ! lui rétorqua Vinka.

La patricienne lui jeta un regard meurtrier. Elle avait peur, sans doute, mais elle savait se contrôler, et la jeune Barbare admira son courage.

Elle pressentait que l'ennemi embusqué l'épiait, tel un fauve attendant de dévorer sa proie. Elle avait hâte de rejoindre Skyl, où les siens seraient en sécurité.

Chapitre 10

Le châtiment de Caius

À six lieues de la frontière, comme elle l'avait promis, Vinka ordonna à ses hommes de délivrer Julia, Lavinia et Fulvia.

– Vous pouvez partir, dit-elle.

– Et moi ? protesta Caius en pâlissant.

– Toi, tu restes !

– Libère-le. S'il te faut un otage, prends-moi, proposa Julia.

Vinka secoua ses cheveux blonds en riant :

– C'est lui que je veux, mon cher ami d'enfance !

– Mère ! cria Caius en se tordant les mains de désespoir. Ne m'abandonnez pas !

Sourds à ses prières, trois cavaliers barbares reconduisirent Julia et ses filles vers le fleuve, et la caravane s'enfonça dans la forêt. Fidèles à leur tactique, les Francs chargèrent leur butin sur des traîneaux après avoir brûlé leurs chariots.

Vinka envoya ses éclaireurs pour s'assurer que la route était libre. Au bout de quelques heures de marche, les cavaliers firent halte dans une clairière, au centre de laquelle on installa la cage de Caius. Tandis que les Barbares parquaient les bêtes et allumaient du feu, Thierry tint compagnie au jeune Romain. Par gestes, le muet se mit à décrire à Caius les supplices auxquels il allait être condamné. Ses évocations étaient si explicites que le poltron se mit à sangloter, pour le plus grand plaisir des Francs qui assistaient à la scène. Même les esclaves ne pouvaient s'empêcher de rire au spectacle de ses supplications ridicules.

215

– Sortez-le de là ! commanda Vinka avec dégoût.

Elle avait espéré que le jeune Romain réagirait, qu'il cracherait sa haine. Mais, à peine sorti de sa prison, il s'agenouilla devant elle et lui demanda pardon.

– Tu vas être fouetté, annonça-t-elle.

Elle avait toujours à l'esprit la honte que Julia lui avait fait subir, à Rome. On l'avait flagellée publiquement, comme une vulgaire esclave, elle, une princesse, la fille de Richemer ! Comment aurait-elle pu oublier que ce lâche de Caius s'était délecté de son humiliation, et qu'il l'avait torturée, alors qu'on la maintenait prisonnière comme une bête sauvage ?

– Pas le fouet ! hurla Caius, tandis que les Barbares le dépouillaient de sa tunique.

La lâcheté de son ennemi privait Vinka de sa vengeance. Elle aurait voulu l'humilier à son tour, mais il était imperméable à la honte. Il se vautrait à terre comme un pauvre chien.

– Dix coups ! ordonna-t-elle.

Elle se désintéressa aussitôt du châtiment. Elle avait hâte de le renvoyer. Il ne méritait même pas son mépris !

Lorsque la punition cessa, ils abandonnèrent l'adolescent dans la forêt, après lui avoir indiqué la route de Trèves. Thierry l'accompagna un court instant en imitant l'attaque d'une bête féroce.

– Non, pas les loups ! gémit Caius.

– Laisse-le ! dit Vinka.

216

Elle donna le signal du départ. Ils avaient déjà perdu assez de temps; elle avait hâte de s'éloigner de la frontière.

C'est le lendemain que l'armée franque rencontra les premiers fuyards, des guerriers que Vinka avait chargés de la défense de Skyl.

— Les Romains, balbutia un blessé. Ils ont détruit notre clan.

— Quand? s'étonna Vinka.

— Hier. Ils nous ont attaqués par surprise.

Vinka fronça les sourcils. Il était impossible de surprendre Skyl. Le village était entouré de marais et de forêts impénétrables, et précédé d'une couronne de postes de guet. Seule la trahison pouvait expliquer le désastre.

— Les femmes et les enfants? s'inquiéta-t-elle.

— Prisonniers.

Les Romains ne les avaient pas massacrés; elle fut soulagée.

— Combien étaient-ils? demanda-t-elle.

— Innombrables, répondit le blessé. Ils ont neutralisé les guetteurs et encerclé la région durant la nuit.

Vinka regarda Elric.

217

— Valens, dit simplement celui-ci.

La jeune reine hocha la tête.

— Il a dû préparer son coup alors que nous n'avions pas encore franchi la frontière, puis attendre la libération des siens. Il nous surveille, il sait où nous allons. Il faut le surprendre à notre tour, sinon il utilisera les femmes et les enfants comme otages pour nous obliger à nous livrer.

— Qu'est-ce que tu veux faire ? l'interrogea Elric. Attaquer ?

Vinka haussa les épaules :

— Disparaître !

Chapitre 11

Les Monts du Ciel

Après avoir enterré leur butin et chassé les esclaves et les troupeaux rapportés d'Aqualia, Vinka et ses hommes se mirent en route vers le nord. Ils étaient quatre cent vingt. Autrement dit, trop peu nombreux pour affronter les Romains et beaucoup trop pour passer inaperçus.

Chaque guerrier avançait à pied, en tenant son cheval par la bride. La traversée des marais d'Hungnir ne posa aucun problème : un brouillard épais dissimulait les fugitifs, et l'eau dormante, parsemée de pièges mortels, empêchait l'ennemi de se déployer. Mais, au bout d'une vingtaine de kilomètres, le marais céda la place à une lande sauvage.

– Où allons-nous ? demanda Elric.

Vinka pointa son épée vers une montagne couronnée de nuages.

– L'Himinborg ! s'exclama Elric.

– Oui, les Monts du Ciel, la montagne sacrée.

– Nous serons pris au piège !

Vinka lui adressa un sourire confiant :

– Wotan nous protégera.

Le jeune guerrier renifla, peu convaincu :

220   – Pourquoi ne pas fuir vers le nord ? Tu parlais de disparaître.

– Tu oublies les femmes et les enfants. Nous devons combattre, mais à ma manière.

– Le combat, j'aime ça ! grogna Elric.

Vinka secoua la tête :

– Toi, tu vas partir.

– Partir ? s'étonna-t-il.

Elle lui tendit l'épée de Gurda :

– Tu vas ramener ceci à son propriétaire. C'est l'occasion de savoir si le grand roi des Alamans tient ses promesses.

– Pour gagner le pays alaman et ramener des secours, il me faut huit jours, fit remarquer Elric.

– Je t'en donne six.

« Six jours ! Jamais elle ne tiendra aussi longtemps, calcula Elric. Et si elle doit mourir, je veux
être à ses côtés. »

Elle sourit, comme si elle avait lu dans ses
pensées :

– Ne t'inquiète pas, je t'attendrai.

– Pourquoi n'envoies-tu pas Kurk ? grogna-t-il.

– Parce que tu es le meilleur.

Effectivement, il était le cavalier le plus rapide,
le guerrier le plus adroit. Elle ne cherchait pas à
le protéger en l'écartant du combat ; l'expédition
en pays alaman serait semée de dangers. Cette
pensée le rasséréna, et, tout à coup, il se sentit
pressé de partir. Il attacha l'épée de Gurda à son
épaule et bondit en selle.

– Zerek, Nimir, avec moi, appela-t-il.

Tandis que ses compagnons le rejoignaient, il
se pencha vers celle qui, depuis deux ans, occupait
tout son esprit. Son regard amoureux remplaça
l'étreinte à laquelle il devait renoncer devant les
autres. Elle lui sourit affectueusement :

– Va !

Les trois cavaliers s'élancèrent vers le sud, alors
que l'Himinborg se dressait, sombre et menaçant,
devant le reste de l'armée franque.

221

— En selle ! commanda Vinka.

Ils atteignirent la montagne sacrée vers la fin du jour. Aucune légion n'avait tenté de leur couper la retraite. Les Romains étaient là, pourtant ; Vinka sentait leur présence sans les voir, et cette tactique l'inquiéta.

En abordant la pente, la fille de Richemer fit ralentir l'allure. Un peu plus haut, ils s'arrêtèrent sur un promontoire dominant la lande, d'où ils découvrirent enfin l'ennemi. Les armées romaines étaient puissantes et surtout beaucoup plus proches qu'ils ne l'avaient cru. Vinka, qui avait **222** espéré bénéficier de plusieurs jours de répit, calcula qu'elle n'aurait que quelques heures. Cependant, elle connaissait la montagne, ses forêts sombres encombrées de chaos rocheux, et, plus près du sommet, ses précipices et ses éboulis. S'ils devaient combattre à un contre dix, ce terrain tourmenté lui serait propice. Là, autrefois, les dieux s'étaient livré un combat impitoyable. La montagne sacrée en restait marquée : noircie, béante, détruite. D'épais nuages masquaient ces blessures.

Les cavaliers francs s'enfoncèrent dans ces nuées. Quelques centaines de mètres plus haut, Vinka les fit stopper sur une vaste plate-forme.

L'endroit était imprenable ; ils en profitèrent pour allumer des feux et firent griller la viande qu'ils avaient emportée. Pendant qu'ils mangeaient, une pluie fine se mit à tomber.

– Au moins, nous ne manquerons pas d'eau, dit Vinka avec humour.

Elle réunit les vivres et calcula qu'ils avaient de quoi tenir six jours. Si l'attente se prolongeait, il leur faudrait sacrifier des chevaux. Elle voulut consulter Thierry, mais celui-ci demeurait curieusement absent. Elle connaissait bien cet état de rêverie : son frère s'y réfugiait pour fuir la réalité ; il abandonnait le combat.

223

« Mauvais signe », pensa-t-elle.

Le lendemain, les Romains s'approchèrent de l'Himinborg de toutes les directions à la fois. Malgré leur nombre impressionnant, ils ne tentèrent aucun assaut. Protégés par des archers et des hastatis, armés de javelots, les légionnaires commencèrent à creuser des tranchées, tandis que d'autres abattaient des arbres. Jusqu'à la nuit, la forêt retentit de leurs coups de hache.

– Il leur faudra plus de six jours, calcula Vinka.

– Et dans six jours, nous serons pris au piège comme du gibier. Pourquoi ne pas les attaquer tout de suite ?

Vinka montra l'horizon. De puissantes unités de cavalerie attendaient en renfort.

– Ils sont beaucoup trop nombreux, tu le sais bien.

– Tu crois que c'est Valens ? demanda Kurk.

Elle secoua la tête, perplexe :

– Qui que ce soit, il a décidé d'en finir. Il y a au moins deux légions.

Kurk ricana :

– On dirait qu'ils ont peur de nous.

– Une nouvelle défaite serait humiliante pour l'empire, et dangereuse pour Valens. Cette fois, il ne veut prendre aucun risque. C'est peut-être notre chance.

En regagnant leur aire, au flanc de la montagne sacrée, elle se demanda si ses guerriers pourraient tenir jusqu'au retour d'Elric. Ils étaient jeunes et bouillants ; l'inaction les démoralisait et la pensée d'être encerclés les exaspérait. À plusieurs reprises, elle fut obligée de tirer l'épée pour apaiser les querelles. Certains parlaient de se battre seuls ; la discipline se relâcha, et plusieurs d'entre eux disparurent.

Vers le milieu de la nuit, comme les guetteurs n'étaient pas à leur poste et avaient laissé les feux s'éteindre, des guerriers s'infiltrèrent dans le camp. Vinka bondit sur son épée, et ses hommes, malgré la confusion, en firent autant. On entendit des cris, des bruits de fer.

«Les Romains attaquent!» songea Vinka, en se maudissant d'avoir sombré dans le sommeil.

À la lueur des torches, pourtant, elle reconnut les envahisseurs: ce n'étaient pas des Romains!

– Cessez le combat! cria-t-elle.

Les intrus étaient des Francs; à leur tête marchait Hul, l'érilar.

– Comment avez-vous franchi les lignes romaines? s'étonna Vinka.

Hul exhiba un sourire édenté:

– Nous sommes passés en force.

Les guerriers qui l'accompagnaient, une cinquantaine de rescapés de Skyl, semblaient épuisés. Vinka ne savait pas si elle devait se réjouir de leur renfort ou s'inquiéter de ce que chacun d'eux allait être une bouche de plus à nourrir.

– Il ne faut pas rester ici, continua Hul. Je suis venu pour te prévenir.

– Comment savais-tu que nous étions sur l'Himinborg?

L'érilar haussa les épaules:

225

– Toute la Germanie est au courant. Les Francs te regardent et t'admirent. Si tu remportes cette victoire, tu gagneras leurs cœurs.

– Ce n'est pas de cœurs, mais de bras que j'ai besoin, grogna Vinka. Si je suis vaincue, ils se repentiront d'être restés chez eux !

– En attendant, il ne faut pas rester ici, répéta-t-il.

– Ici, les dieux nous protègent.

– Et s'ils se contentaient de te regarder, eux aussi ?

– J'irais les bousculer jusqu'au Walhalla ! s'emporta Vinka. J'attends des renforts.

– Des renforts ?

– Gurda le Grand a promis de nous venir en aide.

Hul secoua la tête :

– Pas ici. Il faut bouger. Un fauve immobile est une proie facile pour les chasseurs.

– Il est trop tard, dit Kurk en se mêlant à la conversation : nous sommes encerclés. Ils ont planté leurs pieux et leurs barrières d'épines. Les chevaux ne passeront pas.

– Les Alamans les prendront à revers, assura Vinka.

– Et si tes renforts ne venaient pas ? demanda l'érilar. Tu y as songé ?

À cet instant, Thierry eut l'air de se réveiller. Il esquissa des gestes frénétiques, comme s'il écartait des barreaux imaginaires et prenait la fuite.

– Tu penses aussi que nous devons franchir les lignes ? demanda Vinka.

Le muet approuva énergiquement.

– Demain soir, décréta Hul.

Chapitre 12

Le cercle de feu

Vinka consacra une partie de la journée du lendemain à inspecter les lignes ennemies, essayant en vain de repérer les endroits vulnérables. Les Romains avaient travaillé à une vitesse stupéfiante et leurs défenses étaient solides. Au sud, la forêt s'avançait presque jusqu'aux tranchées. À cet endroit, ses hommes pourraient s'infiltrer, mais il était hors de question de faire passer les chevaux ; et, sans chevaux, ils seraient à la merci de leurs ennemis.

Pendant ce temps, les travaux continuaient. Les légionnaires criblaient le sol de pieux de fer, élevaient des palissades. Plus le temps passait, plus le passage serait difficile. Or l'érilar conseillait d'attendre le soir; et, lorsque Vinka lui demanda pourquoi, il refusa de répondre. Les yeux levés, il contemplait le ciel. Celui-ci s'était obscurci, et des éclairs jaillis des nuées semblaient s'acharner sur la montagne; en même temps, le sommet de l'Himinborg s'était curieusement dégagé.

Vinka regarda les nuages noirs se heurter et se chevaucher. Un mélange d'exaltation et d'effroi l'envahit. À travers l'orage qui grondait, il lui sembla distinguer d'immenses cavaliers fantômes, armés d'épieux, passer d'un horizon à l'autre. C'était Wotan qui menait cette chasse sauvage! Elle reconnut son cheval noir, dont le galop laissait dans le ciel des traces de feu, son manteau flottant et son chapeau descendu sur les yeux.

La foudre harcelait l'Himinborg; un vent violent courbait les arbres, au pied de la montagne. La nuit était tombée.

– Maintenant! décida Hul.

Vinka leva le bras. Les Francs éteignirent les feux, saisirent leurs armes et maîtrisèrent leurs chevaux affolés. Ils descendirent la pente à la lueur des éclairs. Loin d'être terrifiés par le

229

déchaînement de l'orage, les guerriers barbares y puisaient une force nouvelle. La fureur divine les pénétrait, les enivrait ; ils sentaient que rien ne pourrait les arrêter.

Au moment où ils atteignirent la forêt, la tempête augmenta encore d'intensité. La pluie leur fouettait le visage ; des torrents de boue dévalaient de la montagne ; le vent emportait les feuilles et les branches, déracinait les arbres qui gémissaient en tombant. Le fracas du tonnerre couvrait les hennissements des chevaux.

— Par là ! hurla Vinka, indiquant l'unique point **230** faible des lignes romaines.

Comme ils s'en approchaient, elle constata que le vent avait démantelé la palissade. Le mur de bois abattu formait un pont au-dessus des fossés, comblés par les pierres et la boue. Des soldats romains erraient, silhouettes fantomatiques, dans la tempête.

Vinka commanda à ses hommes de se mettre en selle. L'ordre, répercuté de groupe en groupe, fut exécuté promptement. Les Francs avaient hâte de se jeter dans la mêlée, à l'exemple des héros qui chevauchaient le ciel en compagnie de Wotan. Mais, après avoir franchi le mur écroulé, la horde ne rencontra aucune résistance.

Les Barbares galopèrent en hurlant jusqu'à l'extrémité de la lande, où ils se regroupèrent. Vinka se retourna pour contempler l'Himinborg environné d'un cercle de feu.

– La couronne de Wotan ! cria Hul à travers le grondement céleste.

Chapitre 13

Les marais d'Hungnir

Après avoir marché toute la nuit, les Francs s'arrêtèrent. L'aube se levait. Les chevaux étaient fourbus, surtout ceux qui portaient deux cavaliers, car les compagnons de Hul étaient arrivés à pied et repartis à cheval. Ils venaient de traverser une zone de marais que Vinka ne connaissait pas. Au milieu d'un lac, s'élevait une île recouverte d'une belle végétation. Des milliers d'oiseaux bruissaient dans les feuillages.

Une biche, surgie de la forêt, vint boire sur la rive, à une centaine de pas des cavaliers. Un guerrier banda son arc, mais Vinka, subjuguée par la beauté presque magique des lieux, retint son bras.

– C'est là que nous reconstruirons Skyl, annonça la jeune reine d'une voix rêveuse.

L'érilar l'approuva :

– Il faudra l'appeler Midgard, le Pays du Milieu entouré d'eau, en l'honneur des dieux.

– Là où vit le serpent gardien du monde, dit Vinka.

– Avant de bâtir un village, objecta l'un des rescapés de Skyl, il faut libérer nos femmes et nos enfants.

Vinka inclina la tête :

– Tu as raison. C'est ce que nous allons faire.

Le guerrier montra le nord.

– Les Romains les ont emmenés. Ils vont les vendre.

– Pas tout de suite, dit Hul. Je les connais : ils les garderont pour les exposer en première ligne, au cas où nous les attaquerions.

– Les femmes n'ont pas peur de la mort. À Skyl, elles se sont battues comme nous.

Vinka fit un geste apaisant :

– Les Romains ont assiégé la montagne, mais

233

ils n'ont pas eu le temps de fortifier leur camp. Cette nuit, j'irai en reconnaissance.

Cependant, au cours de l'après-midi, les guetteurs annoncèrent que des troupes romaines avaient suivi leurs traces et pénétré dans les marais. C'étaient des auxiliaires barbares qui progressaient en chaîne, par trois côtés à la fois, prêts à donner l'alerte au gros de l'armée, qui attendait à la limite des eaux.

— Laissez-les approcher, ordonna Vinka.

Les Francs parquèrent leurs chevaux plus au sud, puis ils effacèrent leurs traces. Les meilleurs archers se cachèrent dans les arbres. Dès qu'un Romain se trouvait isolé, une flèche mystérieuse jaillissait du feuillage et le frappait sans pitié. Aussitôt, son corps était saisi et jeté dans les eaux dormantes.

Sur les marais silencieux, un épais brouillard noyait tout. Les effectifs romains fondirent rapidement. Les auxiliaires égarés appelaient en vain leurs compagnons disparus. Une terreur superstitieuse s'empara des survivants: ils crurent sentir la présence des démons des eaux et celle de Garm, le chien monstrueux qui gardait le pays des ténèbres, dont l'entrée se situait au fond des eaux troubles. Épouvantés, ils refluèrent vers la lande où était concentrée l'armée romaine.

Le légat Palladius, qui commandait les deux légions envoyées par Valens et Maximien, ne décolérait pas. Il avait nettoyé Skyl et son territoire, occupé le pays en trois jours. Puis il avait pris au piège la rebelle et sa bande de pillards. Il la tenait, mais la chance avait été avec elle : un ouragan avait balayé les fortifications, et elle s'était enfuie. Devant lui, maintenant, s'étendaient le marais, le brouillard, les démons qui terrorisaient ses auxiliaires, ces imbéciles ! Ils parlaient de cette Vinka comme d'une divinité. Elle avait vaincu Torwald, pillé Aqualia, à cinquante kilomètres à peine de la capitale de la Germanie. Elle se moquait de lui, mais il était décidé à avoir sa peau !

235

Il concentra ses troupes un peu plus au nord et fit dresser les tentes. Puis il donna l'ordre d'amener les otages, femmes et enfants, qui furent attachés à des pieux et exposés à la lueur de grands feux. Il fallait que les Francs puissent voir ce qu'ils préparaient.

Après avoir réuni ses tribuns et ses officiers, Palladius se frotta les mains :

– La louve se cache, mais je saurai bien la faire sortir de son antre.

Ce qu'il ignorait, c'est que Vinka, profitant de l'obscurité, avait rampé entre les postes de garde et pénétré dans le camp ; puis, ayant constaté que ses défenses étaient faibles, elle était repartie pour rassembler ses hommes.

Durant la nuit, les Francs se dirigèrent vers l'est ; ils contournèrent les marais et se massèrent au nord pour prendre les Romains par surprise.

Au lever du jour, Palladius dépêcha des messagers à la limite des marécages. Ceux-ci annoncèrent que si la rebelle ne se rendait pas, les otages seraient exécutés. Mais ils n'eurent pas plus tôt délivré cette sommation qu'une troupe venue du nord s'abattit sur le camp. Une partie des cavaliers sema la panique parmi les soldats romains pris à revers ; l'autre, sous la conduite de Vinka, s'acharna à délivrer les otages. Quelques minutes plus tard, ces cavaliers s'éloignèrent, chargés de femmes et d'enfants, tandis que leurs compagnons protégeaient leur retraite.

L'orage s'était éloigné ; un soleil radieux baignait la lande. Alors que les Barbares victorieux galopaient vers le sud, Vinka leva son épée vers le ciel.

– Merci à toi, Wotan ! cria-t-elle. Merci pour cette nouvelle victoire !

Au moment où son cri s'élevait, elle s'aperçut que les cavaliers de tête s'étaient arrêtés dans le plus grand désordre. Devant eux s'alignait une gigantesque armée.

– C'est impossible ! s'exclama Kurk.

Comment la légion qu'ils venaient de mystifier avait-elle pu se regrouper, les devancer, et contre-attaquer en si peu de temps ?

– Ils ont une autre armée ! murmura Vinka.

Elle aurait dû y penser : les Romains avaient divisé leurs forces ! Elle avait cru les battre, grâce à une attaque éclair, mais elle était tombée dans le piège tendu par le légat. L'armée qui occupait le camp n'était qu'un appât destiné à attirer les Francs dans cette lande déserte, sans issue !

Vinka se retourna et vit la légion qu'ils avaient bousculée revenir sur eux à marche forcée. Les mâchoires du piège se refermaient. Elle regarda ses guerriers, leurs femmes et leurs enfants.

« Ils vont mourir par ma faute ! » songea-t-elle avec désespoir.

Chapitre 14

Le pouvoir de l'épée

—Les femmes et les enfants au centre! ordonna Vinka.

Elle était prête à se battre jusqu'à la mort pour protéger ce qui restait de son peuple. Autour d'elle, ses cavaliers s'étaient rangés sur deux lignes : l'une tournée vers le sud, pour contenir la nouvelle armée, l'autre vers le nord pour affronter Palladius. Vinka franchit leurs lignes et s'avança vers l'ennemi.

– Où vas-tu? cria Kurk.

– Me livrer. C'est moi qu'ils veulent.

– Et nous?

— Vous, vous vivrez.

— Plutôt mourir et aller au Walhalla que devenir esclave ! rugit Kurk.

D'autres voix s'élevèrent. Elle ne comprenait pas ce qu'elles disaient, mais elle vit que certains de ses cavaliers s'étaient mis debout sur leurs chevaux et agitaient les bras en regardant au loin. Elle s'arrêta.

— Ils reculent !

— Les Romains ! Regardez : on dirait qu'ils abandonnent le combat.

Effectivement, l'armée de Palladius s'éloignait.

— C'est Wotan ! hurla Hans, ivre de joie. Encore une tempête !

Ils se tournèrent vers le sud. Une armée s'avançait dans leur direction, grossissant à vue d'œil ; elle occupait maintenant tout l'espace, d'un horizon à l'autre.

— Les Alamans ! crièrent les Francs.

La horde formidable faisait trembler le sol. Vingt mille hommes, peut-être !

Le gigantesque fleuve de cavaliers se partagea en deux pour contourner leurs alliés avant de poursuivre leur ennemi. Une dizaine de cavaliers se détachèrent et sautèrent à terre.

239

– Gurda ! s'exclama Vinka, en s'approchant du géant radieux. Je n'ai jamais vu de spectacle plus magnifique, en dehors des chevauchées célestes de Wotan. Comment te remercier ?

Gurda se mit à rire :

– Je te dirai ça ce soir, si tu m'invites.

– Je n'ai plus de village, dit Vinka d'une voix sombre, pas même un abri.

– Alors je t'invite sous ma tente, proposa l'Alaman.

Il se tourna vers Elric qui arrivait à son tour :

– Toi aussi, petit coq.

– Tu as fait vite, dit simplement Vinka.

– J'avais hâte de te revoir, répliqua Elric.

Le roi des Alamans surprit l'éclair de complicité entre les deux jeunes gens.

– Hé là, je suis arrivé le premier, dit-il avec un gros rire.

La horde des cavaliers avait à peine disparu à l'horizon, à la poursuite des Romains, que d'innombrables chariots commencèrent à arriver. Ils transportaient les tentes, la nourriture, le trésor, les femmes et les esclaves du roi.

– Tu devrais faire comme moi, Vinka, suggéra Gurda. Emmène tout avec toi : tes villages, ta famille, tes bêtes, tes richesses. Ainsi, personne ne te volera.

Une heure plus tard, des cavaliers alamans revinrent pour prévenir leur chef que les Romains avaient réussi à se réfugier dans un camp fortifié.

– Nous raserons tout ça demain, s'écria Gurda. En attendant, nos chevaux ont besoin de repos.

– Les cavaliers aussi, grogna Elric, qui chevauchait depuis des jours à un train d'enfer.

– Les Francs ont besoin de repos. Pas les Alamans ! rectifia Gurda.

241

Des serviteurs déchargeaient déjà ses chariots au milieu de la plaine ; d'autres dressaient les tentes en peau, tandis que les guerriers entassaient des branches et allumaient des feux. Certains, armés de haches, abattaient des arbres dans la forêt, dépouillaient les troncs et les traînaient à travers la lande, attelés à des bœufs.

Des troupeaux avançaient en meuglant.

– Tu as amené tes bêtes aussi ? s'étonna Vinka.

Gurda sourit :

– Celles-là, on les a prises en route. Les Romains ont été généreux avec nous.

Le sol de sa tente était jonché de fourrures. Une table d'or était couverte de viandes et de pains ronds, durs et curieusement épicés. Les lieutenants de Gurda et ses cinq fils buvaient de la bière dans des cornes cerclées d'argent. Après les avoir vidées, ils puisaient la boisson ambrée dans un énorme cratère bleu, provenant du pillage d'un palais grec ou romain.

Vinka savait que Gurda s'efforçait de l'éblouir; elle en était flattée.

– Tu ne crains pas les Romains? demanda-t-elle en montrant le camp barbare livré au désordre et au plaisir.

– Ce sont eux qui ont peur de moi, répliqua-t-il, déchaînant le rire de ses hommes et de ses fils.

– Pourquoi es-tu venu? lui demanda Vinka.

Il but longuement avant de répondre:

– Pour te rendre ton épée.

Il tendit la main. Un serviteur y déposa l'épée de Wotan, qu'il déposa aux pieds de la jeune reine.

Elle hocha la tête:

– Sans toi, je serais au Walhalla, en compagnie de mon père et de ses héros. Comment te remercier?

— En devenant mon épouse, répondit-il.

Vinka montra un groupe de jeunes Alamanes qui bavardaient au seuil de la tente :

— Tu as déjà tant de femmes que tu n'auras bientôt plus assez de chariots pour les transporter.

— Tu veux que je les répudie ? demanda Gurda.

Elle comprit qu'il ne plaisantait pas.

— Tu me fais trop d'honneur, Gurda. Mon père a été un grand roi. Moi, je règne sur un peuple fantôme.

— Tu es la fille de Wotan.

— Une bonne guerrière, sans doute, mais une mauvaise épouse.

— Laisse-moi en juger.

Vinka secoua ses tresses blondes.

— Si je devais épouser quelqu'un, ce serait toi. Tu es riche, puissant, courageux, mais j'ai fait serment sur le sang de Wotan de ne jamais me marier.

— Pourquoi ?

Vinka hésita ; elle baissa les yeux avec un air désolé.

— J'ai aimé un homme et je veux lui rester fidèle.

— Il est mort ?

— Non, c'est un Romain.

Gurda explosa de rire :

– Aimer un Romain, toi ? Décidément, tu me surprendras toujours. Où est-il, ce chien, que je pende sa tête à la crinière de mon cheval ?

Constatant que la jeune reine ne goûtait pas la plaisanterie, il se reprit :

– Soit, ne parlons plus de mariage. Mais je te préviens : si tu en choisis un autre que moi, romain ou pas, je le donne à manger à mes porcs !

À côté de Vinka, Elric avait pâli. Ce n'était pas la menace de Gurda qui le bouleversait, mais la révélation d'un amour qu'il ignorait. Depuis un an, il rêvait d'amener sa compagne à partager sa folle passion. Il savait maintenant qu'il n'y avait plus d'espoir : le cœur de Vinka était pris par un autre, jamais elle ne l'aimerait. Il était à ses yeux un bon guerrier, un compagnon fidèle, un passe-temps amoureux, rien de plus. Cette certitude soudaine lui brisa le cœur.

Chapitre 15

Le jour de Wotan

Au matin, les Barbares apprêtèrent leurs armes et leurs chevaux. Pour tous, les jours de bataille étaient des jours de fête. Ils chantaient et plaisantaient entre eux. Entre les Francs et les Alamans il y avait une rivalité. Chacun voulait prouver qu'il était le plus fort. Ils se rappelaient leurs exploits, se lançaient des défis. Mais ces provocations se déroulaient dans une ambiance joviale.

Seuls Elric et Thierry étaient d'humeur sombre : le premier parce qu'il était jaloux de ce Romain qui avait conquis le cœur de Vinka, le second parce qu'il était inquiet de l'issue du combat qui se préparait.

— Qu'est-ce que tu as ? lui demanda Vinka.

Le muet, en proie à de sombres visions, fit un signe évasif et détourna la tête.

— Il a bu à la fontaine de Mimir, plaisanta Kurk. Wotan a donné un œil pour ça ; lui, il a perdu la voix.

Dans la religion franque, Mimir était la fontaine de la sagesse. En sacrifiant son œil, Wotan avait pu boire l'eau sacrée et acquérir le don de la poésie et de la prophétie. Thierry sourit d'un air malicieux. Il frappa sa tête et ses doigts simulèrent l'envol d'un oiseau, signifiant que Kurk avait perdu l'esprit. Puis il mima Kurk en train de boire et de boire encore, non pas l'eau de sagesse, mais de la bière. Enfin, il feignit d'être ivre et se heurta en titubant aux guerriers qui assistaient à la scène en riant.

Kurk lui lança un coup de pied aux fesses, que le jeune garçon évita adroitement. Cet épisode comique rassura Vinka. Le pressentiment de son frère ne devait pas être si terrible, songea-t-elle.

Les Barbares laçaient leurs armures d'écailles ou leurs tuniques de cuir renforcées de plaques de fer. Leur équipement était disparate : certains étaient armés de lances, d'autres de haches ou d'épées ; d'autres encore portaient des arcs de frêne, dont ils pouvaient se servir en plein galop.

Des éclaireurs, envoyés au nord, annoncèrent que les armées romaines s'étaient regroupées durant la nuit. Mais les messagers romains envoyés à Trèves pour réclamer de l'aide avaient tous été interceptés.

Gurda partagea sa horde en deux armées. L'une affronterait l'ennemi ; l'autre resterait en réserve. Vinka exigea de marcher en tête avec ses Francs.

La réserve, commandée par Gurda, se dirigea vers l'est ; les autres, huit mille cavaliers environ, accompagnèrent les Francs vers le nord sous la conduite d'Axel, son fils aîné. Deux heures plus tard, ces derniers parvinrent face au camp romain, devant lequel l'armée s'était mise en position de combat. Dès que les Barbares furent à portée de tir, des catapultes lancèrent d'énormes balles enduites d'huile enflammée, qui explosèrent au contact du sol, projetant des gerbes de feu qui effrayaient les chevaux.

– Ils cherchent à disloquer la charge ! cria Vinka.

247

Axel montra ses dents de loup :

– S'ils aiment le feu, on va leur en donner. Préparez les chariots !

Les cavaliers alamans se mirent hors d'atteinte des machines ennemies, et amenèrent dix chariots remplis d'herbes sèches, de branches mortes et de résine, attelés chacun à quatre chevaux sauvages. Là-dessus, ils jetèrent des pelletées de braises, tandis que cinquante robustes gaillards retenaient à grand-peine les chevaux terrifiés.

Puis on libéra les chevaux fous en direction du camp ennemi, afin de briser les premiers rangs romains. Lorsque les chariots furent à mi-parcours, Vinka s'écria :

– Wotan !

Les Francs s'élancèrent au centre, suivis par les milliers d'Alamans. La fumée répandue par les chariots masquait la ruée. Le sol tremblait sous les sabots des chevaux. Les cavaliers excitaient leurs montures en hurlant et faisaient tournoyer leurs armes. Dans cette tempête, celui qui tombait était aussitôt broyé par les autres. Vinka n'avait pas peur : une prodigieuse exaltation la poussait en avant. Elric galopait à ses côtés, penché, la tête dans la crinière de son cheval.

L'un des chariots versa avant d'atteindre sa cible. Cependant les autres s'enfoncèrent dans les rangs ennemis. La horde des Barbares s'engouffra dans les trouées, sans se préoccuper des javelots qui s'abattaient sur elle. Les Romains cédèrent : leur première ligne d'infanterie légère fut balayée, et la deuxième plia ; la troisième, composée de vétérans, fut plus difficile à franchir, mais la vague des assaillants finit par tout emporter.

La mêlée était tellement confuse que Vinka avait parfois du mal à reconnaître amis et ennemis au milieu de la poussière et des flammes.

249

Pour renforcer leur centre, les Romains dégarnirent leurs ailes. Mais leurs cavaliers se trouvèrent acculés à la palissade, écrasés par la masse des Alamans qui ne cessait de grossir.

Vinka se dégagea. Elric, Hans, Kurk et une dizaine d'autres la suivirent. Ils longèrent le front au galop, sabrant l'ennemi sans répit. Puis d'autres cavaliers arrivèrent, et de nouveau ils furent pris dans la masse compacte des combattants, où leur vivacité s'enlisait.

Une partie de la palissade était en feu. Des Barbares, armés de haches, s'attaquaient aux pieux. Bientôt, le mur d'enceinte s'abattit sur une dizaine de mètres. Les assaillants se précipitèrent dans l'ouverture en hurlant de joie. Cependant, ils se heurtèrent à une deuxième enceinte, moins haute, dont le sommet était occupé par des archers. Criblés de flèches, les chevaux tombèrent, entraînant leurs cavaliers.

Appuyés par les archers, les fantassins romains avaient resserré leurs rangs. Ils combattaient épaule contre épaule, formant un mur dont chaque brèche était aussitôt colmatée. Les Alamans, gênés par leur masse, piétinaient, tandis que les cohortes auxiliaires de l'armée ennemie se déployaient dans un vaste mouvement destiné à les encercler.

250

Devinant le danger, Vinka se dressa sur sa monture.

– À moi, les Francs !

Son cri perça le fracas de la bataille. De toutes parts, les cavaliers francs se frayèrent un chemin jusqu'à elle. Lorsqu'ils furent assez nombreux, elle se lança sur la ligne de fer des légionnaires romains. Ses compagnons, couverts de sang, ivres de carnage, la suivirent. La fièvre qui les consumait leur faisait oublier la douleur et la peur ; ils se sentaient invincibles.

La ligne romaine se brisa une deuxième fois. Les Francs s'y infiltrèrent, suivis bientôt par les Alamans. Alors, un mouvement de panique se dessina parmi les Romains. Mais ce n'étaient pas Vinka et ses Francs qui en étaient la cause : au milieu de la plaine était apparu le reste de la puissante armée de Gurda. L'horizon était noir de cavaliers !

Cette fois, l'armée romaine se disloqua. Les fantassins se battaient encore avec l'énergie du désespoir, mais les auxiliaires tournèrent bride et s'enfuirent, poursuivis par les Alamans.

251

La deuxième enceinte du camp s'écroula. Vinka distingua des aigles, les cuirasses dorées et les manteaux pourpres des officiers romains, un dernier carré protégé par un rideau d'archers.

– Rendez-vous ! commanda-t-elle.

L'un des archers la prit pour cible. À l'instant où sa flèche allait la frapper, un cavalier franc se jeta devant elle. La pointe de fer traversa sa cuirasse et il tomba. En se penchant, Vinka reconnut Elric et bondit à terre. Autour d'eux, les guerriers francs formèrent un cercle protecteur.

Les derniers Romains jetaient leurs armes, d'autres tentaient de fuir. Vinka ne voyait rien de tout cela ; elle contemplait le beau visage de son compagnon figé par la mort.

C'était un jour de triomphe. Le jour de Wotan. Pourtant, au milieu des clameurs, Vinka se sentait coupable. En acceptant l'amour d'Elric, elle ne lui avait rien promis, au contraire : dès le premier jour, elle avait mis les choses au point. Il aurait dû savoir qu'elle ne partagerait jamais la violente passion qui le poussait vers elle. La veille, elle ne s'était pas gênée pour proclamer qu'elle en aimait un autre. Un Romain ! Cet aveu avait blessé Elric. Elle n'arrivait pas à repousser l'idée que sa mort avait été volontaire. Il s'était sacrifié par désespoir, en réalisant qu'il ne serait jamais à ses yeux qu'un ami tendre, qu'elle risquait d'abandonner au premier caprice.

Chapitre 16

Le sang d'Elric

Les vainqueurs étaient muets.

Vinka avait passé toute la nuit debout devant la dépouille d'Elric. Le jeune guerrier était étendu sur un lit de branchages recouvert des manteaux rouges des officiers romains. Les femmes avaient lavé son corps, puis on l'avait revêtu de son armure. Ses mains tenaient son épée à la hauteur du cœur. La bataille avait coûté la vie à des milliers d'hommes, mais, aux yeux de Vinka, aucune de ces pertes n'était aussi cruelle que celle de son compagnon. Il avait combattu à ses côtés depuis le premier jour. Il l'avait aimée et il avait donné sa vie pour elle. Et elle, aveuglée par sa vengeance, n'avait pas su comprendre qu'il lui avait tout donné en recevant si peu.

Gurda le Grand, de son côté, s'était enfermé dans sa tente. Axel, son fils préféré, qui devait lui succéder, avait péri au combat.

Au petit matin, il sortit et contempla le champ de bataille, qui s'étendait à perte de vue sous le ciel sombre. Les Barbares y avaient dressé des bûchers pour brûler les cadavres des héros; ils veillaient, chassant les corbeaux et les vautours attirés par l'odeur du carnage.

254

Le roi des Alamans aurait dû être satisfait: il avait remporté une grande victoire, vengé les défaites humiliantes que lui avait infligées Maximien. Mais son cœur était lourd; Axel lui manquait. Il tenta de se consoler en parcourant les vestiges du camp romain.

Des centaines de Romains étaient prisonniers, pour la plupart des auxiliaires. Mais, parmi eux, se trouvait une partie de l'état-major des deux légions romaines: le légat Palladius, protégé de l'empereur, et six tribuns, dont on pourrait tirer une fortune.

Gurda s'approcha de Vinka.

— Nous partagerons, lui dit-il.

La jeune reine leva un visage distrait :

— Partager quoi ?

— Les rançons.

Elle secoua la tête, obstinée :

— Il n'y aura pas de rançon !

— Que veux-tu ?

— Les sacrifier à Wotan.

— Tous les sept ?

Elle approuva farouchement.

— Ils se sont bien battus, objecta Gurda. Et les nôtres méritent une récompense.

— Tu peux prendre le reste : les armes, le butin, les esclaves.

— Tu es trop généreuse, railla-t-il.

Tout cela lui appartenait déjà. Vinka avait combattu avec courage, mais sans lui son clan aurait cessé d'exister. Et il avait payé très cher le droit de prendre et de décider. La fille était belle. Il l'avait admirée, mais son orgueil commençait à l'exaspérer.

— Ta haine n'est donc pas encore satisfaite ?

Elle haussa les épaules sans répondre.

— C'est à cause de lui ? demanda-t-il en montrant Elric.

Elle avait encore sur les écailles de fer de sa cuirasse le sang du jeune guerrier. Son expression prouva à Gurda qu'il avait raison. Il secoua la tête d'un air désapprobateur. Il avait cru cette fille-là différente ; en fait, elle était comme beaucoup d'autres : dominée par son cœur !

– J'ai perdu mon fils ! gronda-t-il. Moi aussi, j'aimerais le venger. Mais mes guerriers ont des droits ! Et nous devons le respect aux vaincus.

– Fais ce que tu veux, dit finalement Vinka avec fierté. Quoi que tu décides, je n'oublierai jamais ce que tu as fait pour nous. Je réunirai les tribus franques et nous combattrons à tes côtés. Tu auras la grande armée dont tu rêves, j'en fais serment devant Wotan.

De nouveau, Gurda sentit une force prodigieuse émaner d'elle. C'était cela qui la rendait si différente des autres : elle était inspirée, comme animée par une force divine.

Il hocha la tête et partit sans un mot, abandonnant Vinka à son amère méditation.

Il fallait que les sept Romains meurent. À travers cette volonté cruelle, c'était elle-même qu'elle cherchait à atteindre. Elle se sentait responsable de la mort d'Elric. Depuis des années, elle ne songeait qu'à elle, à assouvir sa haine. Wotan lui avait accordé la victoire, mais le dieu assoiffé de sang choisissait ses victimes et ses héros dans les deux camps. En sacrifiant les chefs, elle ne ferait que prendre exemple sur lui.

Chapitre 17

Le bûcher du héros

Gurda était parti avec sa grande armée. Cela s'était fait rapidement. Les cendres étaient encore chaudes. Les Alamans avaient emmené le butin et les esclaves, laissant aux Francs les restes des troupeaux, deux chariots de vivres et une tente pour Vinka.

Un officier alaman avait protesté parce que son roi renonçait aux rançons. Selon lui, les Francs n'étaient que des pillards ; ils vendraient les Romains à la première occasion. Gurda, qui n'admettait pas qu'on conteste ses ordres, l'avait réduit au silence ; et, chez les Alamans, la justice était expéditive.

Lorsque l'armée alamane eut disparu, les Francs édifièrent un immense bûcher, au sommet duquel on disposa le corps d'Elric. Les guerriers alignèrent autour de lui les aigles, les fanions et tous les emblèmes pris à l'ennemi, comme on l'aurait fait pour un roi ou un chef de guerre ; ces trophées brûleraient avec lui.

Autour du bûcher, sept pieux de bois furent plantés en terre. À chacun d'eux fut attaché un dignitaire romain.

Palladius avait tenté de parlementer. Il était l'envoyé de l'empereur, et, au cours de ses campagnes glorieuses, disait-il, il avait reçu le titre d'imperator, dignité méritant des égards. Cependant, la plupart des Francs ignoraient le latin, et ceux qui le comprenaient ne l'écoutaient pas. Il lui aurait fallu se faire entendre de Vinka qui était restée à l'écart, indifférente aux préparatifs sanglants de ses guerriers.

259

Vinka songeait au vide laissé par la disparition d'Elric. Sans lui, l'armée franque ne serait plus jamais la même. Il en était le courage, la joie de vivre, la fidélité, tout ce qui servait d'exemple aux jeunes guerriers. Et il l'avait conduite tant de fois à la victoire !

Un groupe de soldats la rejoignit. Parmi eux,

se trouvaient de vieux compagnons de son père qui désapprouvaient sa conduite.

– Libère les généraux romains, dit Othon.

Le ton oscillait entre le conseil et l'injonction. La reine se raidit :

– Pourquoi ?

– La tradition veut que les Romains soient rançonnés, et non sacrifiés.

Vinka haussa les épaules :

– La coutume franque exige que le sang ennemi soit répandu en l'honneur des héros morts au combat.

260

– Cette coutume concerne les rois, pas les simples guerriers, dit Kodran avec dédain.

– Elric n'était pas un simple guerrier, répliqua Vinka. C'était le plus vaillant d'entre vous.

– Les autres aussi ont exposé leur vie, grommela Garm. Ils ont droit à leur part d'honneurs et de richesses.

– Si c'est de l'or que tu veux, je t'en donnerai, rétorqua Vinka, méprisante.

– Ce n'est pas pour moi que je parle. Je n'ai que faire des richesses !

– Alors, c'est que tu es resté trop longtemps l'ami des Romains, constata Vinka avec amertume.

Elle savait qu'elle était injuste. Tous ces hommes étaient restés fidèles à son père, même après sa disgrâce et sa condamnation. Ils l'avaient payé cher ; certains d'entre eux étaient encore marqués par la torture, l'emprisonnement et les privations. Cependant, elle les avait sauvés et ne supportait pas qu'ils contestent son autorité.

– Ce n'est pas un crime d'honorer un guerrier, dit-elle d'un ton radouci.

– C'est une erreur d'exécuter un légat, s'entêta Othon.

– Tout ce que je te demande, conclut-elle, c'est d'obéir à mes ordres et d'honorer Wotan.

Le vieux soldat inclina la tête sèchement et se retira, suivi de ses compagnons. Vinka songea qu'elle venait de se faire un ennemi, peut-être plusieurs, mais cette perspective la laissa indifférente. La plupart de ses hommes étaient jeunes ; ils la suivaient aveuglément. Leur folle vaillance et leur force conquérante étaient préférables à la prudence de leurs aînés.

Elle marcha lentement vers le bûcher, où ses soldats l'attendaient dans un silence religieux. Pas de chant, ni d'invocation.

Thierry vint à sa rencontre. Elle vit qu'il avait du mal à contenir ses larmes.

« C'est cela qu'il a vu avant la bataille, se dit-elle. La mort d'Elric. »

Par gestes, il lui fit comprendre qu'elle devait épargner les Romains. Il s'accrocha à son bras mais elle le repoussa.

– Laisse-moi ! ordonna-t-elle.

Elle saisit la torche sacrée, l'enflamma au contact d'un brasero et l'approcha du bûcher ; les flammes jaillirent aussitôt. Puis elle fit signe à Hul, qui leva vers le ciel le couteau du sacrifice.

On ne percevait que le crépitement du feu et le sifflement léger du vent qui attisait les flammes. Soudain, une partie du bûcher s'effondra dans une gerbe d'étincelles. L'érilar s'approcha des prisonniers. On entendit un grand cri.

Vinka ferma les yeux. La mort ne l'impressionnait pas au combat, mais les sacrifices la bouleversaient. Les cris d'agonie se succédèrent ; elle les compta, malgré elle. Quand il ne resta plus qu'un prisonnier, elle se tourna vers lui. C'était un tribun ; son visage était pâle, mais il redressait fièrement la tête devant son bourreau.

Vinka tressaillit : l'officier romain était Licinius, l'homme qu'elle aimait.

Chapitre 18

L'impossible amour

Le brouillard dans lequel Vinka vivait depuis la mort d'Elric se dissipa brutalement.

Jusque-là, elle avait marché sans savoir où elle allait, elle avait parlé sans comprendre le sens de ses paroles. La vue de Licinius la ramena soudain à la réalité. Découvrant le spectacle sanglant des prisonniers sacrifiés, elle fut saisie d'horreur. C'étaient des Romains, des ennemis, elle les haïssait ; mais ils étaient des prisonniers sans défense. Les Francs, ses compagnons, contemplaient la terrible scène avec une exaltation féroce.

Elle ne reconnaissait plus ses soldats, si courageux, si généreux au combat. Ils semblaient devenus des bêtes, et elle ne valait pas mieux qu'eux.

L'érilar s'approcha de sa dernière victime.
Comme Vinka tendait la main, il pensa qu'elle
voulait accomplir elle-même le sacrifice.
Il inclina la tête et lui remit le couteau sacré.

La jeune reine regarda Licinius au fond des
yeux. Il eut une petite crispation et sourit tristement, comme s'il avait du mal à reconnaître la
prêtresse sanglante qui le menaçait.

264
Au lieu de lui porter le coup mortel, d'un coup
sec, Vinka trancha les liens du prisonnier et jeta
le couteau au milieu des flammes. Libéré,
Licinius chancela, et Thierry se précipita pour le
soutenir. Vinka s'écarta pour les laisser sortir du
cercle et s'éloigner dans la nuit. Ses hommes
chuchotaient, se demandant ce qu'elle voulait
faire du prisonnier; mais leur reine aurait été
bien incapable de répondre à cette question.

Alors que le muet faisait entrer Licinius dans
sa tente, elle prévint ses guerriers :

– La cérémonie est terminée !

Elle pénétra à son tour sous la tente. Quelques
fourrures, dues à la générosité de Gurda, étaient

étalées sur le sol. Licinius s'était laissé tomber sur elles. À la lueur d'un brasero, Vinka nota que sa tunique déchirée était tachée de sang.

— Ainsi, te voilà vengée, dit-il, avec une sombre ironie.

— Pas encore.

— Qu'espères-tu ? Égorger tous les Romains ?

Elle négligea la question pour lui demander :

— Que fais-tu ici, en Germanie ?

— Mon métier : je suis un soldat, moi, pas un bourreau.

— Un métier qui consiste à sacrifier les femmes et les enfants pour s'emparer d'une rebelle ? demanda Vinka d'une voix âpre.

Ce fut à son tour d'éluder la question. Quand il avait protesté contre la décision de Palladius, le légat lui avait affirmé qu'il s'agissait d'un piège pour prendre Vinka, et que les otages ne risquaient rien. Mais il était trop fier pour plaider l'innocence, maintenant que tous les témoins de son intervention étaient morts. Il se contenta d'expliquer :

— L'empereur Dioclétien m'a envoyé en Germanie pour aider Maximien à pacifier la province.

— En exterminant ses habitants ?

— Au contraire : avec mission de proposer aux Barbares de s'allier avec Rome.

— Je connais ce genre de proposition, répliqua Vinka. C'est celle qu'on a faite jadis à mon père.

— Les temps sont différents.

— Les Francs aussi. L'Empire romain a cessé de les éblouir. Ils savent qu'un jour ils seront les maîtres.

Licinius hocha la tête d'un air sceptique :

— De nombreuses tribus ont déjà accepté mon offre.

— Des rebelles ! Elles changeront d'avis en apprenant le désastre que vous avez subi. Les Alamans sont nos alliés ; d'autres nous rejoindront.

Licinius porta la main à sa poitrine avec une grimace douloureuse.

— Tu as changé, Vinka, dit-il d'une voix altérée.

— Oui, j'ai changé, admit-elle. Lorsque tu m'as connue je n'étais qu'une enfant révoltée. Je rêvais de vengeance. Maintenant, je suis responsable de tout un peuple.

— C'est ce qui te rend si inhumaine ? demanda-t-il avec amertume.

— La guerre est inhumaine, lui répondit Vinka d'un ton farouche.

— Tu as sans doute raison. Pourtant le courage, le danger auquel on s'expose durant le combat justifient la mort qu'on inflige pour sauver sa peau, pas la cruauté. Je t'ai vue combattre et je t'ai admirée. Mais les sacrifices que tu as ordonnés n'ont rien à voir avec la guerre ; ce sont des actes gratuits, et d'une férocité inutile.

— Et le meurtre de Richemer ? s'emporta Vinka. As-tu oublié le massacre de ses guerriers, vos fidèles alliés ?

Ils se regardaient avec hostilité. Licinius aurait voulu lui dire qu'il ne l'avait pas oubliée, mais il était incapable de prononcer un seul mot d'amour. Vinka était devenue si différente, si dure !

267

De son côté, la jeune reine refusait de se laisser émouvoir. Elle se répétait que celui qu'elle avait aimé était un Romain comme les autres. Un ennemi. Le pire, c'est qu'elle se sentait coupable ; elle s'était montrée inhumaine et en avait honte. Honte vis-à-vis d'Elric, à cause de son amour pour Licinius ; honte vis-à-vis de Licinius, qui, à présent, la méprisait.

Elle vit Thierry poser sa main sur celle de Licinius. Ce geste amical lui arracha une grimace de colère. De quoi se mêlait-il, celui-là ?

Le muet leva les mains au ciel et les posa sur son cœur.

— Tu as demandé aux dieux de m'épargner? traduisit le tribun. Tu vois : ils t'ont entendu.

Thierry approuva en souriant.

— Moi aussi, je suis heureux de te revoir, dit Licinius. Deux ans, c'était long. Je me demandais ce que tu devenais. J'étais inquiet. Tu sais, j'aurais voulu te garder près de moi...

À travers Thierry, c'était aussi à Vinka qu'il s'adressait. Mais celle-ci leur tourna brusquement le dos. Pour elle, le passé était mort, et il faisait semblant de ne pas le comprendre. Entre eux, il y avait maintenant des milliers de morts ; une guerre impitoyable qui ne finirait jamais. La fille amoureuse et insouciante qu'il avait connue n'existait plus ; elle était devenue reine et devait poursuivre sa glorieuse destinée ; elle devait accomplir sa vengeance.

— Tu es notre otage, lâcha-t-elle d'une voix dure. Cette nuit, pour ta sécurité, tu dormiras ici. Je n'oublie pas que tu nous as aidés, autrefois. C'est pour cette raison, uniquement, que tu es encore en vie.

Puis elle sortit dans la nuit.

Chapitre 19

Le chasseur

Au lever du soleil, Vinka regroupa son clan. Ses guerriers rassemblèrent les femmes et les enfants, qui s'étaient réfugiés dans la forêt en attendant la fin du combat. D'autres fouillèrent avec soin le champ de bataille et le camp abandonné par les Romains, à la recherche de tout ce qui pouvait être récupéré : armes, vêtements, nourriture... Une cinquantaine de chevaux, dispersés après la mort de leurs cavaliers, réapparurent. Les bêtes blessées furent abattues pour être mangées.

Il leur restait quatre jours de vivres, à peine. Avant de prendre la route du sud, Vinka désigna les chasseurs et les pêcheurs qui seraient chargés du ravitaillement durant le voyage. Puis le clan se mit en marche.

Il pleuvait. Les chevaux transportaient les armes, le butin et les enfants en bas âge. Les autres allaient à pied dans la boue, glacés, épuisés. Mais les Francs étaient durs à la souffrance. Ils ne se plaignaient pas. Les guerriers parlaient de la grande bataille. Ils évoquaient leurs exploits. En les écoutant, leurs femmes redressaient la tête et marchaient avec courage.

— Où allons-nous ? demanda Kurk.

— Rebâtir notre village, dit Vinka.

— Skyl ?

La jeune reine secoua la tête.

— Skyl, c'est fini. Nous allons sur l'île, au milieu du lac. Tu te souviens ? Ce nouveau village, nous l'appellerons Midgard.

À côté d'elle, l'érilar émit un grognement approbateur.

— Le Pays du Milieu. L'origine du monde !

— Et celui-là, que comptes-tu en faire ? demanda Siegfried, en désignant Licinius qui avançait au milieu des autres portant une fillette sur son dos.

— Ce n'est pas un officier ordinaire, expliqua Vinka. C'est l'envoyé de l'empereur Dioclétien.

Les yeux de Siegfried brillèrent :

— Ça vaut de l'or, ça !

Vinka réprima un sourire.

— Alors veille bien sur lui, recommanda-t-elle.

Entourée de ses guerriers, elle se sentait pleine d'énergie, capable d'affronter tous les dangers, de supporter toutes les trahisons !

Ils arrivèrent au bord du lac le lendemain, à la mi-journée. La pluie cessa soudain et le soleil parut, comme un présage divin. Sans perdre de temps, Vinka indiqua à ses hommes la partie de la forêt à défricher. Malgré leur fatigue, certains d'entre eux se mirent aussitôt à l'ouvrage, et la forêt résonna de coups de hache. Il s'agissait, d'abord, de construire un radeau pour transporter les femmes et les enfants, puis d'amasser du bois pour édifier des abris provisoires.

Les chasseurs partirent à la recherche du gibier. Licinius prit un arc et se joignit à eux. Siegfried interrogea Vinka du regard ; celle-ci le rassura d'un signe de tête. Le jeune guerrier secoua le poing à la hauteur du visage pour indiquer qu'il aurait à l'œil le précieux otage. « S'il s'échappe, adieu la rançon ! » songeait-il.

Le Romain était d'une adresse diabolique. D'une flèche, il abattit une perdrix en plein vol; d'une autre, il blessa un sanglier, que les Barbares achevèrent au couteau.

Quelques instants plus tard, Siegfried tua un cerf. Fier de son exploit, il entreprit de confectionner une litière pourvue de deux brancards, que ses compagnons attachèrent aux sangles de leurs chevaux. Lorsqu'ils eurent terminé, ils chargèrent leur gibier sur la litière et se préparèrent à rejoindre le reste de leur tribu. C'est alors qu'ils constatèrent la disparition du Romain.

Ils s'éparpillèrent dans toutes les directions, explorant la forêt, fouillant les buissons, galopant jusqu'à la zone des marais. Ils durent alors se rendre à l'évidence: le prisonnier s'était enfui!

Ils regagnèrent le lac à la nuit tombée. Leurs compagnons, en voyant leurs prises, les applaudirent; ils avaient préparé de grands feux pour cuire la viande fraîche. Mais Siegfried avait trop mauvaise conscience pour prendre part aux réjouissances.

– Où est le tribun? lui demanda Vinka, soupçonneuse.

– Parti, grommela-t-il.

— Tu es sûr?

— On l'a cherché partout, témoigna l'un des autres.

L'homme avait l'air sincère et Vinka fut rassurée. L'espace d'un instant, elle avait craint que ses guerriers l'eussent exécuté! Cependant, elle était en colère, car Licinius s'était moqué d'elle. Elle avait cru qu'il était encore amoureux d'elle et qu'il resterait parmi eux. Folle qu'elle était! Elle avait cru lire un reste de tendresse dans son beau regard clair, mais ce n'était qu'une comédie destinée à obtenir sa confiance pour s'enfuir le moment venu! Quant aux attentions qu'il témoignait aux femmes et aux enfants, ce n'étaient que des mensonges!

Elle repoussa d'un geste rageur le morceau de viande que Kurk lui offrait. Puis, soudain, elle réalisa que les hommes s'étaient tus et s'étaient tournés vers la lisière de la forêt, où se tenait un homme, courbé sous le poids d'un chevreuil. Cet homme, c'était Licinius!

Chapitre 20

Les hommes de la brume

L'hiver était venu. Le lac gelé reliait maintenant l'île à la terre.

La nuit était sombre. Un épais brouillard étouffait les sons. Licinius n'arrivait pas à trouver le sommeil. Une pensée l'obsédait : ne trahissait-il pas Rome en restant parmi les Barbares après la défaite de son armée ? En deux mois de captivité, il n'avait pas cherché à fuir. Il espérait vaguement convaincre les Francs de rallier l'Empire romain, mais, au fond, il n'y croyait guère. La haine de Vinka était encore trop brûlante, et ses guerriers la suivaient aveuglément : Vinka était leur reine, leur flamme, leur déesse.

Licinius partageait cette fascination. Il aimait toujours avec passion cette fille sauvage, malgré son arrogance et ses accès de colère. Vinka était d'une beauté à couper le souffle, mais elle ne semblait pas s'en apercevoir ; elle se considérait comme une guerrière avant tout, comme la fille de Wotan.

Soudain, un bruit vint troubler les pensées de Licinius. Autour de sa cabane, la neige dure craquait. Le village des Barbares était loin d'être achevé, et la clôture qui l'entourait était provisoire. Les loups, parfois, s'infiltraient dans le camp, s'attaquant aux chiens et aux chevaux. Mais ce qu'il entendait n'était pas un piétinement de bête et les chiens restaient silencieux.

Un objet métallique heurta sa porte ; Licinius saisit son épée. Sa porte s'ouvrit lentement ; il se leva en silence et s'adossa au mur de bois. À la lueur des braises qui tiédissaient son abri, Licinius vit l'éclair d'un couteau et sentit l'odeur rance de l'intrus. Il abattit son arme, et l'homme s'effondra sans un cri. Licinius le saisit par les cheveux et observa son visage. C'était un étranger, maigre et dépenaillé.

275

Licinius bondit à l'extérieur. Des silhouettes se glissaient entre les maisons, pareilles à des fantômes.

– Alerte ! hurla Licinius. Wotan !

Aussitôt, plusieurs hommes se ruèrent sur lui. Des êtres féroces, à moitié fous. Il esquiva leur attaque et se glissa dans l'ombre, entre deux murs de bois. Là, il frappa. Une fois. Une autre fois. Deux corps tombèrent. Puis un homme très grand sortit de la nuit en brandissant une hache. Licinius évita le fer en plongeant dans la neige. La hache se planta dans le bois du toit, avec tant de force qu'une partie de la maison s'effondra. Des vaches meuglèrent. Quelque part, un enfant pleurait.

Avant que son agresseur pût se retourner, Licinius le frappa aux jambes. L'homme tomba à genoux, et il l'acheva d'un coup à la nuque.

À présent, le village s'éveillait. On entendait des armes qui se heurtaient, les grognements des animaux. Des cris éclataient. Dans le brouillard, les Francs risquaient de s'entre-tuer.

– Allumez les feux ! cria Licinius.

Il se précipita dans sa cabane et empoigna un sac de soufre. Il en versa le contenu dans la rue et l'enflamma. L'obscurité se dissipa. Il rejoignit Vinka, qui se battait comme une furie, alors que Kurk, à la tête des guerriers, repoussait les envahisseurs vers la palissade. Leur attaque surprise avait échoué. Ils étaient peu nombreux, mais dangereux, de vraies bêtes enragées. Ils se jetaient sur eux en hurlant, s'empalaient sur les armes, continuaient à mordre en agonisant.

Tout à coup, on entendit les hennissements des bêtes affolées.

— Les chevaux ! cria Vinka.

La porte de la palissade était ouverte ; les pillards avaient chassé le troupeau vers le lac gelé.

277

— Ne les laissez pas s'enfuir ! ordonna Vinka.

Du sommet de l'enceinte, les archers abattirent quelques fuyards, mais les autres disparurent dans le brouillard.

Lorsque le jour parut, les Francs dénombrèrent une trentaine de corps maigres et ensanglantés.

— Ce sont des Francs, fit observer un guerrier.

Vinka était désespérée :

— Des misérables ! Des affamés ! Nous voulons unifier la Germanie et une bande de pouilleux vient voler nos chevaux ici, à l'intérieur de l'enceinte sacrée de Midgard !

Elle renifla avec mépris :

– Où étaient nos guetteurs ?

– Morts, et les chiens égorgés. Le brouillard attire le mal.

– C'est Licinius qui a donné l'alerte, dit Kurk. Sans lui...

Vinka haussa les épaules :

– Brisez la glace, et jetez les corps de ces chacals dans le lac. Les nôtres, brûlez-les !

Elle se détourna, sans un regard pour Licinius. Sans un geste de gratitude. Comme s'il n'existait pas.

Kurk, Siegfried et quelques autres vinrent frapper sur l'épaule du tribun. Il était l'un des leurs, maintenant. Et il se sentait aussi fier de cette amitié simple et rugueuse que de celle de l'empereur Dioclétien. Devant lui, Thierry faisait des gestes frénétiques.

– Je sais qu'elle n'aime pas être vaincue, grogna Licinius. Moi non plus !

Chapitre 21

Le Pays du Milieu

La forêt ployait sous la neige. L'eau vive des rivières coulait sous la glace mince. Le printemps tardait et le gibier se faisait rare. En quelques mois, cependant, Vinka et les siens avaient constitué des réserves suffisantes pour tenir jusqu'au réveil de Nerthus, déesse des récoltes et de la fécondité. Sur l'île, ils avaient achevé un village étonnant, entouré maintenant de solides palissades.

Midgard était beaucoup plus vaste que Skyl. Outre les maisons, il abritait un fort et une tour de bois, des granges, des étables, des écuries...

que des raids victorieux avaient permis de remplir de bêtes et de grains.

Les Romains, mobilisés tout l'hiver par la lutte contre un puissant roi franc nommé Gennobaud, avaient renoncé provisoirement à harceler la fille de Wotan. Ce répit avait permis à Vinka de consolider son autorité et d'établir de nouvelles alliances.

Lorsque Gennobaud, vaincu par Maximien, fit sa soumission à l'empire, une partie de ses sujets, bructères pour la plupart, rejoignit le clan de Vinka, qui compta alors sept cents guerriers, bien nourris et bien entraînés. Et l'esprit conquérant de la jeune reine commença à regarder, au-delà de la Moselle et du Rhin, l'empire qu'elle s'était juré d'envahir.

En attendant, elle était fière de Midgard, «ce nid de pirates», comme disait Morgal, le forgeron. Avec l'âge, ce dernier devenait de plus en plus irascible. Il refusait farouchement de transmettre ses secrets à ses apprentis, mais sa main restait ferme et ses armes étaient toujours aussi belles.

Le jour se levait. Un jour pâle. Vinka sortit. Le froid lui hérissait la peau. Elle écouta les bruits familiers du village : le ronflement de la forge, les grognements des chiens, les hennissements joyeux des chevaux. Elle aimait le petit matin, le froid coupant comme une lame.

Certains de ses guerriers, déjà levés, plaisantaient avec les guetteurs. Parmi eux, elle reconnut Licinius. Avec sa fourrure et ses cheveux longs, le jeune Romain ressemblait à un Barbare.

– Tu vas chasser, esclave ? lui dit Kurk pour le provoquer.

Licinius lui répondit sur le même ton :

– Aujourd'hui, je ne chasse que le Franc, une espèce de vautour.

281

Les Barbares se mirent à rire. À force de partager la vie de ce curieux prisonnier, ils s'étaient habitués à sa présence. Et, depuis que Licinius avait lutté avec courage pour défendre le village contre les pillards, ils avaient noué avec lui les liens du sang. Licinius faisait partie du clan. Même Siegfried ne parlait plus de rançon.

– Si tu veux chasser, esclave, commence par moi ! lança Kurk.

Licinius avait l'habitude de ces défis ; il avait déjà affronté les meilleurs guerriers du camp et les avait tous vaincus. Quant à Kurk, il l'avait terrassé à trois reprises. Sans en avoir l'air, les Francs admiraient la force du tribun et tentaient d'imiter sa technique.

– Une leçon d'épée? proposa Licinius en souriant.

– Tu l'auras voulu, grogna Kurk. Aujourd'hui, c'est le jour de Wotan. Les Romains font dans leurs culottes.

– Sur les radeaux, ça te va? suggéra Licinius.

Kurk hocha la tête:

– J'y pensais.

282

Avec le dégel du lac, les radeaux avaient recommencé à circuler entre l'île et la terre. Ces plates-formes, particulièrement instables, ajoutaient du piment aux combats, car le vaincu finissait généralement dans l'eau glacée.

Au moment où Kurk se disposait à regagner sa maison pour s'équiper, Vinka s'avança:

– C'est mon tour d'affronter Licinius!

Tous les regards se tournèrent vers elle, d'abord étonnés, puis brillants d'impatience. Car si quelqu'un devait infliger une leçon à ce Romain insolent, c'était bien elle!

Licinius secoua la tête:

– Je refuse.

– Tu as peur de moi ? railla Vinka.

– De te blesser, oui.

Elle se mit à rire :

– Si ma mémoire est bonne, tribun, la dernière fois que nous avons combattu, c'est toi qui as fini au fond de l'eau.

Thierry, qui suivait leur échange, battit des mains. Il fit signe à Licinius qu'il allait devoir apprendre à nager.

Sans attendre l'assentiment de son adversaire, Vinka se débarrassa de ses bottes et de ses fourrures. Pieds nus, vêtue d'une courte tunique, malgré le froid, et armée de l'épée de Wotan qui ne la quittait jamais, elle franchit la palissade.

Déjà, la nouvelle du combat s'était répandue. Le village s'agitait comme une fourmilière. Les Francs surgissaient des maisons, escaladaient les toits, se répandaient sur le rivage et les pontons.

Vinka sauta sur l'un des radeaux. Sous son poids léger, celui-ci bougea à peine. En la rejoignant, Licinius réalisa que le terrain qu'il avait choisi ne serait pas à son avantage. Ce qui faisait sa force, contre de pesants adversaires tels que Kurk et Siegfried, devenait un handicap face à

283

une combattante vive, souple et adroite comme une chatte.

Vinka recula de quelques pas pour lui permettre de prendre pied sur le radeau. Mais, à peine fut-il monté, elle bondit sur la plate-forme voisine. Puis, profitant du déséquilibre de son adversaire, elle revint à son point de départ et se retrouva derrière lui.

Licinius pivota en riant :

— Tu n'as pas changé, petite Barbare !

— Tu crois ?

284

D'un coup d'épée, elle trancha les liens unissant les rondins. Ceux-ci s'écartèrent. Le pied droit de Licinius traversa la plate-forme disloquée qui lui emprisonna la cheville. Du radeau voisin, où elle s'était réfugiée, Vinka éclata de rire.

— Beau gibier ! apprécia Kurk.

Ses compagnons hurlèrent de joie.

— Vipère ! gronda Licinius.

Dans un sursaut rageur, il arracha son pied aux mâchoires de bois, saisit le bord du radeau où se dressait la jeune reine, et le souleva. Brutalement déséquilibrée, Vinka tomba en arrière et disparut sous l'eau.

Licinius se redressa, chercha un appui sur les troncs qui roulaient et voulut sauter sur la plate-forme voisine. Mais, au moment où il franchissait l'espace, Vinka jaillit de l'eau et lui saisit la cheville. Le tribun s'écroula ; son visage heurta le bois. Avec un grognement de douleur, il tenta de se relever, mais trop tard : en un éclair, son adversaire refit surface, exécuta un rétablissement et lui bondit sur le dos. D'une main, elle lui empoigna les cheveux ; de l'autre, elle appuya le tranchant de son épée sur sa gorge.

— Pas mal, pour un Romain, s'exclama-t-elle en riant.

— Je t'ai toujours sous-estimée, murmura-t-il d'une voix sourde.

Il se sentait humilié de se trouver à sa merci devant toute la tribu, et ému de sentir le corps de la jeune fille contre le sien.

Elle se dégagea brusquement.

— Dommage pour toi, dit-elle. Si tu avais gagné, je t'aurais rendu la liberté. Mais tu es toujours mon esclave.

Kurk lui tendit sa fourrure et ses bottes ; elle les dédaigna. Elle courut vers sa maison et s'accroupit devant le feu pour se réchauffer.

Ce combat contre Licinius l'avait troublée, elle aussi ; et elle avait besoin de calme et de solitude pour réfléchir. Elle n'en eut pas le temps, hélas, car Thierry la rejoignit bientôt.

— Que se passe-t-il ? lui demanda-t-elle.

Il mima une attaque.

Elle avait posté des guetteurs partout ; nul n'aurait pu s'approcher de Midgard sans être repéré. Cependant, les visions du muet mentaient rarement, et elle décida d'envoyer des cavaliers.

Comme les hommes qu'elle avait désignés sautaient en selle, Licinius se joignit à eux. Elle eut un moment d'hésitation. Comment réagirait le tribun s'il était confronté à ses frères d'armes ? Peut-être était-ce l'occasion de le savoir, finalement...

Trois heures plus tard, les guerriers étaient de retour, mais Licinius manquait.

— Que s'est-il passé ? voulut savoir Vinka.

Les cavaliers se regardèrent, embarrassés.

— Les Romains... Une soixantaine...

— Licinius les a rejoints.

— On n'a rien pu faire. Ils étaient trop nombreux. Ils sont partis presque aussitôt.

Vinka hocha la tête. Cette fois, elle ne se sentait pas trahie, seulement triste. Entre le devoir et l'amour, Licinius avait choisi le devoir. Et le pire, c'est qu'à sa place, elle aurait sans doute agi de la même manière. Elle essaya de se persuader que les choses étaient mieux ainsi. Entre Licinius et elle, l'amour était impossible : une reine barbare n'épouse pas un Romain ! Pourtant, elle ne pouvait pas s'empêcher de songer aux mois écoulés. Licinius avait été l'un des leurs ; il avait participé à la construction du village, chassé en leur compagnie, enseigné l'art de l'épée aux jeunes guerriers... Il s'était même battu à leurs côtés. Son cœur se serra ; elle se sentait abandonnée.

287

Insensibles à sa peine, Othon, Kodran, Sikmund, les vieux guerriers de son père, se regroupèrent autour d'elle.

— L'évasion du Romain est un danger !

— Il connaît nos faiblesses.

— Il sait tout de nous : le nombre de nos guerriers, celui de nos chevaux, l'emplacement de nos postes de guet.

La jeune reine haussa les épaules :

— Il ne nous trahira pas.

— Il l'a déjà fait en indiquant les positions de nos guetteurs, rétorqua Othon. Et ces Romains ne se trouvaient pas là par hasard.

– Tu es imprudente, Vinka, fit remarquer Kodran.

– Et vous, trop timorés !

– Tu ne peux pas dire ça, grogna Othon. Nous combattions bien avant ta naissance. Tu es forte, mais orgueilleuse et imprévoyante. Tu devrais parfois prendre conseil auprès de tes aînés ; ton père le faisait.

– On a vu où ça l'a mené ! lâcha-t-elle, acide.

Elle n'était pas d'humeur à discuter. Parce qu'ils l'avaient vue naître, ils oubliaient qu'elle était leur reine, et qu'ils lui devaient leurs vies. Elle saurait le leur rappeler !

Elle envoya cent cavaliers, répartis par groupes de dix, explorer la région. Mais ces derniers chevauchèrent durant deux jours sans déceler la moindre présence militaire, sauf aux abords de la frontière.

– Tu crois qu'ils se préparent à attaquer ? s'inquiéta Kurk.

– Je l'espère, répondit Vinka, farouche.

Chapitre 22

Chark le navigateur

La présence de Licinius avait désarmé Vinka ; amoureuse, elle avait différé sa vengeance. Elle s'en rendait compte, maintenant qu'il n'était plus là. Et, jour après jour, le sentiment qu'elle n'était pas faite pour l'amour la gagnait.

Durant les mois suivants, elle fit le tour des tribus voisines. Deux ans auparavant, elle avait accompli le même voyage sans grand succès. À présent que sa légende s'était répandue, un grand nombre de Francs se montrèrent prêts à la suivre.

Lorsqu'elle atteignit les rivages du Nord, chez les Francs Saliens qui vivaient de la pêche et de la piraterie, elle pouvait déjà compter sur l'alliance de seize tribus et aligner dix-huit mille guerriers, soit l'effectif de trois légions. Ce n'était pas grand-chose, comparé aux cinquante mille cavaliers de Gurda, mais la force attirait la force, et d'autres pouvaient encore les rejoindre.

Cinquante guerriers l'escortaient. Hul et Thierry, grâce à leurs pouvoirs, l'aidaient à convaincre les hésitants.

290   En apercevant la mer, le muet se mit à rire. Vinka le regarda, intriguée; elle essaya sans y parvenir de comprendre ses gestes, car il faisait exprès de suggérer n'importe quoi. Au lieu de se mettre en colère, elle se mit à rire à son tour, car la joie de son frère lui parut de bon augure.

Une dizaine de bateaux barbares étaient ancrés à l'abri d'une petite baie rocheuse. Chark, le roi que Vinka devait rencontrer, était puissant et audacieux. Déporté en Grèce avec ses hommes par les Romains, il s'était échappé sur un navire, avait parcouru toute la Méditerranée, franchi les Colonnes d'Hercule et remonté l'océan, à travers les tempêtes, jusqu'à la mer du Nord. C'est ainsi qu'il avait regagné son pays. Il n'existait pas de meilleur navigateur !

Vinka avait besoin de lui pour neutraliser la flotte romaine et faire traverser le fleuve à son armée. Elle le trouva sur le rivage, casqué et armé comme pour la guerre, et entouré d'une véritable armée.

En apercevant Vinka, il agita sa lourde hache de guerre :

— Holà ! petite déesse.

Elle fronça les sourcils, stupéfaite. Elle s'attendait à devoir essuyer son arrogance et son mépris, et cet accueil joyeux la déconcertait.

— Tu ne me reconnais pas ? lança-t-il en ôtant son casque.

En voyant son visage, elle s'écria :

— Toi ? Vieux pirate !

Elle venait de reconnaître l'homme qui lui avait permis de quitter Trèves et de traverser le Rhin, après la libération des officiers de Richemer, deux années auparavant.

— Sois respectueuse ! tonna-t-il avec un gros rire. Je suis maintenant Chark le tout-puissant. Les bateaux que tu aperçois ne sont qu'une modeste partie de ma flotte, et je suis prêt à mettre celle-ci tout entière à ta disposition.

Elle plissa les yeux, méfiante.

– À quel prix ?

– On raconte que Gurda joindra son armée à la tienne...

– C'est vrai.

Il émit un grognement d'approbation.

– Alors disons... la moitié des richesses que vous ramènerez de Gaule.

– Et tu ne m'abandonneras pas sur le rivage ?

– Parole de frère !

292   – Il y a deux ans, tu te disais déjà mon frère. Ça ne t'a pas empêché de partir sans moi !

Chark cligna de l'œil :

– Je suis revenu. Et puis les temps ont changé. J'étais un petit pirate de rien du tout. À présent, je fais la loi, et Carausius est mon allié.

– Carausius, l'usurpateur ?

– L'empereur, rectifia Chark. L'ennemi mortel de Maximien. Tu devrais être contente.

Elle haussa les épaules avec dédain :

– Mon allié à moi, c'est Gurda le Grand.

– Toujours aussi têtue ! grogna Chark. Tu ne devrais pas mésestimer Carausius. Il est puissant. Il règne sur la Bretagne et se prépare à envahir le nord de la Gaule. Lorsqu'il lancera ses troupes, je peux t'assurer que Maximien aura fort à faire. Nous aurons les mains libres, tu comprends?

– Pour quand est cette attaque?

– L'été prochain.

– C'est loin...

– Il te faudra du temps pour rassembler tes tribus.

– Moins qu'à toi pour regrouper tes navires.

– Et c'est moi le pirate! grommela Chark.

– Je fais la guerre pour vaincre, pas pour piller.

Chark se mit à rire:

– Alors, nous nous complétons. Moi, ma spé- **293** cialité, c'est plutôt le pillage!

Après être convenus de se revoir pour synchroniser leurs offensives, Chark et Vinka se séparèrent, et la jeune reine se hâta de regagner Midgard. Depuis la mort d'Elric, elle redoutait de quitter sa tribu. Elle était partie depuis plus de deux mois, en laissant le commandement de l'armée à Kurk. Or, malgré sa force et son courage, celui-ci était loin d'avoir l'autorité d'Elric.

À son arrivée, elle sentit immédiatement la tension qui régnait entre les jeunes et les anciens.

– Méfie-toi des compagnons de ton père, conseilla Kurk. Ils veulent faire la loi. Pour les forcer à obéir, j'ai dû assommer Kodran, et depuis, la révolte gronde. Si les Romains nous avaient attaqués, je n'aurais pas pu évacuer les femmes et les enfants, comme tu me l'avais ordonné.

– Pourquoi?

– Les anciens prétendent que les guerriers se battent mieux quand ils ont leur famille à défendre. Et les femmes sont de leur avis.

– Je réglerai ça plus tard, assura Vinka. Le plus urgent est de préparer la grande invasion. Nous aurons vingt mille hommes, sans compter nos alliés alamans.

Elle s'attendait à une explosion d'enthousiasme, mais Kurk conserva un air sombre. Il paraissait mal à l'aise. Vinka s'impatienta:

– Qu'y a-t-il?

– Gurda a envoyé son fils Xian, en ton absence.

– Qu'a-t-il dit?

Kurk pâlit:

– Je l'ignore. J'étais allé en reconnaissance, et, à mon retour, il était déjà reparti. Othon, qui l'a accueilli, n'a pas voulu me dire ce qu'ils avaient convenu. Il a prétendu que l'accord ne concernait que toi.

— Tu devais rester au village ! s'emporta Vinka.

— On avait signalé des pillards. Nous avons dû les poursuivre...

— J'ai eu tort de te confier le commandement. Elric, lui, ne se serait pas laissé berner.

— J'ai désarmé Othon, assommé Kodran. Que voulais-tu que je fasse ?

— Je vais te montrer !

Casquée de fer et revêtue de la carapace de boue de sa longue chevauchée, elle poussa brutalement la porte d'Othon. Tous les vieux officiers étaient là, comme s'ils formaient un clan à part, secret et hostile.

— Qu'a dit Gurda ? demanda-t-elle sèchement.

Avec une certaine satisfaction, Othon lui répondit :

— Que l'invasion n'aura pas lieu.

— Qui a décidé cela ?

— Son fils, après avoir appris que nous n'étions que sept cents guerriers.

— Vingt mille ! Nous sommes vingt mille ! gronda Vinka.

Othon laissa paraître un sourire incrédule. Vinka serra les poings. Elle savait ce que pensaient les anciens : qu'elle était jeune, écervelée, dangereuse. Ils voulaient contrarier ses projets pour lui reprendre le pouvoir. De leur temps, les filles ne régnaient pas, et tous rêvaient de restaurer les vieilles coutumes.

Dangereuse ! Ils ignoraient à quel point elle pouvait l'être. Ils se croyaient à l'abri de sa colère parce qu'ils avaient servi fidèlement son père, mais ils avaient tort ! Elle ne tolérerait pas plus longtemps leur orgueil et leur désobéissance.

Elle tira son épée.

— Je devrais vous chasser, dit-elle d'une voix tremblante de colère. Vous m'avez trahie, du moins vous avez essayé. J'aurais dû vous laisser pourrir en prison. Tous les vingt ! Si Richemer vous voyait, il aurait honte de ce que vous êtes devenus : des vieilles femmes tremblantes, radotant au coin du feu !

Elle sortit et respira l'air frais avec soulagement.

— Tu as été dure, fit remarquer Kurk.

Elle le regarda d'un air farouche :

— Pas tant que ça : ils sont encore en vie !

Chapitre 23

Soixante mille cavaliers

Depuis deux jours, le sol tremblait sans interruption. Les Francs et les Alamans rassemblaient leurs clans dans l'immense vallée de Brack, à l'est de Cologne.

Installés sur une hauteur, Vinka et Gurda le Grand contemplaient leurs peuples en marche. Rien ne pourrait résister à cette horde gigantesque.

– Tu vois, j'ai tenu parole, dit Gurda.

Vinka secoua ses cheveux blonds :

– Moi aussi !

La fierté et les frémissements du combat prochain la rendaient rayonnante. Depuis presque trois ans, elle vivait dans l'attente du jour où elle pourrait affronter l'armée de Maximien, mettre l'Empire romain à genoux, et venger son père !

Des cavaliers arrivaient à chaque instant de la frontière pour faire leur rapport.

– Aucun ennemi en vue, annonça Gurda. Ils nous attendent sans doute de l'autre côté du *limes*.

– Carausius a attaqué au nord, comme prévu. Il tient Amiens, Boulogne et Beauvais ; il s'approche de la Belgique. Maximien a envoyé deux légions à sa rencontre. Qu'ils s'égorgent entre eux ! Le temps qu'ils découvrent nos forces, nous serons maîtres de la Gaule. Chark a tenu parole : ses dix navires sont là, prêts à transporter les hommes et les bêtes de l'autre côté du fleuve.

– Il faudra plusieurs jours pour traverser, calcula Gurda.

– Dès que nous aurons pris pied sur la rive gauche, nous prendrons les Romains à revers. Nous remonterons vers le nord. Il y a un pont à Deutz. Il sera à nous.

– Tu es sûre de ton pirate ?

– Chark ? Il a reniflé la bonne affaire. L'or, le butin, c'est tout ce qui l'intéresse.

– Moi aussi, fit Gurda en riant.

Vinka haussa les épaules :

– Toi ? Tu es fait pour devenir empereur !

Il fronça les sourcils. Se moquait-elle de lui ? Non, elle semblait sérieuse. Cette fille avait le don d'enflammer les esprits, pensa-t-il. Elle avait quelque chose d'étrange, de surnaturel. La première fois qu'il l'avait vue, il avait perçu en elle une étincelle divine ; il s'était senti envoûté, et c'est presque malgré lui qu'il avait accepté de combattre à ses côtés. Les guerriers francs, en proie à la même fascination, étaient prêts à donner leur vie pour leur reine ; Gurda, qui régnait sur les siens par la force, aurait aimé pouvoir en dire autant.

Cependant, l'esprit de Vinka voyageait déjà au-delà du fleuve... Elle imaginait l'exécution du traître Valens ; Maximien l'accueillait victorieuse au palais de Trèves et rendait justice à Richemer, injustement condamné ; à la droite de l'empereur, Licinius la regardait avec admiration... Pour réaliser ce rêve, elle avait jeté toutes ses forces dans la guerre. Ses meilleurs guerriers étaient là, en première ligne ; elle avait dû confier Midgard à Othon et Kodran, qui la détestaient et aspiraient à la détrôner. En cas de défaite, elle perdrait tout, et Valens triompherait.

— Jamais ! gronda-t-elle soudain.

— Que dis-tu ? lui demanda Gurda en la dévisageant avec curiosité.

Elle se rendit compte, alors, qu'elle avait parlé à haute voix. Elle fit voler ses tresses blondes. Jamais, non, jamais elle ne s'avouerait vaincue. Tant qu'il lui resterait un souffle de vie, elle continuerait à se battre ! Rome courberait la tête, comme une bête sacrifiée à Wotan, le dieu sanglant. Elle montrerait à Licinius qu'elle n'était pas la fille faible, vulnérable qu'on pouvait séduire, puis abandonner à son gré.

Sous ses yeux, les soixante mille cavaliers de la horde s'étaient immobilisés. De longues vagues parcouraient cette masse frémissante. Océan avant la tempête. Le bruit sauvage avait fait place à un grondement sourd ; une odeur puissante montait du fond de la vallée. Cette puissance grandiose, irrésistible, c'était la sienne. Elle était prête à se déchaîner, comme l'un de ces orages au cours desquels Wotan libérait le feu du ciel.

Fermant les yeux, la jeune reine s'adressa à Richemer :

« Père, regarde : voici ton armée. Donne-moi la force, soutiens mon courage, attise ma colère ! Guide mon épée et mène-moi jusqu'à Rome ! »

Comme s'ils avaient entendu ses paroles, les soixante mille guerriers poussèrent un hurlement formidable qui se répercuta jusqu'au Rhin.

Troisième partie

Les fauves de Rome

Chapitre 1

Le prêtre sanglant
de Taranis

La pluie s'abattit sur la forêt. Un orage brutal, qui ploya les sapins et noya le sol.

Vinka regarda ses hommes avec un mélange de colère et d'amertume. Ils étaient devenus sombres et elle se sentait responsable de leur détresse. La grande invasion dont ils avaient rêvé, celle qui devait leur apporter gloire et richesse, s'était changée en un échec meurtrier. Pourtant, tout avait bien débuté : Chark, le pirate, avait tenu ses engagements ; l'immense armée barbare avait franchi le Rhin, mais le passage avait pris plus

de temps que prévu et les tribus s'étaient aussitôt dispersées.

Tandis que Gurda et ses Alamans gagnaient
le sud, les tribus franques alliées s'étaient épar-
pillées vers l'ouest, sans se soucier du plan de
bataille ni des appels de Vinka. Les cavaliers
qu'elle avait envoyés pour tenter de les regrouper
n'étaient jamais revenus.

Voyant les Barbares divisés, les Romains les
avaient écrasés systématiquement. Gurda était en
fuite du côté des Alpes. Les troupes franques,
dispersées, erraient sans ordre entre le Rhin et la
Moselle. Vinka, abandonnée par Wotan, n'était
plus qu'une fugitive, traquée sans pitié par les
cavaliers de Valens, son ennemi mortel.

Vinka et quelques compagnons avançaient,
silencieux, couverts de boue, tirant derrière eux
leurs chevaux épuisés. Ils avaient échappé à
leurs poursuivants en s'enfonçant dans une forêt
sinistre, mais ils s'étaient égarés.

Ils étaient six. Outre Kurk, Siegfried, Thierry
et elle-même, il y avait deux autres Francs plus
âgés, vaillants guerriers attachés au clan d'Igwir,
qui avaient dû abandonner leurs compagnons
pour suivre Vinka.

L'air était lourd, étouffant. Par moments, des bruits mystérieux animaient la forêt endormie : les battements d'ailes de grands oiseaux invisibles, des craquements, des souffles puissants qui soulevaient les branches alourdies de pluie. Dans la pénombre, les fugitifs croyaient voir des étincelles et leurs mains se crispaient sur les poignées de leurs épées. Était-ce Loki, divinité maligne, démon du feu, qui leur apparaissait à la cime des arbres ? Non, ce n'étaient que les rayons du soleil qui tentaient de percer les feuillages. Soulagés, les Francs respiraient, car Loki, malfaisant et menteur, était capable de trahir les dieux eux-mêmes.

307

Soudain, ils aperçurent une forme claire, bien réelle. Vinka leva la main ; ses compagnons s'arrêtèrent. Abandonnant son cheval, elle écarta les buissons et découvrit une jeune fille vêtue de haillons. Elle la prit d'abord pour une pauvresse réfugiée dans la forêt, mais l'inconnue avait un beau visage, la peau blanche, une attitude gracieuse et de longs cheveux blonds tressés de fleurs.

– Rebroussez chemin, supplia la fille.

Elle s'exprimait en latin, avec un accent étrange. « Une Gauloise », se dit Vinka.

– Comment t'appelles-tu ?

— Ulricha, répondit la fille.

Elle grelottait, car sa robe déchirée était trempée. Sous ses airs farouches, on devinait une enfant, douce, attendrissante.

— Si vous continuez, vous mourrez tous ! prévint-elle.

— Quel est ce terrible danger qui nous menace ? demanda Vinka, en réprimant un sourire.

Thierry surgit à côté d'elles. Il semblait fasciné et en proie à une vive émotion.

— C'est un magicien, répondit Ulricha. Un magicien au pouvoir terrifiant. Il commande aux forces du ciel et de la terre, et cette forêt est son domaine.

— Et toi, que fais-tu ici, petite ? demanda Vinka.

Ulricha se mordit les lèvres et finit par avouer, d'une voix maussade :

— Je suis sa fille.

Vinka sourit.

— Alors, tu vas dire à ton père qu'il n'a rien à craindre de nous : nous fuyons les Romains et ne faisons que passer. Ton père est un druide, n'est-ce pas ?

— C'est un prêtre de Taranis, confirma Ulricha. Il a le pouvoir de se changer en rapace et d'exterminer ses ennemis sous une pluie de feu.

308

Vinka hocha la tête avec gravité. On racontait que Taranis, dieu des orages et de la foudre, était une divinité sanglante à laquelle les Gaulois sacrifiaient des victimes humaines. Les Romains avaient interdit son culte et pourchassaient impitoyablement les druides.

– Conduis-nous à ton père ! ordonna-t-elle.

Ulricha examina les guerriers qui l'accompagnaient. Rassurée ou résignée, elle se mit en route, la tête basse, et les entraîna dans une partie de la forêt plus impénétrable encore que celle qu'ils venaient de traverser. Ils franchirent un chaos de rochers et d'arbres abattus, puis de véritables murs d'épines, devant lesquels ils durent abandonner leurs chevaux.

– C'est encore loin ? s'impatienta Vinka.

La jeune Gauloise secoua la tête. Devant eux, la forêt s'ouvrit sur un étang dans lequel des arbres aux formes étranges trempaient leurs branches. Ulricha longea la rive et se faufila entre les fourrés jusqu'à l'entrée d'une grotte. Là, elle leur fit signe d'attendre, puis elle disparut dans l'obscurité. Les Francs s'installèrent sur un cercle de pierres, à l'abri d'un chêne. Le combat et la longue fuite à travers la forêt les avaient harassés, et la faim les tenaillait.

309

Soudain, un faisan se posa sur la berge. Gudbrand, l'un des guerriers d'Igwir, prit son arc, choisit une flèche, banda son arme avec lenteur et lâcha son trait. Le faisan tomba dans l'étang et les Barbares applaudirent. Les uns allumèrent un feu ; les autres plumèrent l'animal et le mirent à la broche. À cet instant, un vieil homme au visage émacié et aux longs cheveux blancs sortit de la grotte. Les bras levés, il lança des imprécations dans une langue inconnue.

– Vous ne pouvez pas vous asseoir là, cria Ulricha, affolée. C'est la couronne sacrée. Vous risquez d'être foudroyés !

Sur un geste de Vinka, les Francs se levèrent.

– Nous ne vous cherchons pas querelle, plaida la jeune reine. Nous voulons seulement sortir de la forêt et regagner le Rhin, de préférence sans rencontrer de Romains.

Cependant, le druide continuait à exhaler sa fureur à voix basse.

– Il n'aime pas qu'on touche à l'eau, aux arbres et aux animaux, expliqua Ulricha.

Thierry s'approcha du prêtre. Il posa sa main sur son cœur, la lui tendit, puis l'éleva vers le ciel. Appuyé sur un long bâton, le druide, apaisé, marcha vers la rive et s'assit sur un rocher. Peut-être avait-il été puissant, autrefois ; à présent, ce n'était plus qu'un vieil homme à bout de forces et inoffensif.

«Combien de victimes a-t-il sacrifiées, avant de fuir dans la forêt ? » se demanda Vinka. Elle crut voir des éclaboussures de sang sur ses mains, mais ce n'étaient que les taches brunes de la vieillesse.

– Je vous conduirai, décida Ulricha.

Thierry saisit la main de la jeune fille et la porta à ses lèvres. Vinka le taquina :

– Tu la trouves belle, pas vrai ? Mais c'est une créature de la forêt et tes manières sont celles d'un Romain.

Elle avait utilisé le dialecte des Francs ; cependant Ulricha rougit.

– Je comprends votre langue, murmura-t-elle.

Elle rougit de plus belle et Thierry prit un air renfrogné. Pour dissiper leur gêne, Vinka ordonna :

– Retourne aux chevaux et rapporte les galettes.

Il s'agissait d'offrandes à Nerthus, la déesse nourricière, mais la faim justifiait bien quelques emprunts aux dieux.

Thierry tendit la main à Ulricha, qui l'accepta et partit avec lui. Ils revinrent peu de temps après, les mains chargées de galettes et les yeux brillants de gourmandise. Le faisan était prêt ; Ulricha, affamée, dévora tout ce qu'on lui offrit, alors que son vieux père se contentait d'une galette en contemplant le ciel d'un air absent.

– Avez-vous vu des Romains ? demanda Vinka.

Ulricha pointa le doigt vers l'ouest.

– Il y a un camp près d'ici. Votre feu risque de les attirer.

Sur l'injonction de Vinka, Siegfried versa de l'eau sur les flammes.

312

La nuit tombait. Vinka et Ulricha s'entretinrent longuement à voix basse. La jeune Gauloise était intelligente et savante. Thierry, assis en tailleur, la contemplait. Le druide n'avait pas bougé ; on aurait dit une statue de pierre. À quelques pas de là, les Francs s'étaient couchés sur le sol et recouverts de feuilles pour échapper à l'humidité. Vinka se sentait lasse, elle aussi. La forêt provoquait une sorte de torpeur qui lui avait fait oublier, durant quelques heures, l'issue malheureuse de la bataille. Mais soudain la mémoire lui revint et, avec elle, l'impatience de connaître le sort de ses hommes disparus.

— Nous partirons à l'aube, décida-t-elle.

Ulricha acquiesça en silence, puis elle regarda Thierry et lui sourit.

Le lendemain matin, le brouillard qui s'élevait de l'étang se mêlait au feuillage. En ouvrant les yeux, Vinka songea à Midgard, son village au milieu des eaux. Le druide avait disparu ; Thierry et Ulricha sortirent de la forêt en riant.

— Où étiez-vous ? leur demanda Vinka.

Le muet montra l'étang et mima l'eau vive.

— Une rivière ? dit Vinka.

Thierry approuva, tout joyeux, et expliqua à sa sœur qu'ils avaient fait boire les chevaux.

313

— Et ton père ? s'enquit Vinka en se tournant vers Ulricha.

La jeune fille sourit tristement :

— Il est rentré dans la grotte. Il voyage.

Elle montra le ciel pour signifier que la pensée du vieil homme devait planer avec les esprits du vent.

Vinka réveilla ses hommes et ils se mirent en route. Ulricha, montée en croupe derrière Thierry, indiquait le chemin. Au bout de quelques heures, ils atteignirent la plaine du Rhin, inondée de soleil, et mirent pied à terre. Le pays semblait paisible. À l'horizon, une palissade ponctuée de tours masquait le fleuve : c'était la frontière.

Comme Thierry regardait Ulricha avec intensité, Vinka proposa :

— Viens avec nous, si tu veux.

La jeune Gauloise secoua ses cheveux blonds :

— Je ne peux pas abandonner mon père.

Revoyant le vieil homme, si sombre et misérable, Vinka hocha la tête. Elle détacha son manteau de laine et en enveloppa les frêles épaules d'Ulricha. La jeune Gauloise voulut refuser, mais Vinka laça d'autorité le vêtement sur son corps à demi vêtu.

— Je ne vous oublierai jamais, murmura Ulricha.

Elle pressa la main de Thierry et disparut en courant dans la forêt. Pour ne pas se laisser attendrir, Vinka bondit à cheval.

— Il faut retrouver les nôtres, dit-elle.

— Ce qu'il en reste..., grommela Kurk.

Elle sentit le reproche dans sa voix et décida de lui montrer qu'elle était toujours digne de sa légende. Tirant son épée, elle descendit dans la plaine, sans se préoccuper des patrouilles romaines qui évoluaient au loin, le long du *limes*.

Après avoir chevauché un long moment en direction du sud, ils aperçurent des fermes et des villages abandonnés, ainsi que les vestiges d'un camp romain.

Le ciel s'assombrit; l'air devint malsain. Comme ils longeaient une forêt, un cavalier parut. Il poussa un cri et d'autres le rejoignirent. C'étaient des Francs, des hommes de leur clan! Hans chevauchait en tête, la tête ceinte d'un bandeau ensanglanté.

– Heureux de te voir, vieux pillard! lança Kurk.

– Et les autres? s'inquiéta Vinka.

Hans indiqua le sud.

– Avec les Alamans?

– Nous t'avons crue morte.

– Et les Romains?

– Il n'y a plus de Romains, dit Hans d'une voix étouffée.

– Enfin une bonne nouvelle! plaisanta Siegfried.

– Plus de Romains, répéta Hans avec une ironie amère, mais nous n'avons plus d'armée non plus.

Hans, comme les autres, en voulait à Vinka de n'avoir pu les conduire à la victoire. Mais elle n'était pas d'humeur à supporter leur aigreur. Elle pointa son épée vers la forêt et escalada la pente; au sommet, elle sauta à terre et s'étendit pour réfléchir.

315

Kurk la rejoignit :

— Que comptes-tu faire ? lui demanda-t-il.

Celui-là ne lui laissait jamais de répit.

— Retourner à Midgard grogna-t-elle. Mais d'abord rallier tous les nôtres.

— Les nôtres ? dit Hans, les yeux au ciel. Mais il faut regarder les choses en face, Vinka : la plupart des chefs sont morts !

— J'ai dit les nôtres ! répéta Vinka en le regardant droit dans les yeux. Ceux de notre clan ! Les autres, s'ils veulent nous suivre, seront les bienvenus. J'ai besoin de guerriers vivants !

— Nous sommes avec toi ! lança Siegfried.

— Avec Vinka ! renchérit Kurk, en frappant du poing les plaques de fer de sa cuirasse.

Tous imitèrent son geste, même les guerriers des autres clans, qui étaient prêts à suivre la fille de Wotan malgré la défaite. Mais où irait-elle ? À Midgard, elle rentrerait sans gloire, et chez les Alamans, elle ne serait plus l'égale de Gurda.

Elle aurait voulu pouvoir réfléchir en paix, mais Thierry l'agrippa par le col de sa tunique et la secoua frénétiquement. Comme elle le repoussait, elle découvrit sur son visage une expression de souffrance qu'elle ne lui avait jamais vue.

Chapitre 2

La mort de l'aigle

Le muet guida les cavaliers à travers la forêt.

Quelques heures plus tard, ils atteignirent un amas de roches et d'arbres abattus qui semblait résulter d'un gigantesque ouragan ou d'une fureur divine. Kurk se baissa pour ramasser une boucle de bronze incrustée dans la boue ; ses compagnons l'entendirent gronder :

– Les Romains !

Les Barbares saisirent leurs armes, mais Thierry les rassura en leur indiquant que le danger s'était éloigné. Son visage n'exprimait pas la peur, seulement le désarroi.

— Viens ! dit Vinka.

Elle fonça à travers les rochers et les barrières d'épines jusqu'à l'étang. L'endroit était silencieux, comme si les oiseaux qui le peuplaient à l'aube s'étaient enfuis. Seuls résonnaient derrière elle les bruits métalliques de ses guerriers en armes qui franchissaient à leur tour la barrière de rocs et de troncs pourrissants.

Thierry s'avança sous le feuillage, puis il s'immobilisa. En le rejoignant, Vinka vit ses poings crispés et son visage sillonné de larmes. Sur le chêne, au centre de la couronne de pierres, une silhouette pâle était attachée. Ses poignets et ses chevilles étaient fixés au tronc avec des cordes ; sa tête, voilée de ses longs cheveux, s'inclinait sur sa poitrine. Elle portait encore le manteau blanc de Vinka. Celle-ci comprit aussitôt ce qui s'était passé : les Romains l'avaient prise pour elle et s'étaient vengés avec cruauté.

Pour la première fois depuis la mort d'Elric, la jeune reine sentit le chagrin l'étouffer. Par imprudence, elle avait causé la mort d'une innocente, et cela la bouleversait davantage que la mort de centaines de ses guerriers. Elle n'osa pas regarder Thierry, qui avait aimé Ulricha et que son infirmité rendait particulièrement sensible, de peur de s'effondrer dans ses bras.

Une partie de ses hommes étaient groupés au seuil de la grotte, penchés sur le corps du druide étendu à terre. La barbe et la robe noire du vieil homme étaient encroûtées de sang, cependant il vivait encore. Voyant ses lèvres remuer, Vinka s'agenouilla. Elle percevait ses paroles sans les comprendre : on aurait dit une incantation. Kurk s'approcha à son tour ; il déchira une bande de sa tunique et voulut panser le moribond, mais le druide le repoussa avec une énergie sauvage.

– Laisse-le ! ordonna Vinka.

Le vieux prêtre de Taranis avait sans doute perdu ses pouvoirs depuis longtemps, et on venait de lui prendre sa fille. Il était impatient de retrouver ses dieux dans les vastes forêts de l'au-delà. Il se redressa à demi et lança un grand cri vers le ciel, puis il retomba en arrière, mort. Un silence pesa sur l'étang ; soudain, un éclair zébra le ciel. Dans le fracas du tonnerre, une forme noire tournoya et s'abattit. C'était un aigle gigantesque, qui toucha l'étang et s'enfonça avec lenteur dans ses eaux mortes.

Chapitre 3

La guerrière blessée

Vinka et ses guerriers approchaient à nouveau du Rhin. Au cours de leur longue chevauchée, ils avaient rassemblé peu à peu des groupes de Francs errant dans la forêt pour échapper aux patrouilles ennemies. Ils étaient plus de cent, maintenant.

Vinka songea aux disparus. En quittant Midgard, ils étaient mille sept cents. Un certain nombre d'entre eux étaient morts; d'autres s'étaient perdus ou réfugiés parmi les Alamans. Cependant, on disait que la horde de Gurda avait été mise en déroute au pied des Alpes. Peut-être lui aussi comptait-il ses morts.

Sur le chemin du fleuve, les Francs passèrent à proximité du champ de bataille où ils avaient été défaits. Les Romains avaient recueilli les corps des leurs et laissé les autres ; une odeur épouvantable s'élevait du charnier. Les Francs, obsédés par la peste qui ravageait alors une partie de la Gaule, avaient masqué leurs visages et s'étaient éloignés à la hâte.

Devant le *limes*, Vinka examina ses cavaliers. «Trop nombreux pour passer inaperçus, trop peu pour affronter une armée», songea-t-elle. Ceux qui croisèrent son regard, alors, eurent de la peine à reconnaître leur reine. Depuis le supplice d'Ulricha, elle semblait indifférente à tout.

321

Kurk, le premier, s'avança à sa hauteur :

— Quel est ton plan ?

— Nous allons à Midgard.

Sa voix était morne, son regard absent.

— Ça, je sais, fit Kurk avec humeur. Je parlais de la frontière.

Elle haussa les épaules :

— Le mur n'est pas si haut.

— Mais le fleuve est large, répliqua Kurk.

— Il y a des barques.

— Nous sommes cent trente. Et les chevaux, tu y penses ?

Elle sourit. Comparée à l'ampleur de sa défaite, l'inquiétude de son compagnon lui semblait dérisoire. Le désastre était arrivé par sa faute. Comment pouvait-il encore croire en elle ? Elle le regarda au fond des yeux et n'y lut qu'une fidélité à toute épreuve.

Peu avant la frontière s'élevait une colline d'où l'on embrassait toute la vallée ; Vinka y grimpa avec ses cavaliers pour observer la rive. Une épave était attachée à un ponton. Mais au milieu du fleuve, un peu en amont, Vinka aperçut trois galères aux voiles rouges. Ces bateaux, elle les aurait reconnus entre mille : c'étaient ceux de Chark. Elle ne put s'empêcher d'éclater de rire.

– Regardez comme les dieux font bien les choses : ils envoient Charon pour transporter nos âmes sur la rive des morts.

Ses compagnons la regardèrent comme si elle avait perdu la raison. Ils ignoraient tout de la religion romaine et n'avaient jamais entendu parler de Charon, le passeur qui naviguait sur les fleuves du pays des morts. Cependant, ils connaissaient Chark et la présence du pirate les rassura.

– Tu savais ! s'écria Siegfried, admiratif.

322

— Bien sûr! s'écria Vinka en s'élançant au galop vers la frontière.

Les Barbares, stimulés par la proximité des galères, eurent vite fait de mettre en fuite la garnison romaine et d'abattre les portes du fleuve. Maîtres du rivage, ils allumèrent un grand feu pour alerter le pirate. La flotte descendit vers eux, mais elle suivit le courant et resta prudemment au milieu du fleuve.

— Il n'aborde pas? s'inquiéta Kurk.

Vinka se hissa debout sur son cheval et leva son épée. Elle savait que Chark la reconnaîtrait, car elle était certaine que Wotan veillait de nouveau sur eux. Au cours de la bataille, il l'avait abandonnée; maintenant, le vent était de nouveau chargé de feu, le souffle divin avait repris possession de ses guerriers.

— Prends ma vie, dieu de la guerre, murmura-t-elle. Prends-la et sauve mes hommes.

Aussitôt, les rameurs forcèrent sur les avirons et les trois galères pointèrent leurs proues vers le rivage. Vinka reconnut la silhouette massive de Chark. Un hurlement de triomphe jaillit de la poitrine des cavaliers. L'une après l'autre, les galères manœuvrèrent pour s'arrimer au ponton.

Les pirates installèrent des passerelles ; aussitôt, les Francs montèrent à bord.

— Et le butin ? hurla Chark. L'or, les joyaux ?

— Ils viendront, dit Vinka.

— Si je comptais sur toi pour m'enrichir ! grommela le pirate.

L'une des galères, chargée d'hommes et de bêtes, se détacha du ponton. La deuxième se disposait à la suivre, lorsqu'un cri d'alarme retentit : le long du fleuve, une troupe de légionnaires fonçait sur eux.

Une cinquantaine de Barbares se pressaient encore sur le ponton. Pour leur laisser le temps d'embarquer, Vinka tira son épée et poussa son cheval sur les fantassins ennemis.

— Fuyez ! ordonna-t-elle à ses compagnons qui l'avaient imitée.

Les fantassins étaient sur elle. Un pilum lui frôla l'épaule ; une épée heurta la sienne. Excitant sa monture, elle fendit la foule des cavaliers hérissée de fer. Deux légionnaires basculèrent dans le fleuve, mais, au moment où elle se dégageait de la tenaille ennemie, son cheval s'effondra. Impuissante, Vinka vit le sol venir à sa rencontre ; puis elle sombra dans la nuit.

Chapitre 4

La captive

Vinka souleva ses paupières et les referma aussitôt. Le soleil lui brûlait les yeux; sa tête était douloureuse; des lanières de cuir lui sciaient la gorge et les poignets. On l'avait attachée aux montants d'un chariot attelé à des bœufs, où gisaient d'autres Barbares, leurs membres liés comme les siens. Les cahots du chariot les projetaient l'un contre l'autre. Elle reconnut Hans, son fidèle lieutenant, qui avait dû l'accompagner lors de sa charge désespérée. Outre sa blessure à la tête, le jeune guerrier était couvert de plaies. Elle tenta d'attirer son attention, mais il était évanoui.

Une cinquantaine de légionnaires armés de lances marchaient sur deux files, de part et d'autre du chariot. Vinka songea que les Romains ne l'avaient peut-être pas identifiée. Après tout, elle était censée avoir péri dans le repaire du druide, au cœur de la forêt... Cependant, leur attitude semblait prouver le contraire. Dans chaque localité, ils faisaient halte pour exhiber leurs prisonniers, et, chaque fois, c'était la même comédie : les habitants s'attroupaient pour huer les Barbares et les bombardaient de crottin et de légumes pourris. Après la terreur de la grande invasion, le spectacle des vaincus humiliés les réjouissait !

326

Vinka regarda ses gardiens avec mépris. Elle n'avait pas peur d'eux, et encore moins des rustres qui rôdaient autour d'elle comme des chiens.

Le centurion qui commandait la troupe semblait plus humain que ses hommes. C'était un gaillard d'une quarantaine d'années, aux yeux bleus et au visage dur, tanné par le soleil. À plusieurs reprises, elle l'avait vu repousser les paysans les plus hargneux.

— Où me conduis-tu ? lui demanda-t-elle.

En réponse, le bracelet de métal de l'officier l'atteignit sur la bouche. Elle sentit le goût du sang.

– À ta place, je ne serais pas si pressée de nourrir les fauves ! ricana un soldat.

Le visage de l'officier resta de marbre. Il accomplissait seulement son devoir. S'il écartait les furieux, c'est qu'il avait reçu l'ordre de la maintenir en vie. Sinon, il n'aurait pas hésité à la livrer à la foule.

«Ils savent qui je suis.» Cette pensée la réjouit. Elle était fière de susciter tant de peur et de haine.

Hans avait repris connaissance. Il tourna la tête vers elle et sourit ; lui non plus n'avait pas peur. Vinka, qui avait voulu offrir sa vie pour compenser celles qu'elle avait sacrifiées, regrettait qu'il l'ait suivie. La vie de Hans était précieuse. Midgard avait besoin de guerriers tels que lui.

Le chariot s'arrêta de nouveau dans un village. Des hommes et des femmes se mirent à hurler, accusant les Barbares d'avoir propagé la peste. Certains brandissaient des fourches, d'autres des torches. Un colosse bouscula les légionnaires et se hissa sur le rebord du chariot. Il brandit une pierre et la lança de toutes ses forces sur Vinka ; mais Hans se dressa sur la trajectoire du projectile, qui l'atteignit en plein front, et il s'affaissa contre sa reine.

327

Le centurion, furieux, tira son glaive et repoussa l'agresseur. Tandis que ses hommes dispersaient les enragés, il observa Vinka. Elle crut lire de la pitié dans son regard ; ce sentiment la révolta.

L'un des soldats monta dans le chariot ; se penchant sur Hans, il appliqua son oreille sur sa poitrine.

– Fini pour celui-là.

Il trancha les liens du prisonnier, le souleva et le fit basculer dans le fossé. Du haut du chariot qui l'emportait, Vinka vit disparaître le corps de son fidèle compagnon. Brusquement, la fureur l'aveugla. Levant le visage vers le ciel, de toutes ses forces, elle hurla le nom de Wotan. Presque aussitôt, le ciel s'assombrit. Il n'y eut pas d'éclairs, mais l'air devint brûlant, et les nuages étaient si épais qu'ils donnaient l'impression de vouloir écraser la terre.

– Sorcière ! grinça un légionnaire.

– Prépare-toi à mourir ! lui renvoya la jeune reine. La colère de Wotan ne t'épargnera pas !

Le soldat haussa les épaules, mais il vint vérifier les liens des prisonniers. Vinka éclata de rire. Il émanait d'elle une force nouvelle. Les prisonniers le sentaient ; leurs yeux brillaient et ils riaient, comme si leur délivrance était proche.

Le centurion donna l'ordre d'accélérer l'allure. Sans résultat : les bœufs étaient lents, il aurait fallu des chevaux. Maintenant, Vinka reconnaissait la voie romaine et les berges de la Moselle, où elle avait jadis embarqué avec ses hommes. Il restait trente kilomètres avant Trèves.

Comme elle examinait l'horizon, elle aperçut des cavaliers commandés par un légat. Le centurion salua avec respect le dignitaire décoré des insignes impériaux. De son côté, Vinka ouvrit des yeux étonnés : le légat n'était autre que Licinius.

— Je viens chercher les prisonniers, dit celui-ci.

Le centurion fronça les sourcils :

— Je n'ai pas reçu d'ordre.

— C'en est un, répondit Licinius d'un ton froid.

Il lui tendit un rouleau muni du sceau de Maximien, puis il ordonna :

— Pressons !

Ses hommes montèrent à bord du chariot et détachèrent Vinka, ainsi que quatre autres prisonniers, des Francs que Licinius avait côtoyés durant sa captivité à Skyl. Après les avoir fait descendre, ils les attachèrent sur des chevaux qu'ils avaient amenés tout exprès.

— Que veux-tu faire de mes prisonniers ? s'étonna le centurion.

– Tes prisonniers ? ironisa Licinius. Valens est impatient de les interroger. Ta lenteur l'exaspère.

Le centurion contempla son chariot d'un air sombre. Il savait que la jeune Franque qu'il avait capturée était Vinka, et Licinius allait s'approprier les lauriers qui lui étaient dus. Comme s'il lisait dans ses pensées, le légat lui sourit.

– Marcus Varus, c'est bien ton nom ? L'empereur a reçu ton message et il t'attend. Personne ne te volera tes lauriers, tu as ma promesse.

Le centurion, visiblement satisfait, frappa sa cuirasse de son poing fermé.

– En route ! ordonna Licinius.

Les cavaliers, encadrant leurs quatre prisonniers, repartirent au galop. Au bout de quelques kilomètres, ils quittèrent la voie pavée pour un chemin de terre. De part et d'autre s'étendaient des vignes et des champs ; puis une forêt apparut. Licinius sauta à terre ; tirant un poignard, il coupa les liens qui entravaient Vinka et les hommes de Skyl.

– Vous êtes libres, leur annonça-t-il.

– Que fais-tu ? s'étonna l'un de ses hommes.

– Je paie mes dettes.

– Tu n'étais pas censé nous conduire à Valens ?
s'inquiéta Vinka.

– Ce n'est pas à lui que j'obéis, répliqua le légat,
mais à Dioclétien.

Les Francs libérés avaient déjà gagné la forêt ;
ils guettaient Vinka avec une nervosité qui se
communiquait à leurs chevaux.

– Mais cette fille est dangereuse ! objecta l'un
des Romains.

Licinius hocha la tête :

– Très.

– Ce sont les ordres de l'empereur ? Tu es sûr ?

Licinius s'avança vers lui.

– Douterais-tu de moi ?

Sous le regard de son supérieur, l'homme
baissa la tête.

– Tu commets peut-être une erreur, murmura
Vinka.

– Alors, demande à Wotan de me protéger, dit
Licinius en cinglant la croupe de son cheval.

Vinka bondit en avant et rejoignit ses compagnons. Au loin, Licinius leva la main en signe
d'adieu.

Chapitre 5

La vengeance de Valens

Vinka et ses compagnons parcoururent les forêts qui bordaient la Moselle. Après avoir volé des uniformes romains, ils franchirent le Rhin au pont de Coblence, jadis construit par César. Sur l'autre rive, en territoire franc, ils échangèrent leurs chevaux. Cependant Vinka ne parvint pas à s'enfoncer plus avant dans le pays sauvage qui était sa vraie patrie. Licinius lui avait sauvé la vie, une fois encore ; elle revoyait son visage, son sourire ; elle ne pensait qu'à lui. La passion la dévorait et la désespérait, au point de lui faire oublier sa vengeance.

Elle renvoya ses compagnons vers Midgard et erra, seule, le long du fleuve. Mais ils revinrent quelques heures plus tard, en compagnie de Kurk et de son armée.

Kurk ne s'était pas éloigné, lui non plus. Voyant sa reine tomber aux mains de ses ennemis, il avait supplié en vain le pirate de le ramener à terre ; Chark l'avait débarqué avec ses hommes sur l'autre rive avant de s'éloigner. Il avait d'abord rôdé sur la berge comme un tigre en cage, puis, comme il s'apprêtait à se rendre à Trèves, il avait croisé les quatre Francs qui allaient à Midgard.

À sa vue, le visage farouche du jeune guerrier s'illumina :

333

— Je savais bien que tu t'en sortirais ! lança-t-il à Vinka en la rejoignant.

Vinka renifla, méprisante :

— Menteur ! Tu te voyais déjà devenir roi.

— Moi ? s'esclaffa Kurk.

— Tu le seras un jour, lorsque j'aurai disparu.

Il comprit qu'elle ne plaisantait pas.

— Qu'est-ce qui te prend ? demanda-t-il.

Elle haussa les épaules d'un air las :

— J'ai perdu l'épée de Wotan et l'envie de me battre.

Kurk éclata de rire :

– Ça, je ne le croirai jamais !

Le regard de Vinka se perdit au loin sur le fleuve. Au milieu du courant, une voile luttait contre le vent du nord. À bord, on distinguait une dizaine de rameurs et une poignée de soldats romains.

– Maximien envoie des renforts, plaisanta Kurk.

Les Francs se mirent à rire. Sur le fleuve, le pilote tentait de maintenir le cap, mais le vent le faisait dériver, malgré l'effort des rameurs.

334

– Il vient vers nous, ma parole ! fit Siegfried, incrédule.

L'embarcation finit par toucher terre ; un homme sauta sur le rivage et, aussitôt, les Romains s'éloignèrent.

– Je te reconnais, dit Vinka à l'homme qui avait été débarqué. Tu étais attaché dans le chariot avec nous.

Le Barbare lui adressa un sourire édenté :

– Je m'appelle Snorr, du clan d'Hönir.

– Ils t'ont libéré, toi aussi ?

– Pas exactement, dit le Franc. On m'a chargé d'un message pour toi.

– De Valens ?

— C'est ainsi qu'on le nomme. Un seigneur.

— Un chacal !

— Il m'a dit de te dire que si tu ne te rends pas, le légat Licinius sera jugé pour trahison et jeté aux lions.

Vinka pâlit.

— Licinius ? s'étonna Siegfried.

— C'est lui qui nous a délivrés, lui expliqua Vinka.

— Ce Valens est fou ! ricana Kurk. Il croit vraiment que tu vas te livrer pour sauver un Romain ?

— Il sait ce qu'il fait, murmura Vinka.

Kurk plissa le front :

335

— Tu ne vas tout de même pas te rendre... Ton peuple a besoin de toi. Pense à ceux qui ont disparu, à ceux qui restent ; tu ne peux pas les abandonner !

— Licinius nous a sauvé la vie. J'ai une dette envers lui.

— Toi, tu as une dette envers nous ! s'emporta Kurk en montrant les guerriers qui se pressaient autour d'eux.

Vinka lui prit le bras.

— C'est toi qui les guideras, désormais.

Thierry se fraya un passage jusqu'à sa sœur et lui adressa des signes désespérés.

— Regarde le muet! rugit Kurk. Il te montre ce qui t'attend. Si tu abandonnes ton peuple, n'espère pas monter au Walhalla. Valens t'expédiera au fond du Hel, l'enfer obscur et glacé.

Vinka leva les bras d'un geste apaisant.

— Faites-moi confiance, dit-elle. Je serai bientôt de retour.

Elle savait qu'elle mentait, mais sa promesse apaisa les guerriers. Elle avait toujours survécu aux pires dangers. N'était-elle pas fille de Wotan?

Sachant que leur résignation serait éphémère, elle se précipita vers la berge et adressa des signes au bateau, qui s'approcha de la rive. Au dernier moment, cependant, l'équipage eut l'air d'hésiter en voyant la cavalerie barbare s'étirer sur les hauteurs dominant le fleuve. Vinka entra dans l'eau et nagea jusqu'au bateau; un homme l'aida à monter à bord, et ils prirent le large.

L'un des soldats voulut lier les mains de la prisonnière, mais Vinka le repoussa si violemment qu'il trébucha sur un banc de rame et faillit tomber dans le fleuve. Ses compagnons s'avancèrent, menaçants; leur chef aboya un ordre, et Vinka reconnut Marcus Varus, le centurion du chariot.

— Encore toi? railla-t-elle.

– On ne se débarrasse pas de moi si facilement.

Le ton de l'officier était rude, mais son regard trahissait un soupçon d'admiration. La jeune guerrière abandonnait son armée et se livrait pour sauver un officier romain ! Ce n'était certainement pas ainsi qu'il imaginait les Barbares.

Sur la rive gauloise, Varus donna un cheval à Vinka. Elle ne pensa même pas à s'échapper : Licinius avait besoin d'elle. Jusqu'à Trèves, elle galopa en liberté, comme si les autres cavaliers n'étaient là que pour assurer sa protection.

Les rues de la cité étaient animées. En les parcourant, Vinka fut assaillie par un flot de souvenirs. Elle revit le port, les thermes, le lieu de sa rencontre avec Boromir, la maison de Torwald, et la Prison Noire où, avec l'aide d'une poignée d'adolescents, elle avait délivré les fidèles de Richemer. La petite troupe passa devant le sinistre édifice sans s'arrêter, puis se dirigea vers une imposante construction qui ressemblait davantage à une forteresse qu'à un palais impérial. C'était là que résidait Maximien lorsqu'il ne faisait pas la guerre, ce qui était rare.

Marcus Varus et ses légionnaires mirent pied à terre ; Vinka en fit autant. Après avoir remis leur prisonnière à la garde palatine, les soldats se retirèrent, et leur chef escorta Vinka à l'intérieur du palais. La présence du centurion ne déplaisait pas à la jeune reine. Elle se demandait si Valens n'allait pas la faire exécuter en secret pour éviter que d'autres que lui pussent entendre ses révélations. Elle ne craignait pas de mourir, seulement de disparaître avant d'avoir pu affronter son ennemi.

Elle suivit ses gardiens de salle en salle, indifférente au luxe qui l'entourait : les colonnades, les tentures, les bassins odorants, les torchères de bronze dont les flammes projetaient sur le marbre les ombres des curieux qui s'écartaient sur son passage. Parmi eux, se trouvaient plus de manteaux rouges que de toges blanches, car Trèves était une cité militaire et Maximien un soldat. Les officiers, intrigués, se demandaient si cette fille jeune et jolie était bien le monstre sanguinaire qu'on leur avait décrit.

Vinka redressa fièrement la tête. Son père, Richemer, avait foulé ce sol avant elle et servi plusieurs empereurs. Où était Maximien qui l'avait condamné ?

L'escorte gravit plusieurs marches avant de s'arrêter au seuil d'une salle éclairée par les lueurs rouges du crépuscule. Vinka se laissa attacher; ses chaînes, légères, ne l'empêcheraient pas, si l'occasion se présentait, de saisir une épée et de punir le traître. Fermant les yeux, elle supplia Wotan de lui insuffler sa force divine.

Un garde la poussa en avant. Plusieurs personnes, qui discutaient entre elles, se turent à son approche; l'une d'elles sortit du groupe. D'abord, elle eut du mal à reconnaître Valens; sans son casque et sa cuirasse, le préfet paraissait plus vieux que dans son souvenir. Il examina sa prisonnière avec une joie mauvaise, puis ordonna :

– À genoux !

339

L'un des gardes saisit l'épaule de Vinka pour la plier devant le maître des Gaules; elle se dégagea avec souplesse.

– C'est à toi de t'agenouiller, Romain, répliqua-t-elle. Tu l'as fait si souvent devant mon père !

La colère déforma les traits de Valens, mais il se contint.

– J'ai comblé Richemer de bienfaits, dit-il avec une fausse douceur. En remerciement, il a comploté contre Rome. Quant à toi, je t'ai nourrie, vêtue, éduquée, et tu as utilisé ce que je t'ai enseigné pour te révolter, soulever les Francs, piller nos biens et massacrer nos soldats.

Ce discours s'adressait surtout à ses amis : quelques officiers, mais surtout des civils, vautrés sur leurs sièges, et qu'une statue monumentale de l'empereur Aurélien semblait considérer avec ironie.

— Richemer a combattu à tes côtés, dit Vinka. Et il t'a sauvé la vie à deux occasions, si ma mémoire est bonne.

— Il ne l'a fait que par intérêt, répliqua Valens avec dédain.

Il tourna la tête et tendit la main. Son fils, Caius, sortit de l'ombre et prit place à sa droite. « Que fait-il là ? » s'étonna Vinka. La présence du gros garçon avait quelque chose d'insolite et d'inquiétant ; il ressemblait à son père, en plus mou et en plus veule, et la jeune Barbare éprouva aussitôt une vive répulsion.

— La trahison, voilà ce qui mine l'empire ! tonna Valens. Elle fragilise nos frontières et arme nos ennemis. Elle est partout, jusque dans l'entourage de l'empereur.

— C'est un aveu ? demanda Vinka.

Valens ne releva pas l'ironie.

— Nous avons démasqué Licinius. À présent, il nous faut les noms de ceux qui ont soutenu ta rébellion.

— Licinius parle au nom de Dioclétien, dit Vinka.

Valens se tourna vers son fils :

— Dis-nous ce que tu sais, Caius, invita Valens en se tournant vers l'assemblée.

L'adolescent expliqua comment Licinius avait racheté Vinka et son frère au marchand d'esclaves, puis avait financé leur voyage jusqu'en Germanie.

— On voulait faire de moi une esclave ! s'insurgea Vinka. J'étais fille de roi !

— Fille de traître ! cracha Valens. Et Licinius était ton complice. Sans lui, il n'y aurait eu ni révolte ni massacre. Parmi tous les généraux romains que tu as fait exécuter, seul Licinius a été épargné. Il a vécu parmi vous en liberté, et combattu à vos côtés contre sa patrie.

— C'est faux ! Jamais Licinius n'a tourné ses armes contre Rome. Il était bel et bien mon prisonnier.

— Voyez comme elle le défend ! ricana Caius.

Valens esquissa un sourire.

— Toi aussi, tu étais prisonnière, non ? Dis-nous, Marcus Varus, comment la captive a-t-elle réussi à s'échapper ?

341

Le centurion s'avança et raconta de quelle manière Licinius avait exigé que lui soient remis les prisonniers.

— Avec un faux document! ajouta Valens.

— Le document était authentique, rectifia le centurion, mais il ne concernait pas la fille de Richemer. Et je précise que celle-ci s'est finalement rendue sans résistance.

— Oui, pour sauver le traître! Preuve supplémentaire de leur connivence, dit Valens. Je suggère pour le légat un châtiment exemplaire.

— Envoyons-le à Rome, suggéra l'un des officiers.

— Pourquoi si loin? s'étonna Valens. La preuve est faite; la sentence s'impose: livrons-le aux bêtes!

Un silence consterné suivit ces paroles.

— Licinius est légat impérial, protesta l'officier. Son père était sénateur de Rome. Nous n'avons pas le droit de fixer son sort sans l'avis de l'empereur.

— Ici, l'empereur se nomme Maximien, dit Valens. Son accord me suffit.

— Traître! cria Vinka. Tu avais promis de le libérer si je me livrais!

D'un geste vif, elle arracha le glaive du gardien le plus proche et se rua sur Valens. Sa réaction, foudroyante, prit les assistants au dépourvu. Mais, gênée par ses entraves, elle trébucha, et, tandis qu'elle se redressait, les soldats la désarmèrent et parvinrent à la maîtriser.

– Sois heureuse ! lança Valens avec une joie féroce ; vous combattrez ensemble dans l'arène. Les gladiateurs se font rares et nos Gaulois réclament des jeux pour oublier la peste et la guerre. Ils vont enfin connaître la fille de Wotan dont on parle tellement. J'espère que tu sauras te montrer à la hauteur de ta réputation, déesse !

Des rires serviles saluèrent sa plaisanterie, alors que les palatins entraînaient la prisonnière hors du palais.

Chapitre 6

La proie des fauves

Dans les sous-sols de l'amphithéâtre, des torches, fixées aux murs par des griffes de fer, éclairaient une succession de caves suintantes d'humidité. Le fracas du métal, le grincement des treuils et des poulies résonnaient sous les voûtes.

Les geôliers, vêtus de cuir et armés de fouets, forcèrent les prisonniers à s'aligner. Parmi ceux-ci la plupart étaient des Francs. Un seul était romain : Licinius. Vinka s'approcha de lui.

– Je regrette, dit-elle.

Il secoua la tête avec lassitude :

– Tu n'aurais pas dû te livrer.

– Il le fallait.

Il tenta de l'attirer dans ses bras, mais elle s'esquiva pour rejoindre les autres. Presque tous appartenaient à son clan. Ils avaient été bien traités afin d'offrir au public un magnifique spectacle : de féroces Barbares opposés à des lions, fauves contre fauves ! Pour l'instant, tous étaient désarmés, mais on leur fournirait les moyens de combattre avant de pénétrer dans l'arène. Attentifs, ils écoutaient le rugissement des bêtes parquées dans une fosse voisine, et le grondement de la foule déchaînée qui s'impatientait au-dessus de leurs têtes.

– Wotan combattra à nos côtés ! les rassura Vinka.

Ils approuvèrent en silence. La présence de leur reine leur avait redonné du courage, et maintenant, ils étaient impatients de prouver leur valeur.

Vinka revint vers Licinius. Lui non plus ne tremblait pas, mais son regard était triste.

– Tu voulais savoir si je t'aimais, murmura-t-elle. Eh bien oui, je t'aime, Romain. Depuis le premier jour, lorsque tu m'apprenais à combattre, à Rome, tu te souviens ? Ta maison était pour moi un paradis. À l'époque, j'étais encore presque une enfant, mais chaque nuit je rêvais de toi, je suppliais les dieux de ne jamais nous séparer. Tous les dieux : les tiens et les miens.

Licinius se mit à rire :

— Tu seras bientôt exaucée, petite Barbare ! Les dieux vont bientôt nous réunir à tout jamais.

Il la prit dans ses bras et l'embrassa longuement. Cette fois-ci, au lieu de se débattre, elle s'abandonna, les yeux fermés. Elle avait lutté si longtemps contre sa passion ! Maintenant, il n'y avait plus ni Romain, ni Barbare, seulement deux guerriers qui se préparaient à affronter la mort ensemble. « Deux guerriers bien tendres », songea-t-elle.

Elle se tourna vers ses Francs :

— Montrons aux chiens de Rome comment se battent les guerriers de Wotan !

Des cris d'approbation s'élevèrent du groupe de gladiateurs. Les geôliers, craignant une révolte, voulurent écarter Vinka. L'un d'eux empoigna sa tresse ; elle pivota, lui envoya son pied dans le ventre et son poing sur la mâchoire. Un autre leva son fouet, mais une main autoritaire retint son poignet.

– Tu connais les ordres : pas de violence avant le combat.

– Une séance de fouet, c'est stimulant, ricana le geôlier.

– C'est pour toi que tu parles ? demanda l'homme.

C'était un officier, et sous l'uniforme de la garde impériale, Vinka reconnut Marcus Varus.

– Tu as eu de l'avancement, centurion, railla-t-elle.

Varus ne se départit pas de sa sévérité.

– Préserve tes forces, Barbare. Tu en auras besoin.

347

– Combien de lions ? demanda-t-elle.

Varus jeta un regard en arrière, puis murmura :

– Dix.

Vinka fit rapidement le compte de ses hommes ; ils étaient quinze et n'avaient aucune chance. Elle supplia Wotan de lui donner la force.

– L'empereur sera là. Il compte sur un grand spectacle, dit Varus, visiblement gêné par la situation.

« Maximien, pensa Licinius. Dommage que ce ne soit pas Dioclétien. Le temps que la nouvelle de ma mort parvienne à lui, en Orient, les lions m'auront digéré ! »

– Je veux mon uniforme ! exigea-t-il.

Marcus Varus hésita, puis il donna des ordres. Ses hommes apportèrent un casque et les divers éléments d'une vieille cuirasse toute cabossée. Avec ça, Licinius n'aurait pas l'air d'un légat, mais il serait protégé, et il était résolu à combattre le plus longtemps possible.

Tandis qu'il s'équipait, ils entendirent le bruit des trappes qu'on ouvrait. Les rugissements des lions, qui pénétraient dans l'arène, s'amplifièrent, et une clameur formidable s'éleva dans l'amphithéâtre.

348 – C'est l'heure, annonça Marcus Varus.

Les combattants s'avancèrent entre deux rangées. Sur une table de fer, des armes étaient alignées : glaives, javelots, haches, poignards, boucliers ; chacun choisit librement ce qui lui convenait. L'un des Francs examina une épée et secoua la tête d'un air dégoûté.

– Romaine ! grommela-t-il.

Malgré leur situation dramatique, ses compagnons se mirent à rire. Le fer romain se déformait trop facilement, rien ne valait l'acier barbare.

Vinka, à son tour, saisit une épée à double tranchant ; mais Marcus Varus la lui arracha des mains.

– Prends celle-ci, plutôt.

Elle examina l'arme qu'il lui tendait : l'épée de Wotan ! Comment était-elle arrivée en sa possession ? Elle l'avait perdue au bord du fleuve, au cours de son dernier combat. Elle dévisagea l'officier ; savait-il ce que cette arme signifiait ?

– Chacun de ses coups est mortel, murmura Varus.

On aurait dit qu'il accomplissait sa mission à regret et souhaitait la victoire de Vinka ; il ajouta :

– Prends garde à toi !

Elle rejoignit ses compagnons en haut de la galerie inclinée menant à l'arène. Licinius, à sa droite, lui pressa la main. Elle n'entendait plus les rugissements ; une étrange frénésie l'habitait, une impatience, l'ivresse du danger. Son épée vibrait dans sa main ; la violence de Wotan l'habitait tout entière.

349

Devant une porte de fer, six soldats veillaient. Les trompettes retentirent.

– Toi d'abord ! ordonna l'un des soldats en projetant Vinka en avant.

Lorsque les Francs voulurent suivre leur reine, les Romains croisèrent leurs lances. La porte de fer s'ouvrit ; une lumière brutale aveugla Vinka, qui fit quelques pas sur le sol sableux.

Dans l'arène, les lions rôdaient, tenus en respect par des colosses armés de fourches et de torches. Sur les gradins, la masse informe des spectateurs trépignait et hurlait, faisant trembler les murs.

Soudain, les trompettes sonnèrent et la foule s'apaisa. Vinka affermit son épée dans sa main droite. L'hiver précédent, elle avait combattu un ours et une horde de loups affamés. Mais c'était dans les forêts de Midgard ; ici, le terrain n'offrait pas le moindre abri. Et les lions étaient monstrueux !

350

Une trompette sonna de nouveau, puis la voix d'un héraut s'éleva :

– Par ordre du très auguste empereur Marcus Aurelius Valerius Maximianus, les jeux de Trèves sont ouverts pour six journées de combats et d'exploits !

Une formidable acclamation salua cette annonce. Vinka leva les yeux vers la loge impériale et distingua des hommes et des femmes somptueusement vêtus. Un personnage imposant trônait sur un siège recouvert de fourrures ; l'empereur, peut-être.

Lorsque le silence revint, le héraut poursuivit :

– Pour commencer, les Barbares des forêts germaniques, commandés par leur reine, Vinka, rebelle à Rome, et le traître Licinius, condamné aux bêtes...

Soudain, la foule poussa des cris de stupeur et d'excitation. Trompant la vigilance des dompteurs, un lion se précipitait sur Vinka.

La jeune guerrière le laissa approcher sans un geste. À quelques mètres d'elle, le fauve s'arrêta. Il huma l'air, gratta le sol... Puis, brusquement, il bondit. Vinka plongea, roula sur le sol et frappa la gorge de la bête, dont les griffes lui effleurèrent l'épaule. Comme le fauve revenait à la charge, elle trébucha ; deux dompteurs se précipitèrent, mais le lion tomba sur le flanc en rugissant. Ses pattes griffèrent le sable, il s'affaissa. Il était mort.

351

Vinka regarda la bête avec stupéfaction : la blessure qu'elle venait d'infliger au fauve n'était pas mortelle ! Puis elle examina son arme ensanglantée et une idée folle lui traversa l'esprit : sa lame était empoisonnée !

Les vingt mille spectateurs, qui n'avaient jamais assisté à un tel exploit, lâchèrent un formidable hurlement. Le combat avait commencé avant le signal impérial; cette erreur sacrilège aurait pu coûter la vie à ceux qui l'avaient commise. Mais le public, comblé, regardait avec fascination la jeune Barbare. Ils avaient entendu raconter qu'elle était fille de Wotan et possédait des pouvoirs magiques. Une terreur superstitieuse les faisait frissonner; ils se mirent à scander son nom et à frapper en cadence les gradins de bois.

Dans la loge impériale, les dignitaires blasés observaient maintenant le spectacle avec attention. Valens adressa au héraut un geste furieux: il n'était pas venu assister à un triomphe, mais à un carnage!

Vinka, l'esprit en feu, regardait toujours son épée. La substance qui enduisait sa lame devait être foudroyante. Qui donc pouvait lui être venu en aide? Marcus Varus n'avait pu agir seul... Dioclétien? Wotan lui-même? Elle se mit à rire.

Sa méditation fut interrompue par l'irruption enthousiaste de ses compagnons. Elle écarta sa lame et ordonna:

– Formez un cercle!

– Et toi? demanda Licinius.

– Je resterai au centre.

Il approuva, croyant la protéger. Il ignorait

qu'elle choisissait sa place pour combattre partout à la fois. «Blesser les bêtes et laisser agir le poison», calculait-elle.

Ils avaient à peine formé leur cercle que le son des trompettes résonna. On ferma la porte de fer, et les bestiaires poussèrent les fauves vers les Barbares. Excités par les torches, les lions s'avancèrent vers la petite troupe hérissée de glaives et de lances. Un Franc lança son javelot, qui se planta dans la gorge d'un lion. La bête rugit et secoua furieusement la tête; puis elle attaqua et le cercle se rompit. L'un des Barbares tomba sous les griffes de la bête blessée; Vinka bondit et frappa à deux reprises. Le fauve rugit sous les coups, mais continua à s'acharner sur sa victime; Vinka dut frapper de nouveau. Cette fois, le lion s'effondra.

353

– Reformez le cercle! cria Vinka.

Cependant, les lions étaient trop nombreux. Elle vit Licinius terrassé par un monstre à la crinière noire. Elle enfonça son épée dans le cou de la bête; d'un coup de patte, celui-ci l'envoya rouler sur le sol. Licinius, protégé par sa cuirasse, frappait sans relâche, mais le lion semblait invulnérable. Vinka se releva. Son bras gauche, entaillé par les griffes, était paralysé, ce qui n'empêcha pas la guerrière de se ruer sur l'animal. Comme ce dernier levait la gueule au ciel, elle plongea son épée dans sa gorge. Il s'abattit, foudroyé. Licinius se trouva enfoui sous la masse énorme agitée de spasmes.

Cinq lions gisaient sur le sable, tandis que la moitié des Francs étaient morts ou blessés. Son propre corps était couvert de sang. Pourtant, elle ne faiblissait pas. La souffrance lui injectait une rage démente. Elle tailla le mufle d'un lion imprudent, dont les griffes acérées la manquèrent de peu. Du sang s'était figé sur la lame de son épée et le poison semblait avoir perdu de son efficacité.

Brusquement, un choc terrible atteignit Vinka dans le dos et la renversa. Elle lâcha son épée, sentit sur sa nuque un souffle chaud à l'odeur répugnante. «C'est la fin», songea-t-elle en attendant la morsure fatale. Cependant, la gueule avide s'éloigna, le poids qui l'écrasait disparut. Roulant sur elle-même, Vinka comprit que Licinius et trois autres guerriers s'étaient jetés sur le lion pour lui planter des pilums dans les flancs. Elle ramassa son épée et frappa le cou du monstre.

354

Les autres lions tournaient maintenant à bonne distance des combattants, qui n'étaient plus que sept. Deux d'entre eux éventraient les fauves morts et lançaient leurs entrailles aux lions affamés.

Appuyée sur Licinius, la jeune guerrière reprenait son souffle. Elle ne sentait plus la douleur, seulement une profonde lassitude. Les spectateurs, debout, vociféraient en tendant leurs mains vers la loge impériale. Une trompette retentit.

«D'autres fauves vont venir», songea Vinka en serrant son épée. Elle sentait qu'elle n'aurait pas la force de continuer le combat. Elle voulut tourner ses pensées vers son père, mais le souvenir d'Ulricha envahit son esprit. La frêle jeune fille était morte à sa place; à présent, le temps était venu pour elle de la rejoindre.

Chapitre 7

Le jeu de l'empereur

Un homme s'avança au bord de la loge impériale. Il avait un corps massif, un visage basané et des habits de soldat. Seule la couronne de feuilles d'or ornant son crâne rasé le distinguait des gardes qui l'entouraient.

– Maximien, murmura Licinius.

« Ce vétéran aux allures de paysan ? » s'étonna Vinka.

L'homme tendit le bras et leva le pouce vers le ciel.

– Nous avons gagné ! s'exclama Licinius.

Vinka connaissait le cérémonial des jeux, mais

elle n'arrivait pas à réaliser qu'ils allaient survivre.

— Et Valens? demanda-t-elle. Est-ce que tu le vois?

— On dirait qu'il a disparu.

— Alors, l'empereur...

Licinius partit d'un rire amer.

— Maximien n'est pas homme à pardonner.

Alors que la foule acclamait les héros, les bestiaires chassèrent les lions survivants vers les fosses, et les Francs levèrent leurs armes en signe de victoire. Puis, une colonne de soldats, commandée par Marcus Varus, conduisit les vainqueurs vers la porte de fer.

— Beau combat, dit le centurion, sans un regard pour les combattants.

— Nous sommes libres? demanda Vinka.

— L'empereur décidera, répondit Varus. J'ai ordre de vous conduire au palais. Mais d'abord vous avez besoin de vous nettoyer.

— Et mes compagnons? dit Vinka en se retournant vers les guerriers étendus sur le sable.

Marcus Varus la regarda pour la première fois :

— Ils sont au Walhalla, avec les héros.

Un sourire fugitif éclaira son visage rude ; il murmura :

— J'ai combattu jadis avec Richemer.

Elle le dévisagea mais n'eut pas le temps de l'interroger davantage, car il disparut à l'entrée des souterrains.

Un médecin vint panser les blessés, puis on conduisit les vainqueurs dans une maison proche de l'enceinte de la ville et de l'amphithéâtre. Là, des esclaves s'empressèrent autour d'eux. Après avoir pris un bain, Vinka revêtit avec répugnance une longue tunique de lin blanc.

— Tu es très belle, lui assura Licinius.

Elle crut qu'il se moquait d'elle, car sa tunique, son manteau et ses chaussures gênaient ses mouvements et lui donnaient l'apparence d'une Romaine. Mais ses vêtements barbares étaient en lambeaux, et son manteau avait le mérite de masquer ses plaies.

— Viens, l'invita Licinius en écartant les bras.

Elle lutta contre la tentation de s'abandonner. Elle l'avait fait avant le combat parce qu'elle était certaine qu'elle allait mourir ; et elle sentait encore la merveilleuse douceur qui l'avait envahie alors.

— C'est mon uniforme de légat qui t'intimide ?

Elle secoua ses boucles mouillées :

— Je te préférerais habillé de fourrures.

— Tu ne te laisseras donc jamais aller, murmura-t-il, mi-railleur, mi-attendri.

Elle le regarda d'un air de défi :

— J'en suis fière.

— Je sais.

Des gardes les interrompirent pour les conduire au palais impérial. En chemin, Vinka chercha en vain Marcus Varus. Peut-être lui aurait-il expliqué le mystère de l'épée empoisonnée, et dévoilé l'identité de celui qui veillait sur elle...

En pénétrant dans le lourd bâtiment de pierre grise et de marbre blanc, elle regretta, une fois de plus, d'être vêtue en patricienne. Cette tenue, qu'elle trouvait ridicule, convenait mal à son triomphe. Mais, avec le retour de Maximien, le palais s'était rempli de soldats qui ne leur prêtaient pas attention.

359

Après avoir franchi une cour et deux antichambres, ils gagnèrent une salle aux murs ornés d'une collection d'armes venues de toutes les provinces de l'empire. À leur entrée, Maximien se laissa tomber sur un siège de bois et frotta la brosse dure de son crâne. Il leva les yeux sur Licinius.

— Que penses-tu de Valens ? demanda-t-il sans préambule.

La voix était grave, le ton abrupt. Licinius sourit :

– C'est un homme sans scrupules, capable de jeter dans l'arène le légat de l'empereur.

– Ce légat avait trahi, non ? grogna Maximien.

Le sourire de Licinius s'élargit :

– Est-ce ton opinion ou la sienne ? Dioclétien m'a confié une mission : rallier à l'empire les peuples germaniques. C'est ce que j'ai fait.

– En libérant une rebelle ?

– En lui proposant une alliance.

Maximien se tourna vers Vinka et conclut avec ironie :

– Tu es donc notre alliée ?

– Si tu me rends justice.

– Justice ?

– Je suis la fille de Richemer, dit Vinka d'un ton de défi. Valens a comploté jadis contre Probus, l'empereur légitime, tandis que mon père lui restait fidèle. Quand il a été démasqué, Valens a fait accuser Richemer à sa place.

– Je connais cette fable, dit Maximien avec mépris.

– Tu ne connais pas la fin, riposta Vinka. Maintenant, il pactise avec Carausius. Il te sera fidèle tant que tu auras le pouvoir, mais si Carausius est vainqueur, il n'hésitera pas à te trahir, comme il a sacrifié Probus, jadis.

Elle se tut et Maximien ferma les yeux. Le silence s'installa dans la salle. Les prétoriens immobiles ressemblaient à des statues.

— Qu'on aille chercher Valens, ordonna l'empereur.

Quelques instants plus tard, le préfet entra dans la pièce. En découvrant Vinka et Licinius, il n'eut pas l'air surpris, ni contrarié ; au contraire, il afficha un air serein.

— J'ai décidé de libérer ces deux jeunes héros, lui annonça Maximien.

— Ta miséricorde t'honore, railla le préfet.

Une inquiétude fugitive voila toutefois son visage. Maximien était réputé pour sa cruauté ; ses soldats prétendaient qu'il prenait du plaisir à massacrer les populations. Alors pourquoi, se demandait le préfet, cette indulgence soudaine à l'égard de ses ennemis ?

— Je vais échanger la fille de Richemer contre Lucius et Sylla, mes meilleurs tribuns. Ils sont tombés aux mains des siens.

« Brave Kurk ! » songea Vinka en dissimulant un sourire.

— Licinius, lui, rejoindra Dioclétien, continua Maximien. Ce sera à lui de décider s'il a trahi, et quel sort il mérite.

— Mais nous le savons tous ! s'emporta Valens.

Mais, sous le regard sévère de Maximien, il changea soudain d'attitude.

— Tu as raison, puissant auguste, admit-il. Donnons une chance aux rebelles.

Il dévisagea Vinka avec une ironie cruelle. Le traître se sentait fort ; il croyait que l'empereur avait cru ses mensonges. Vinka regretta son épée empoisonnée, dont un seul coup pouvait abattre une bête sanguinaire.

Chapitre 8

Marcus Varus

Après leur entrevue avec Maximien, Vinka vécut quelque temps en compagnie de Licinius. Officiellement, le légat avait retrouvé son titre et ses pouvoirs, mais en réalité ils étaient surveillés, l'un et l'autre, nuit et jour. On les avait logés dans la maison d'un riche marchand romain, ami du père de Licinius ; ce marchand se nommait Aurelius, et sa femme Lavinia.

Malgré la présence des soldats qui montaient la garde dans son jardin, et contrariaient son commerce, Aurelius restait de bonne humeur. Vinka, elle, semblait triste.

– À quoi penses-tu ? lui demanda Licinius.

– Bientôt nous serons séparés.

– Pas pour longtemps.

Elle esquissa une moue sceptique :

– Tu abandonnerais Rome ?

– Tu abandonnerais ton peuple ?

Elle fit non de la tête.

– Nous pouvons combattre ensemble, tu ne crois pas ? Ton père l'a bien fait.

– Vois où ça l'a conduit.

– Il n'avait pas un allié comme moi.

– C'est vrai, admit Vinka. Mais quel intérêt aurait Rome à s'allier avec moi ? Je ne suis plus qu'une petite reine sans importance.

– Une reine capable de mobiliser vingt mille hommes ! enchaîna Licinius. Une reine fascinante, courageuse, ardente, et belle avec ça !

– Tu essaies de m'acheter, Romain !

Licinius haussa les épaules :

– On n'achète pas ce qu'on possède déjà.

Vinka eut une moue de mépris.

– Tu es vaniteux, comme tous les Romains !

Elle le frappa au torse, mais Licinius la renversa sur une banquette, qui craqua sous leur poids. Ils luttèrent pendant un moment, puis Licinius maîtrisa sa compagne.

– Tu as gagné, souffla-t-elle enfin.

Elle avait cessé de se débattre et l'observait à travers ses paupières mi-closes.

– Je n'ai pas confiance, grogna Licinius sans relâcher son étreinte.

Elle noua tendrement ses bras autour de son cou et l'embrassa en murmurant:

– Je t'aime, mon amour.

Comme Licinius relâchait sa pression, Vinka releva souplement ses genoux, et, se détendant, projeta son compagnon sur le plancher.

– Tu es vaincu, Romain! triompha-t-elle.

Licinius sourit:

– Si tu te bats ainsi, aucun ennemi ne te résistera.

– Vaincu et magnanime! se moqua Vinka.

Licinius s'assit sur le lit et tendit la main vers ses tresses blondes.

– Seulement mélancolique, dit-il. Je dois m'en aller.

La déception se peignit sur le visage de la jeune Barbare:

– Déjà?

– Je devrais être parti depuis longtemps, fit remarquer Licinius. Nous sommes ici depuis huit jours.

«Huit jours! Les plus beaux de ma vie», songea Vinka. Elle regrettait de ne pas avoir été plus tendre, plus passionnée. Son existence violente ne l'avait guère accoutumée à se montrer féminine, encore moins amoureuse.

– Reste avec moi, dit-elle d'un ton neutre pour ne pas avoir l'air de le supplier.

– Il faut que j'aille à Rome, puis en Orient, tu le sais bien.

Elle haussa les épaules avec humeur :

– Rome a besoin de toi, c'est vrai... Pour nourrir ses lions.

366

– C'est justement pour que cela ne se reproduise plus que je m'y rends. Ici, je passe pour un traître ; là-bas, Dioclétien m'écoutera. Je lui parlerai de Valens et des méthodes de Maximien. Il a une autre conception de la guerre et de l'empire. Nous avons combattu ensemble ; il sait qui je suis et ce que je peux accomplir.

Vinka ne l'écoutait plus. Elle contemplait la chambre minuscule, la banquette dévastée, le coffre renversé, la lampe brisée. Ce gâchis ressemblait à leurs existences, que tout séparait malgré leur amour. Son cœur se serra à la pensée qu'elle ne reverrait peut-être jamais Licinius.

Elle l'accompagna dans le jardin aux allées bordées de statues, où leur hôte les rejoignit. Aurelius avait vécu à Rome, où il avait fait la connaissance d'Antonius Calvinus, le père de Licinius ; ce dernier avait favorisé son commerce, et Aurelius ne l'avait jamais oublié.

Le marchand accompagna Licinius dans la rue, où un char l'attendait. Vinka dut rester dans le jardin, car les soldats lui interdisaient de sortir.

À l'instant de disparaître, le légat se retourna.

– Je reviendrai, murmura-t-il.

Vinka secoua la tête :

– Pas moi.

Tout à coup, elle était redevenue la reine des Francs, et elle était soucieuse : Maximien lui avait proposé un traité de fédération. Mais, en le signant, elle aurait l'impression de trahir son peuple, et la seule idée de combattre d'autres tribus franques aux côtés des Romains la révoltait.

Elle revint lentement vers la maison, franchit une colonnade et se retrouva dans l'atrium, où se trouvait rassemblée toute la famille d'Aurelius. Une jeune fille brune, assez belle, déposait des pièces devant l'autel domestique, petit temple à fronton triangulaire où veillaient les divinités de la maison. Elle était vêtue d'une tunique blanche et d'un voile orange ; c'était la fiancée du fils de la maison.

Aurelius, à son retour, serra la future épouse de son fils dans ses bras. Les enfants et les invités étaient joyeux. Des esclaves couvraient le sol de pétales de rose. Vinka songea que les rites de mariage romains n'étaient pas très différents de ceux des Francs. Après la cérémonie, les jeunes Barbares faisaient eux aussi semblant d'enlever leurs épouses ; seul le lieu changeait : chez eux la nature remplaçait les palais.

Plongée dans sa rêverie, elle sursauta lorsqu'une main se posa sur son épaule.

368

– C'est le mariage qui te rend si mélancolique ? lui demanda Marcus Varus.

– Plutôt les soldats romains, répliqua Vinka, vexée d'avoir trahi son émotion.

– Plus pour longtemps, dit Varus. J'ai ordre de te reconduire dans ton pays.

– Kurk a donc répondu à la proposition de Maximien ?

Marcus haussa les épaules :

– J'ignore si c'est Kurk ou un autre, mais ils ont accepté l'échange des prisonniers et fixé le lieu : Hartz. Nous devons être là-bas demain après-midi. Les chevaux sont prêts.

– Un instant, dit Vinka.

Elle gagna sa chambre, détacha sa ceinture, saisit un couteau et tailla sa robe. Lorsqu'elle eut terminé, celle-ci lui arrivait à mi-cuisse. Elle délaça ses chaussures et enfila des bottes de fourrure, puis elle lia sa tresse et rejoignit Marcus Varus, qui ne put réprimer un sourire :

– Une vraie Barbare ! Il ne manque plus qu'un détail.

Il lui tendit une arme. Ce fut au tour de Vinka de sourire, de plaisir et d'amusement, en reconnaissant l'épée de Wotan.

369

– Je vois que tu veilles sur elle comme sur un trésor. Mais, dis-moi, quel est ce poison ? demanda-t-elle en examinant la lame.

– Quel poison ?

Son étonnement semblait sincère. Ou il jouait bien la comédie, ou il ignorait l'existence du poison. La première hypothèse lui parut la bonne, et Vinka choisit de ne pas insister.

Après avoir remercié Aurelius et Lavinia, ils prirent la route.

– Je te trouve bien méfiant, dit Vinka en découvrant l'importance de leur escorte. Tu as peur que je m'enfuie ?

— J'ai ordre de ramener les deux tribuns, et je connais les Francs : ils ont coutume de reprendre ce qu'ils viennent d'échanger !

Vinka se mit à rire de bon cœur. Ces méthodes de voleurs étaient bien dans les habitudes de ses hommes !

Ils sortirent de la ville, franchirent la Moselle sur le pont Sublicius, puis traversèrent le pont de bois de Reitgen, qui enjambait le Rhin. Comme chaque fois qu'elle retrouvait les rudes paysages de Germanie, Vinka se sentit revivre. Les champs, inondés par les dernières pluies, se transformaient en marécages où les chevaux s'enlisaient. Plus légère que les cavaliers romains, Vinka sortit du bourbier, passa un talus et s'échappa. Elle pénétra, libre, dans une forêt toute noire. Les sapins lui fouettaient le visage ; l'odeur des arbres lui procurait une étrange ivresse.

Pourtant, elle s'arrêta, car une force irrésistible l'attirait en arrière. Marcus Varus lui avait sauvé la vie et lui avait rendu son arme sacrée ; elle ne pouvait trahir sa confiance. Il lui fallait rejoindre ses gardiens.

Chapitre 9

Le piège

Après avoir quitté Trèves, Licinius et ses hommes gagnèrent le Rhin et remontèrent le fleuve dans un large bateau à fond plat. Les rives boisées donnaient à l'eau une couleur de bronze ; le paysage respirait la paix. De temps à autre, un oiseau de proie tournoyait dans le ciel avant de disparaître derrière un sommet.

La cadence lente et régulière des rameurs berçait le jeune légat. Les yeux clos, il s'abandonnait au souvenir mélancolique des jours passés. Cette nostalgie se teintait d'inquiétude, car Vinka, il le savait, allait continuer à vivre dangereusement. Jusqu'à présent, la chance avait favorisé la reine des Francs ; mais, malgré son intelligence et son courage, elle n'échapperait pas longtemps à ceux qui avaient résolu sa perte. Il n'avait jamais cru à la générosité de Maximien. Il était évident que l'empereur se servait d'elle. Était-ce contre Valens ?

Sa propre situation n'était pas meilleure. Maximien lui avait confié des lettres destinées à Dioclétien. Ces documents portaient le sceau impérial, mais il n'était pas difficile de deviner ce qu'ils contenaient : son arrêt de mort. Devant Vinka, Licinius avait exagéré son influence sur Dioclétien. S'il devait choisir entre Maximien et lui, l'empereur le condamnerait sans hésiter.

Pourquoi ne pas l'avoir laissé périr dans l'arène ? C'était si simple, il suffisait de laisser les lions finir l'ouvrage. Cette question le torturait depuis des jours. Maximien avait voulu contrarier Valens. Quel secret y avait-il entre eux ?

Comme il pensait au préfet, il entendit prononcer son nom.

— Valens est malin.

— Maximien n'aime pas les gens trop malins.

— Après tout, Valens ne fait que nettoyer le pays. L'empereur n'agit pas autrement.

Les voix provenaient du pont inférieur où s'entassaient les légionnaires et leurs chevaux. Licinius se tenait à la poupe, sur une plate-forme de bois surélevée ; étendu sur une peau de loup, il pouvait entendre les conversations sans être vu.

– Tu oublies une chose, Sertorius, reprit l'une des voix : c'est que l'empereur a gracié la Barbare. Dorénavant, personne ne peut lui ôter la vie sans sa permission.

– Sans sa permission ! ricana Sertorius.

– Quoi ? Tu crois que Maximien et Valens se sont mis d'accord ?

– Si je le crois !

373

L'un des soldats siffla entre ses dents :

– Tout ça pour une Barbare !

– Une sacrée guerrière, crois-moi. Elle a tué quatre lions à elle seule. Les spectateurs l'ont acclamée. L'empereur a été obligé de lui accorder sa grâce.

– Mais ensuite, de l'autre côté du fleuve...

– Après l'échange des prisonniers : Maximien tient à ses tribuns.

Les mercenaires éclatèrent de rire. Licinius se redressa tout à coup. Aussitôt, les rires cessèrent.

– Poursuivez, exigea le légat.

Les soldats se regardèrent, embarrassés ; ils savaient ce qui unissait l'officier à la rebelle. L'un d'entre eux ricana.

— Toi, lança Licinius, tu me sembles bien renseigné.

— Moi ?

— Ils ont prévu un guet-apens, n'est-ce pas ?

Le soldat jeta un coup d'œil à ses compagnons :

— Tout ce que je sais, c'est que le préfet a envoyé six cohortes.

— Là où doit avoir lieu l'échange des prisonniers ?

374

— À Hartz, oui, confirma le soldat.

— Quand sont-elles parties, ces cohortes ?

— Ce matin.

Licinius médita quelques instants, puis il ordonna au pilote :

— Accoste !

L'homme eut un moment d'hésitation.

— Qu'est-ce que tu attends ? s'impatienta Licinius.

Le pilote fit orienter le gouvernail et forcer l'allure.

— Nous n'allons plus à Rome ? grogna un légionnaire.

– Vous m'attendrez ici.

Le ton était impérieux ; les mécontents n'osè-
rent pas protester. Et, après tout, la querelle qui
opposait le préfet au légat ne les concernait pas.
Dans ces temps de discorde, il était dangereux de
prendre parti ; un jour, on était chef des armées,
le lendemain, condamné à mort.

Près de la berge, le fleuve était agité de tourbillons. En accostant, le bateau heurta les rochers,
et le pilote injuria ses hommes. Les soldats firent
descendre le cheval de Licinius, pendant que
celui-ci surveillait la manœuvre, de l'eau jusqu'aux genoux.

L'un des légionnaires indiqua un massif boisé.

– Au-delà de cette montagne, dit-il, tu trouveras la voie d'Aquae. Suis-la vers le nord jusqu'à
Novarium. Hartz est à quelques milles de là.

Licinius pressa l'épaule du soldat pour remercier. Sans perdre de temps, il resserra les sangles
de ses armes et se hissa à cheval.

– Si je ne suis pas revenu dans quatre jours,
dit-il, poursuivez votre route. Je vous rejoindrai à
Milan.

Il s'élança sans attendre. Pendant plusieurs
heures, la piste s'avéra difficile. Il perdit un

temps précieux, mais, en atteignant la voie romaine, son allure fut plus rapide. Au relais de Solimar, il changea de monture, puis il passa la nuit dans une auberge. Il repartit à l'aube et suivit la route de Hartz. Le pays semblait tranquille, pourtant son instinct l'avertit d'un danger. Il arrêta son cheval et surveilla la forêt. Des bruits lointains l'alertèrent : une troupe progressait sous le couvert des arbres.

Quittant la route, Licinius s'enfonça dans la forêt. Au bout de quelques minutes, il rencontra les premiers soldats. Ils étaient vêtus à la romaine et solidement armés, mais ils ne comprenaient pas un mot de latin. C'étaient des auxiliaires chamaves et saxons qui convergeaient vers Hartz, où d'autres cohortes devaient le retrouver.

Un centurion, qui expliquait à Licinius qu'ils s'apprêtaient à attaquer une armée rebelle, examina sa tenue avec perplexité. Que venait faire un légat impérial dans ce lieu perdu ? Pour éviter les questions, ce dernier remonta à cheval et s'éloigna. En se rappelant le sourire de Valens, il se maudit de n'avoir pas prévu ce qui se préparait. Le traître avait déjà imaginé son plan ! Et qui viendrait lui reprocher d'avoir exterminé Vinka

376

et sa tribu ? Ce piège, ou bien Maximien l'autorisait tacitement, ou bien il l'ignorait ; mais, dans ce second cas, sa colère ne résisterait pas à la pacification du pays.

En quittant la forêt, Licinius découvrit deux troupes face à face, l'une romaine, l'autre franque. Les Barbares, peu nombreux, semblaient inconscients du danger qui les menaçait.

Lorsqu'il aperçut Vinka, Licinius oublia tout ce qui avait commandé sa vie. Pour elle, il était prêt à trahir Rome, à perdre son honneur et à sacrifier sa vie.

Chapitre 10

La mort de Licinius

Depuis qu'elle avait rejoint les Romains après sa tentative de fuite, Vinka sentait peser sur elle le regard de Marcus Varus ; un regard lourd d'incompréhension. En lui restituant son épée et en la laissant chevaucher en liberté, il lui avait laissé une chance de s'enfuir, et il semblait lui reprocher de ne pas l'avoir saisie.

Vinka cherchait à comprendre les raisons pour lesquelles il avait pris le risque de la laisser s'échapper. Si Maximien l'apprenait, la vie du centurion ne vaudrait pas un sesterce.

En la voyant s'éloigner, puis revenir sans cesse, Varus n'était pas seulement déconcerté, il était exaspéré.

– La prochaine fois, je te donnerai un âne! grommela-t-il.

– J'en ai déjà soixante-quatorze, rétorqua Vinka en faisant semblant de compter les Romains.

Dès ce moment, il cessa de lui adresser la parole. Le soir, ils arrivèrent au camp de Spaldus, où ils passèrent la nuit. Le lendemain, vers la septième heure, peu avant midi, ils aperçurent la forêt de Hartz. La rencontre devait avoir lieu plus à l'est, dans un vaste champ coincé entre deux marécages.

379

Les Francs étaient au rendez-vous. Seuls une trentaine de cavaliers étaient visibles, mais Vinka devina qu'ils étaient beaucoup plus nombreux, massés dans la forêt ou au cœur des marais. Elle reconnut la haute silhouette de Kurk et leva son épée. Au lieu de galoper vers elle, pourtant, le jeune guerrier resta immobile, avec une prudence qui ne lui ressemblait pas. Le cavalier qui vint à leur rencontre était plus menu.

– Thierry..., murmura Vinka.

L'adolescent avait les yeux embués de larmes et les lèvres tremblantes; un flot de tendresse envahit la jeune Barbare. Voyant que Varus observait le frêle cavalier avec désapprobation, elle expliqua :

— C'est mon frère.

Varus hocha la tête :

— Demande-lui où aura lieu l'échange.

Thierry indiqua un tertre qui s'élevait entre les deux marais ; le centurion secoua la tête :

— Le milieu du champ est préférable.

Thierry n'eut aucune réaction.

— Il ne comprend pas le latin ? demanda Varus.

— Si, bien sûr, s'empressa de répondre Vinka.

Cependant, le visage du jeune garçon était empreint d'une douleur indéfinissable. Elle ajouta :

— Il est muet.

— Pratique pour négocier ! râla Varus.

— D'accord pour le champ, le rassura-t-elle.

Elle s'approcha de Thierry et demanda à voix basse :

— Tu n'es pas content de me revoir ?

Il la dévisagea comme s'il saisissait mal le sens de ses paroles, avec un air absent qu'elle connaissait bien : il apparaissait lorsque l'inquiétude de Thierry était trop forte, et annonçait presque toujours un drame.

– Ne t'éloigne pas ! ordonna Varus.

Vinka se tourna vers lui d'un air dédaigneux :

– Que crains-tu ?

– De toi, rien, grommela l'officier.

Cependant, il avait posté des archers sur toute la longueur du champ et manifestait une nervosité inhabituelle.

– Va prévenir Kurk, dit Vinka à son frère. Dis-lui qu'il peut relâcher les tribuns. Je vous rejoindrai ensuite. Va !

Cette fois, Thierry eut l'air de comprendre et rallia les Francs. Kurk et ses hommes disparurent et reparurent bientôt avec les tribuns, tous deux à cheval, les mains liées derrière le dos. Tout semblait se dérouler pour le mieux lorsqu'un cavalier surgit de la forêt, en criant :

381

– Fuyez ! Vite ! Sauve-toi, Vinka. Sauve-toi !

La jeune Barbare reconnut aussitôt Licinius qui galopait dans sa direction sous les regards stupéfaits de ses gardiens.

– Ne tirez pas ! ordonna Varus à ses archers.

Brusquement, des centaines de fantassins romains jaillirent de la forêt, et une pluie de javelots s'abattit sur la troupe de Kurk.

– Maudit traître ! hurla Vinka.

Elle talonna son cheval pour rallier ses compagnons en déroute. Licinius, lancé au galop, la rattrapa, et, pendant un instant, ils furent côte à côte.

– Courage ! cria Licinius.

Son cri s'étrangla, et le légat fut fauché en pleine course. Vinka retint sa monture pour la ramener en arrière, en dépit des Romains qui attaquaient de tous côtés. Licinius gisait sur le sol, immobile, le javelot qui lui perçait la poitrine dressé vers le ciel.

Chapitre 11

Fidèles

En voyant Licinius frappé à mort, Vinka sauta à bas de son cheval. Autour d'elle, les hommes se battaient furieusement, et les chevaux affolés piétinaient les blessés. Peu lui importait de mourir. Les deux êtres qui l'aimaient avaient donné leur vie pour la sauver: Elric, d'abord, et maintenant Licinius. «Je porte malheur», songea-t-elle avec désespoir, en étreignant le corps du jeune Romain.

Autour d'elle, le combat tournait à la confusion. Tandis que Marcus Varus et ses hommes tentaient de délivrer les tribuns, les cavaliers que

Kurk tenait en réserve surgirent à leur tour. Les fantassins romains étaient plus nombreux, mais les Barbares, plus rapides, semaient la mort dans leurs rangs.

Soudain, Vinka sentit une main robuste l'empoigner, l'arracher au corps sans vie qu'elle enlaçait, et la jeter sur un cheval malgré sa résistance. Elle crut d'abord que son ravisseur était un Romain, mais il s'agissait d'un Barbare à la force peu commune. Comme ce dernier l'emmenait sous les arbres, elle dut courber la tête pour éviter les branches mortes qui lui lacéraient les bras et les jambes. D'autres cavaliers les rejoignirent, et, bientôt, elle se trouva au milieu d'une horde de Barbares en fuite.

Lorsqu'ils s'arrêtèrent enfin, leurs chevaux fumaient et tremblaient de fatigue. Repoussant celui qui lui était venu en aide, Vinka se laissa glisser à terre. Elle constata qu'elle était blessée à la jambe, et que la plaie de son épaule s'était rouverte. Assise contre un tronc, elle vit Kurk et Siegfried compter leurs hommes.

Thierry vint s'accroupir devant elle; il lui prit la main et la posa sur son cœur. Elle se rappela alors son état second, et comprit qu'il avait pressenti la mort de celui qu'elle aimait. Mais comment aurait-elle pu prévoir ? Contre la volonté de Wotan, on ne pouvait jamais rien.

– Dure bataille ! lâcha Kurk.

Elle hocha la tête, et sa voix se brisa :

– Licinius est mort.

Le jeune Barbare eut un rictus qui semblait signifier : qu'importe la mort d'un Romain !

– Il s'est sacrifié pour nous sauver ! insista Vinka.

Kurk en voulait à sa reine d'avoir abandonné les siens pour se livrer ; il abattit son poing de toutes ses forces sur le tronc où elle était adossée :

– Il aurait mieux fait de crever avant !

385

– Comment l'armée romaine a-t-elle pu arriver à Hartz sans être repérée ? lui demanda-t-elle.

– Nos guetteurs ont cru qu'ils faisaient partie de ton escorte, marmonna Kurk.

Elle leva les yeux au ciel :

– Une légion ? Pour moi toute seule ?

– Tu es si précieuse !

Cette ironie lui parut si blessante qu'elle bondit sur ses pieds et tira son épée.

– Qu'essaies-tu de me dire ? demanda-t-elle, d'une voix sourde.

Soudain, elle était redevenue la farouche guerrière que ses hommes avaient connue. Il émanait d'elle une telle force que la colère de Kurk s'évanouit.

— Depuis ton départ, nous n'avons pas cessé d'errer et de combattre, dit-il avec lassitude.

— Pourquoi n'être pas retournés à Midgard, comme je l'avais ordonné ?

Kurk détourna les yeux :

— Là-bas, tout a changé. Kodran et les siens ont pris le pouvoir.

Elle le dévisagea, incrédule :

— Et ce pouvoir, tu ne l'as pas reconquis ?

Elle regarda autour d'elle ; une centaine de guerriers les avaient rejoints. Kurk haussa les épaules d'un air maussade :

— L'érilar est avec eux.

— Hul ?

Vinka allait de surprise en surprise. Il y avait moins d'un mois qu'elle avait quitté son pays, et, déjà, l'unité qu'elle avait bâtie partait en fumée. L'échec de la grande invasion avait anéanti le travail de plusieurs années ! En songeant à Licinius, elle qui n'avait jamais pleuré de toute sa vie, sentit sourdre ses larmes. Cependant, sa faiblesse fut très fugitive. Sa fierté revint brusquement, sous forme d'une rage qui la préserva de son chagrin comme on tient une bête sauvage en respect à coups de fouet.

— Allons-y ! gronda-t-elle.

— Où ça ?

— À Midgard !

Kurk guetta la réaction des guerriers. Certains d'entre eux étaient blessés, d'autres ne l'avaient suivi qu'avec réticence. Il s'attendait à des protestations ; il ne lut sur les visages qu'une sorte de jubilation. Siegfried et Thierry étaient déjà à cheval. La présence de leur reine les avait tous transformés ; il lui avait suffi de paraître. Au lieu d'être jaloux de cette force dominatrice, Kurk fut subjugué lui aussi.

387

On donna un cheval à Vinka, qui prit aussitôt la tête de la troupe. Tout n'était pas fini, puisqu'elle avait un peuple, et de fidèles compagnons !

Les paysages qu'ils traversèrent lui rappelèrent ses premiers combats : le pillage des caravanes, la renaissance de Skyl, l'audace folle de ses jeunes guerriers ! Certains d'entre eux avaient vieilli ; ils étaient devenus des hommes. D'autres, Elric, Hans et Manus, avaient disparu, mais les survivants les valaient bien.

Quittant la tête, Vinka remonta la colonne. En voyant ses plaies, les blessés se redressèrent fièrement, et les guerriers qui lui étaient inconnus se présentèrent à elle. Pour chacun, elle eut un mot de camaraderie.

Quand elle arriva au niveau de celui qui l'avait arrachée au champ de bataille, elle se rembrunit. L'homme était grand, avec un corps brun et velu, des cheveux noirs retenus par un cercle de fer, et des yeux d'un bleu très pur, lumineux. Il portait sur l'épaule gauche une belle épée au pommeau d'or cloisonné.

388
    — Scythe? demanda-t-elle.

Il secoua la tête :

— Ksatria.

Son accent guttural lui était inconnu. Elle crut qu'il mentait. D'où venait-il réellement? Que faisait-il parmi les Francs? Elle se promit d'interroger Kurk. En attendant, l'homme sourit, et Vinka, vaincue par la clarté de son regard, sourit à son tour.

Ils croisèrent un groupe de chasseurs étrangers, des Chamaves de la basse vallée du Rhin. Les deux troupes s'observèrent avec méfiance, car les Chamaves avaient un vieux compte à régler avec Richemer, qui avait commandé une armée romaine pour mater leur révolte. Le soir, Vinka multiplia les guetteurs, mais ni les Romains ni les Chamaves ne vinrent troubler leur repos.

Le lendemain, vers la fin de la matinée, comme ils approchaient de Midgard, six cavaliers vinrent à leur rencontre. Ils ignorèrent Vinka et s'adressèrent directement à Kurk. Au bout de quelques instants le jeune Franc, manifestement furieux, tira son sacramaxe [1] ; elle s'interposa aussitôt :

— Vous trouvez que nous n'avons pas assez d'ennemis ?

Ceux de Midgard la toisèrent avec mépris. Vinka, stupéfaite, reconnut Varan, un guerrier fourbe et cruel qu'elle avait chassé du clan des années plus tôt, après avoir vaincu Harald. Ainsi, Kodran l'avait rappelé ! Cette pensée lui laissa un goût d'amertume.

Les six cavaliers repartis, elle avertit ses compagnons :

— Je ne veux pas la guerre.

— Alors, tu n'auras pas Midgard, l'avertit Kurk.

— Ils ont gardé mes troupeaux, ma maison, tous mes biens ! s'emporta Siegfried. Pour les récupérer, il aurait fallu que je me soumette, mais c'est

389

1. Poignard à longue lame effilée.

à toi que j'obéis, Vinka, à toi seule. Pas à ces vieux fous !

— Tu auras ce qui t'appartient, promit Vinka.

— Sans même combattre ! railla Kurk.

Vinka ne releva pas la plaisanterie. En réalité elle était inquiète ; elle avait déjà fait l'expérience de l'entêtement de Kodran et d'Othon, et l'hostilité de ces vieux guerriers la paralysait. Elle aurait préféré affronter un jeune rival plutôt que ces officiers jadis couverts de gloire !

Lorsqu'ils parvinrent au bord du lac et aperçurent Midgard, ils constatèrent que les barques et les radeaux qui permettaient d'accéder au village avaient tous été amarrés aux pontons de l'île.

— Les porcs ! hurla Kurk en levant son épée.

— Nous construirons un radeau, dit Vinka d'une voix apaisante.

— Il en faudrait dix ! maugréa Kurk.

— Un seul suffira.

— Parce que tu comptes te rendre seule sur l'île ? La dernière fois qu'on a essayé de traverser, ils nous ont criblés de flèches enflammées, et nous avons dû regagner la rive à la nage.

— Seule, non. Avec toi et quelques autres.

Chapitre 12

Le champ des morts

Près de Hartz vivaient un vétéran de l'armée romaine, Clodius Sextilius, et sa fille, Livie. Lorsque Rome avait abandonné les Champs Décumates, entre le Rhin et le Danube, Clodius était resté sur cette terre d'invasion, à proximité du camp où il avait servi. De ce dernier ne subsistaient que des vestiges ; on distinguait à peine les grandes voies en croix, *principalis* et *quintana*, qui le partageaient en quatre parties égales. Après l'évacuation, les pieux qui n'avaient pas brûlé avaient servi à bâtir un village bructère, dans un vallon proche. Clodius avait aidé à sa construction. Il était trop vieux pour faire la guerre et préférait le rude voisinage des Barbares à l'ennui des terres frontalières réservées aux vétérans. Il avait enseigné aux Bructères à cultiver la vigne et à élever les abeilles ; et, à force de partager leur vie, il avait fini par leur ressembler.

Un an après leur installation, une grande bataille eut lieu à proximité du village. Dans cette zone militaire, ce n'était pas la première, mais le bruit de celle-ci rappela à Clodius les terribles combats auxquels il avait participé contre les Alamans. En ce temps-là, Rome était invincible ; ce n'était plus le cas.

Les Bructères attendirent la fin de la mêlée. Puis, comme c'était la coutume, ils partirent explorer le champ de bataille, car parmi les morts, il y avait toujours des petits trésors à découvrir. Livie voulut se joindre à eux, mais son père refusa : les champs de bataille attiraient toujours les pillards et les loups ; ce n'était pas une place pour une jeune fille.

– Père, je t'en prie, murmura Livie.

Depuis la mort de son épouse, sa fille était l'unique famille du vétéran. Elle était douce et blonde comme sa mère ; son regard suppliant avait la même expression. Clodius regarda ses compagnons. Les Bructères étaient tous là, solides et bien armés ; il se persuada que Livie risquait moins avec eux qu'au village.

– Mets ta fourrure noire, gronda-t-il en guise d'acceptation.

Elle lui sauta au cou. Il la repoussa, gêné par le sourire moqueur des autres. Chez les Bructères, ces effusions étaient inconnues.

Ils parcoururent quelques kilomètres avant d'atteindre la vaste prairie où avait eu lieu l'affrontement. Le sol labouré témoignait des charges de nombreux cavaliers ; plusieurs centaines, estima Clodius. Puis ils virent les corps. Il n'y avait pas de loups, mais des nuées de corbeaux et de vautours, qu'ils chassèrent à coups de pierres.

393

Il ne leur fallut pas longtemps pour comprendre que des Francs s'étaient heurtés là à une armée romaine. Sans doute les Romains avaient-ils été vainqueurs, car ils avaient emporté leurs morts et abandonné les corps des Barbares aux prédateurs, mais ils étaient repartis en hâte, comme l'indiquait le grand nombre d'armes abandonnées un peu partout.

En découvrant les glaives, les pilums et les flèches, les Bructères poussaient des exclamations de joie, car le fer était le plus précieux des métaux.

– Père ! s'exclama Livie.

Clodius se tourna vers sa fille. Celle-ci se tenait devant un petit tertre couronné de branches et de feuilles, et sur lequel était planté un javelot. Le vent avait découvert le visage d'un jeune soldat dont la beauté fascinait la jeune fille. Le vieux soldat s'approcha et écarta les branches.

– C'est un officier, dit-il. Par Jupiter, un légat ! Regarde son manteau de pourpre et ses insignes. On a dû lui retirer sa cuirasse. Je me demande pourquoi ils ne l'ont pas emmené avec les autres !

Clodius remarqua que le javelot qui lui perçait la poitrine était romain, mais cela ne signifiait rien. Dans l'ardeur du combat, on se battait avec ce qu'on avait sous la main. Les Francs utilisaient les pilums romains, et les Romains les haches barbares. D'un geste vigoureux, Clodius arracha le javelot; le jeune légat poussa une plainte étouffée.

– Il est vivant, père ! balbutia Livie.

Clodius, superstitieux, recula de quelques pas en murmurant :

– C'est impossible !

Il voulut éloigner sa fille, mais celle-ci se pré-cipita sur le Romain et appuya son oreille sur sa poitrine.

Elle tourna vers son père un visage bouleversé :
– Il respire !

Clodius vit que le sang s'écoulait de la bles-sure ; or, les morts ne saignaient pas... Alors, il fit les gestes qu'il avait accomplis bien des fois : il déchira la tunique de Licinius, découvrit la plaie, la banda de toutes ses forces et chargea le mori-bond sur l'un des chevaux des Bructères. De retour au village, il le porta jusque dans sa maison et l'étendit sur le sol.

– Mets-le sur mon lit, supplia Livie.

Il haussa les épaules.

– Il n'en aura pas besoin.

Comme Livie réprimait un sanglot, il s'exécuta en grognant :
– Fais chauffer de l'eau !

Il détestait les pleurs et les jérémiades, mais le légat était un représentant de l'empereur, et il ne pouvait pas le laisser mourir comme ça.

Il lava sa plaie et l'enduisit d'argile pour arrê-ter l'hémorragie. Tandis qu'il le soignait, comme il l'avait prédit, le blessé cessa de respirer. Il jeta à sa fille un regard désolé.

Chapitre 13

Le jugement des runes

Devant l'entêtement de Vinka, Kurk secoua la tête d'un air désapprobateur ; pourtant, il ordonna à ses hommes de construire un radeau.

Tandis que les haches ébranlaient la forêt, Vinka contempla Midgard avec un mélange d'amertume et de mélancolie. Elle avait fait de ce lieu magique le nouveau berceau de son peuple et, au lieu de l'accueillir avec reconnaissance, soudain l'île la rejetait. Pourtant, tout semblait tranquille, et le visage blond de Thierry ne manifestait aucune angoisse. De légères volutes de fumée s'élevaient des toits; on entendait le meuglement lointain du bétail et le tintement de la forge; Morgal devait être au travail. Vinka, songeuse, caressa l'épée qui avait forgé sa légende.

À cet instant, l'étranger qui l'avait ramassée sur le champ de bataille s'approcha d'elle avec un pot d'onguent. Il écarta sa tunique, découvrit son épaule et entreprit de soigner sa blessure, comme il l'avait fait avec ses compagnons. Elle fronça les sourcils :

— Tu es médecin ?

— Un peu...

— Que sais-tu faire d'autre ?

— Combattre ! répondit Kurk à la place du Ksatria. Il chevauche et combat comme un berserker !

Les berserkers, guerriers revêtus de peaux d'ours, étaient animés d'une ardeur sauvage et magique; lorsqu'ils se battaient, rien ne résistait à leur fureur animale.

— Où as-tu trouvé ce démon ?

— Dans les marais, dit Kurk. Son cheval était enlisé. De lui, il ne restait que la tête; par chance, ses cheveux sont solides.

— Je me nomme Karma, reprit le berserker. Ma vie vous appartient.

— Tu parles notre langue, et aussi le latin, je t'ai entendu, s'étonna Vinka.

Karma releva les manches de sa veste de peau et montra ses poignets marqués par les fers.

— J'ai été esclave de Rome. J'ai combattu dans l'arène, à Sirmium, puis dans l'armée du Danube.

— Tu as déserté?

Il sourit sans répondre et Vinka n'insista pas.

Lorsque le radeau fut prêt, Vinka se plaça à l'avant, appuyée sur son épée, les jambes écartées; Kurk et plusieurs compagnons, arc-boutés sur de longues perches, poussèrent la plate-forme vers l'île.

Le village semblait endormi; cependant, en atteignant la rive, elle vit que la porte de l'enceinte était ouverte. Plusieurs hommes les attendaient devant l'entrée, et, sur la palissade, d'autres observaient le moindre de leurs mouvements.

Quand le radeau toucha terre, Vinka se dirigea aussitôt vers eux: Kodran, Othon, les autres lieutenants de Richemer, ils étaient tous là. Elle les salua; pour toute réponse, Othon lui demanda:

— Que veux-tu?

398

Elle éclata de rire :

— Rentrer chez moi.

— Tu n'es plus chez toi, ici.

C'était Varan qui venait de parler ; Othon lui adressa un regard de reproche. Vinka sentit sa peau se hérisser.

— Que fait ce traître à Midgard ? demanda-t-elle en essayant de contenir sa colère.

— Il est venu en paix, se défendit Kodran.

Vinka crispa ses mains sur la garde de son épée :

— C'est aussi mon cas... Du moins, pour le moment.

399

— Tu n'incarnes ni la paix ni le courage, répondit Kodran, mais la guerre et la folie. Pour satisfaire tes caprices, tu as causé la mort de milliers de guerriers.

— Vous êtes des Francs ou des poules mouillées ? rugit Kurk.

D'un geste, Vinka lui intima l'ordre de se calmer avant de poursuivre :

— Tu ne peux pas éviter la guerre ! c'est elle qui décide et vient à toi. Ce n'est pas à un vieux soldat comme toi que je vais l'apprendre !

Kodran sourit, comme s'il s'adressait à une enfant entêtée.

— La guerre, oui, mais pas comme tu l'entends. Tu n'es plus celle qu'il nous faut pour défendre Midgard.

— Que feras-tu si la guerre vient jusqu'à Midgard ? demanda-t-elle. Sans guerriers, tu ne pourras rien contre elle.

— Sans guerriers ? ricana Varan.

Il montra la palissade où s'entassaient de plus en plus d'hommes casqués et armés.

— Midgard n'a rien à craindre !

— Il me serait facile de te prouver le contraire, dit Vinka, en pointant son épée sur lui, mais je refuse de faire couler le sang.

— Tu es trop généreuse ! railla Varan.

— Je suis votre reine, fille de Richemer et guerrière de Wotan ! Cela devrait suffire à vous convaincre.

Othon secoua la tête d'un air sombre :

— Plus maintenant : les runes ont parlé. Les dieux sont contre toi, Vinka, et ceux qui te suivront sont promis à la mort.

L'image d'Elric, de Hans et de Licinius traversa l'esprit de Vinka. Elle frissonna.

— Mène-moi à l'érilar, ordonna-t-elle.

Elle s'attendait à un refus, mais Othon s'écarta

400

et elle pénétra dans le village. Lorsque Kurk voulut en faire autant, il se heurta à Varan.

– Pas toi !

Comme il le repoussait, Kurk, qui haïssait Varan depuis toujours, abattit son poing sur le visage de l'insolent, qui tomba à la renverse. Un remous agita les guerriers, mais Vinka cria :

– La paix !

Les armes s'abaissèrent aussitôt ; elle se réjouit de constater que son autorité ne s'était pas éteinte.

À l'intérieur du village, les femmes la saluaient ou lui souriaient. Les hommes, eux, se montraient plus distants. Devant la forge, un jeune forgeron était à l'œuvre ; elle se demanda où était Morgal.

Hul l'attendait sur le ding, la place où se réunissaient les hommes libres ; son visage était rigide et ses yeux la regardaient avec froideur.

– Eh bien, raconte-moi, vieil homme : que t'a dit Wotan ? demanda-t-elle. N'ai-je pas assez combattu en son nom ?

– C'est lui qui décide, répondit l'érilar, je ne suis que sa voix.

– Qu'a-t-il décrété ? insista-t-elle.

– Que tu dois partir.

Elle se tourna vers ses anciens compagnons, qui faisaient cercle autour d'elle, et les dévisagea l'un après l'autre. Certains baissèrent les yeux, mais les plus vieux soutinrent son regard sans indulgence. Ceux-là, elle les avait pourtant délivrés de la Prison Noire, au péril de sa vie. À leurs yeux, cependant, elle n'était qu'une femme. Ils ne l'avaient jamais acceptée pour reine : c'était contraire à leurs coutumes.

– Bien, dit-elle en leur tournant le dos.

Elle était jeune, remplie d'une force bouillonnante. Elle fonderait un autre village, plus beau, plus grand. Sur son passage, elle vit des femmes pleurer, leurs enfants accrochés à leurs robes ; le moment venu, elle les ferait venir. L'automne était une belle saison pour bâtir et préparer les champs.

Elle sortit du village et se dirigea vers le radeau sans un adieu. Kurk, qui la regardait venir, hurla soudain un avertissement. En même temps, Vinka sentit le danger ; elle se retourna et vit l'éclair d'une flèche qui lui apportait la mort.

Chapitre 14

Aphrodite

Licinius contempla le beau visage penché sur lui. «C'est donc ça, la mort», songea-t-il, émerveillé. Ses pensées étaient chaotiques. Il se souvenait d'un choc terrible, suivi d'une chute sans fin dans les ténèbres. Il se revoyait en train de brûler, étendu sur un bûcher, en proie à une souffrance intolérable et n'en finissant pas d'agoniser. Ensuite, il y avait eu ce brouillard aveuglant, une fatigue coupée de cauchemars et de longs sommeils vides.

Au-dessus de lui, le visage se précisa : c'était celui d'une jeune fille semblable à la statue d'Aphrodite enfant, divinité de l'amour, qu'il avait vue jadis, à Rome.

– Déesse..., murmura-t-il.

Le visage se colora et fit entendre un rire plein de fraîcheur. Une main releva de longs cheveux bonds détachés. Le reste se perdit dans un rêve.

Après cette apparition, de jour en jour, les perceptions de Licinius devinrent plus nettes. Le feu brûlait dans un minuscule foyer; une odeur de fumée et de fleurs séchées flottait dans l'air. Lorsque la porte était ouverte, le légat apercevait un soleil éblouissant sur un sol de neige. «C'est l'hiver», s'étonnait-il.

La jeune fille passait de longs moments près de lui; elle le faisait boire, pansait sa plaie. Il était toujours très faible, mais grâce à elle il ne souffrait plus.

– Qui es-tu? demanda-t-il un jour.

Elle se pencha sur lui, surprise; c'étaient les premiers mots qu'il prononçait.

– Livie, répondit-elle.

Elle parlait latin avec un accent charmant.

– Et toi?

– Licinius.

– Tu es légat? voulut alors savoir un vieil homme en sortant de l'ombre.

Licinius avait senti plusieurs fois sa présence.

— Légat militaire, précisa-t-il, représentant de Dioclétien.

L'homme émit un grognement approbateur.

— Toi, tu es soldat, n'est-ce pas? dit Licinius, en observant le corps massif et la raideur caractéristique de son interlocuteur.

— Clodius Sextilius, vétéran de l'armée du Danube.

— Que fais-tu ici?

Le vieux se mit à rire:

— Je me repose, comme toi. Trente ans de campagne, du Rhin au Danube, ça use!

405

Licinius hocha la tête, puis son visage s'assombrit:

— Là où tu m'as trouvé, il y avait d'autres blessés?

— Aucun, mais des morts, ça oui!

— Une jeune Barbare? Elle se nomme Vinka.

— Connais pas!

— Les Francs l'appellent la fille de Wotan. Ça ne te dit rien?

— Les Barbares ne manquent pas d'imagination, gloussa Clodius.

Les jours suivants, Licinius fit des efforts désespérés pour se lever. Mais, chaque fois,

il s'effondrait au bout de quelques pas et devait
se traîner jusqu'à son lit.

– Tu n'arriveras à rien, gronda Clodius.

– Mes compagnons doivent me croire mort.

– Ça oui, pouffa Clodius. Ils t'avaient même
enterré.

– Enterré?

Livie confirma en silence.

– Depuis combien de temps suis-je là?

– Deux mois, un peu plus, murmura Livie.

– Il faut envoyer un messager!

– Les chemins sont coupés, grogna Clodius.
406 Ici, c'est le désert.

Prisonnier, à moitié infirme, Licinius enrageait.
La dernière fois qu'il avait vu Vinka, les Romains
jaillissaient de toutes parts. Avait-elle réussi à
s'enfuir?

Il se sentait seul, abandonné. Sa seule distrac-
tion, son unique plaisir étaient de regarder Livie,
si simple, délicate et gracieuse dans sa robe de
lin blanc. Il ne pouvait s'empêcher de comparer
sa douceur à la violence de Vinka.

Comme elle était toujours auprès de lui, un
jour, il s'étonna:

– Tu ne sors jamais?

– C'est l'hiver, expliqua-t-elle.

À sa manière de rougir, il sut qu'elle mentait. Souvent, croyant qu'il ne la voyait pas, elle le dévorait des yeux ; lorsqu'il tournait la tête, elle détournait la sienne. Elle était amoureuse. Cette passion secrète ne déplaisait pas à Licinius. Elle le troublait.

Un jour que Clodius était à la chasse, supposant qu'il dormait, elle se pencha sur lui. Ses lèvres effleurèrent son front. Licinius ouvrit les yeux, saisit le visage de Livie et attira sa bouche contre la sienne. Après un mouvement de recul, elle s'abandonna. Ses lèvres avaient un goût de miel. Ses cheveux blonds croulèrent sur le visage de Licinius. Il eut une pensée coupable pour Vinka avant de se laisser enivrer par la douceur de Livie.

Chapitre 15

Les cavaliers des steppes

Alors que la flèche allait transpercer Vinka, en une fraction de seconde elle leva son épée. Il y eut un choc et un éclair; la flèche, déviée par la lame, se perdit dans l'eau du lac.

– C'est toi, Varan! hurla Kurk en se ruant sur lui. Je t'ai vu, maudit!

– Je n'ai pas d'arme! protesta Varan.

– Tu es trop lâche!

Le poing de Kurk frappa le visage, déjà sanglant, de Varan; celui-ci poussa un cri et s'effondra.

– Laisse-le ! ordonna Vinka.

– C'est lui qui a donné l'ordre à l'archer, gronda Kurk en montrant l'enceinte.

Kodran et ses compagnons étaient figés. En dépit de leur hostilité, ils n'étaient pas hommes à frapper dans le dos. Ils avaient vu l'extraordinaire réflexe de Vinka et l'éclair du fer contre le fer. À leur connaissance, aucun mortel n'était capable d'un tel exploit, et ils se demandaient si les runes n'avaient pas menti : la guerrière semblait toujours protégée par la magie de Wotan !

Vinka, elle, avait à peine vu la flèche. En revanche, elle avait reconnu l'archer. Au sommet de la palissade, des remous agitaient la foule ; certains guerriers en venaient aux mains.

409

– Gerd ! appela-t-elle. Descends !

Le complice de Varan, un colosse plus réputé pour sa force que pour son intelligence, fut poussé au bas de la palissade.

– Qu'on lui donne une épée, exigea Vinka.

Kodran approuva d'un signe de tête ; un instant plus tard, un villageois apporta une épée deux fois plus longue que celle de Vinka. Seul un géant tel que Gerd était capable de manier une arme aussi lourde ! Il se mit aussitôt à faire d'énormes moulinets pour impressionner son adversaire, mais Vinka lui tourna le dos avec mépris et, suivant son habitude, planta son épée en terre. La voyant sans défense, le colosse se rua sur elle sans réfléchir ; il n'atteignit que le vide. Vinka avait fait un écart et l'épée de Wotan se trouvait maintenant dans sa main, comme par magie.

Sur la rive, Kurk se mit à rire, heureux de constater que sa reine était toujours aussi insaisissable et dangereuse.

410

Pris de fureur, Gerd chargea de nouveau. Comme la première fois, Vinka se contenta d'esquiver et le colosse, emporté par son élan, se retrouva les pieds dans l'eau.

— Cet homme mérite la mort ! cria Vinka. Mais pas une mort de guerrier, l'épée à la main. Que ferait-il au Walhalla, parmi les héros ? Sa place est au fond du Hel, l'enfer ténébreux où errent les lâches.

— Non ! hurla Gerd.

D'un revers foudroyant, Vinka le frappa à la main droite. Il poussa un gémissement et lâcha son arme, que Kurk ramassa et lança dans le lac. Gerd recula, épouvanté.

– Héla, balbutia-t-il.

Héla, la déesse de la mort, était tellement effroyable, disait-on, que les dieux eux-mêmes en avaient peur. Si Gerd mourait ainsi, désarmé, c'est elle qui l'accueillerait à la porte brumeuse de l'enfer.

– Une épée, supplia-t-il. Donnez-moi une épée !

Personne ne bougea. Même Varan, qui pourtant lui avait ordonné de tirer, l'abandonnait. «Je n'ai fait qu'obéir», pensa Gerd avec un terrible sentiment d'injustice.

La jeune reine s'avança vers lui. Son épée, flamboyant au soleil, serait l'instrument de la justice divine. Il recula et monta sur le ponton. Un vol de corbeaux se mit à tournoyer au-dessus de sa tête, formant une couronne noire en signe de mort. Gerd, paniqué, battit des bras, perdit l'équilibre et tomba en arrière. La pointe d'un pieu, dépassant de l'eau, transperça son corps énorme. Après quelques soubresauts, il mourut, cloué au lac, son regard horrifié tourné vers le ciel.

Les Francs de Midgard avaient assisté au duel en silence. Sans un regard pour eux, Vinka sauta sur le radeau, et ses compagnons la suivirent.

411

— Pourquoi partir? demanda Kurk. Midgard est à nous! Plus personne, désormais, n'osera lever la main sur toi!

— C'est la volonté de Wotan.

— Qui a dit ça?

— Hul.

— Ce vieux fou! Wotan te protège, ils l'ont tous vu comme moi. La flèche de Gerd aurait dû t'atteindre, je t'ai crue perdue, et tu es là!

— Wotan me protège, confirma Vinka d'une voix émue, mais il ne protège pas ceux qui m'entourent. Je porte malheur, Kurk, à tous ceux qui combattent avec moi: Hans, Elric, Licinius.

— À ceux qui t'affrontent aussi! lui rétorqua Kurk en riant.

En disant cela, il regardait le corps écartelé de Gerd qu'agitaient les remous provoqués par le radeau.

Revenus au bord du lac, ils rassemblèrent leurs hommes, qui avaient assisté de loin au combat et salué la victoire de leur reine. Cependant, en apprenant qu'ils allaient devoir quitter Midgard, certains exprimèrent leur mécontentement: ils n'avaient aucune envie d'abandonner leur famille et leurs biens.

– Nous allons fonder un nouveau village, leur expliqua Vinka. Nous y ferons venir vos femmes et vos enfants, et nous reprendrons ce qui vous appartient.

– Midgard est magique ! s'écria Siegfried. Il nous a été octroyé par les dieux. Tu es la reine. Impose ta volonté !

– Ceux qui veulent rester sont libres de le faire, lança Vinka. Les anciens seront heureux de les accueillir.

Deux hommes seulement se dirigèrent vers le radeau ; les autres montèrent à cheval.

– C'est bien, dit Vinka. Nous allons montrer aux dieux ce que nous valons. Wotan choisit ses guerriers. Qui a peur de chevaucher avec lui ?

Tous se mirent à rire ; aucun n'avait peur ni de combattre ni de mourir. Après tout, Midgard était peuplé de femmes, de vieillards et de lâches. Ce qu'ils aimaient, eux, c'étaient le courage et la violence de Vinka.

Ils chevauchèrent vers l'est durant trois jours, en évitant les villages, les terres appauvries et les forêts hostiles. Les Francs avaient toujours été des nomades ; ils brûlaient la forêt, cultivaient le sol durant une ou deux années, puis s'en

413

allaient un peu plus loin avec leur tribu et leurs bêtes. Vinka avait modifié ces habitudes en pratiquant l'agriculture à la romaine, qui laissait reposer la terre. C'est ainsi que Skyl, puis Midgard avaient pu subsister.

Le quatrième jour, ils atteignirent un pays inhabité, situé au bord d'une belle rivière, et où le gibier et le poisson étaient abondants. Ils travaillèrent jusqu'à l'hiver; ils défrichèrent la forêt, retournèrent le sol, semèrent et construisirent un village. De lointaines expéditions, ils ramenèrent des chevaux, du bétail et du fourrage. Puis, lorsque la neige fut trop profonde pour voyager, ils s'enfermèrent jusqu'au printemps.

Cependant, Vinka ne permit pas à ses hommes de rester inoccupés. Elle savait que l'inaction était le pire ennemi des guerriers, car elle les rendait agressifs et violents. Pour éviter les querelles, elle les entraînait durant des heures à l'épée, et les libérait seulement lorsqu'ils étaient trop épuisés pour se battre.

L'un des plus habiles était Karma qui, un jour, tua l'un de ses compagnons sans le vouloir. Les autres lui pardonnèrent, car ils aimaient sa force et appréciaient ses dons de guérisseur. À trois reprises, Vinka le battit; mais il supportait mal ses défaites et changeait brutalement d'humeur. La troisième fois, Vinka dut le blesser aux jambes pour éviter qu'il ne perde la raison et s'en prenne à ses compagnons. Les autres le maîtrisèrent; ils lui firent boire du racial, une boisson à base de grains qui provoquait le sommeil. À son réveil, il était redevenu normal; cependant, Vinka ne cessa plus de le surveiller, et, à partir de ce jour, elle l'éloigna des combats.

Elle l'envoya vers le nord, avec une dizaine d'autres, afin d'enlever un forgeron, car ils avaient construit un foyer de terre et extrait du minerai de fer, mais aucun d'entre eux ne connaissait l'art de la fonte.

415

Le forgeron s'appelait Jordi. C'était un petit homme aux jambes torses. Il refusa de se mettre au travail avant d'avoir obtenu ce qu'il voulait: les meilleures parts de gibier, les poissons les plus gras et les plus belles fourrures. On lui procura des servantes, et sa maison ressembla bientôt à un petit palais. Alors, seulement, il se mit à l'ouvrage.

Sans avoir l'habileté de Morgal, Jordi était un bon ouvrier, capable de travailler de l'aube au crépuscule. Il fit creuser la montagne à la recherche du précieux minerai dont il avait besoin. Ils découvrirent un bon filon, mais il n'était jamais satisfait. Si les armes qu'il forgeait n'avaient pas été aussi robustes, ils lui auraient volontiers tordu le cou.

Au printemps, ils commencèrent à parcourir le pays et regardèrent vers l'ouest ; l'Empire romain les attirait toujours.

– J'ai envie de vin et de soie, soupira Siegfried.

– Un peu d'or me ferait du bien, ajouta Kurk avec un clin d'œil.

– De l'or, oui !

Tous connaissaient la passion du jeune guerrier pour le métal précieux et se moquaient de lui ; car les Francs, en général, préféraient le fer à l'or.

– Préparez-vous, leur annonça Vinka. Demain, nous irons en direction du Rhin.

Elle était impatiente d'éprouver sa petite armée, et ses hommes brûlaient de se battre. Cette nuit-là, peu d'entre eux dormirent ; ils restèrent autour de grands feux à rire et à raconter leurs exploits.

Vinka, elle, demeura à l'écart, silencieuse. Elle songeait à Licinius ; tout l'hiver, elle n'avait pensé qu'à lui et, à force, elle était devenue dure et froide comme la pierre. En dehors des servantes et des esclaves, elle était la seule femme parmi plus de cent hommes, mais son cœur était plus impitoyable que les leurs.

Dans ses moments de désespoir, elle se tournait vers Trèves, où demeurait Valens. Elle n'avait pas oublié son ennemi, mais elle différait sa vengeance et suppliait Wotan de le garder en vie. «Le monstre ne doit mourir que de ma main!» C'était le genre de prière que le dieu appréciait.

Un matin, à l'aube, ils se mirent en route. Le surlendemain, comme ils approchaient de la région de Midgard, les éclaireurs annoncèrent qu'une armée se déployait devant eux: des hommes étranges comme ils n'en avaient jamais rencontré. Tout excités, ils gagnèrent l'endroit indiqué et perçurent la rumeur d'une troupe nombreuse. Un peu plus loin, dissimulés sous les arbres, ils virent passer un groupe de cavaliers, vêtus de fourrures et d'habits multicolores, et armés d'épées recourbées. Leur façon de monter à cheval rappelait celle des cavaliers des steppes, mais ils étaient beaucoup plus grands, blonds, et presque élégants. Vinka interrogea ses hommes du regard. Tous semblaient fascinés et intrigués. Seul Karma souriait.

— Des Halanis, murmura ce dernier.

— C'est ton peuple ?

Il approuva d'un signe de tête.

— Regardez ! lança Kurk.

Des tourbillons de fumée s'élevaient de l'immense forêt qui s'étendait jusqu'à l'horizon.

— Midgard brûle ! s'écria Siegfried.

Chapitre 16

Le brasier

Les Halanis avaient parqué leurs chevaux dans une clairière aménagée dans la forêt par les hommes de Midgard. Vinka fit le compte des bêtes : un peu plus de trois cents ! Toute la horde, ou presque, était au combat ; les guetteurs étaient rares, faciles à éliminer.

Vinka se tourna vers Karma.

– Ce sont tes frères, dit-elle. Si tu veux les rejoindre, c'est le moment.

Karma posa la main sur son cœur :

– Je combattrai avec toi.

D'une inclinaison de tête, Kurk approuva.

– Soit, dit Vinka.

Elle leva son épée. Les archers prirent les guetteurs pour cibles, et, en quelques instants, ceux-ci s'effondrèrent. Ensuite, les Francs libérèrent les chevaux et les chassèrent. Les cris et les hennissements se perdirent dans les clameurs de la bataille.

Les Halanis occupaient toutes les rives du lac. Pour assaillir l'île, ils avaient assemblé des radeaux. C'étaient eux qui brûlaient! Leurs épaves formaient un cercle de feu qui, tout à la fois, menaçait et protégeait l'île. Les attaquants qui avaient pris pied sur l'île, coincés entre le lac en flammes et la palissade, subissaient le tir nourri des archers de Midgard; pourtant, ils progressaient. Leurs arcs à double courbure, comme ceux des Mongols, étaient beaucoup plus puissants que ceux des Francs; leurs flèches étaient capables de percer les boucliers de bois des défenseurs.

– À cheval! ordonna Vinka.

Ses cent cavaliers obéirent. Ils étaient bien armés et brûlaient d'éprouver le fer de Jordi. Leur charge furieuse prit les Asiatiques par surprise. Une partie des assaillants était mobilisée par la construction de nouveaux radeaux. L'autre n'avait d'yeux que pour l'île en flammes.

Vinka se jeta dans la mêlée la première. Tout l'hiver, elle avait attendu ce moment où elle pourrait éprouver à nouveau la fièvre du danger et l'ivresse du combat. Son épée semblait vivre indépendamment de sa main; jamais elle n'avait été aussi fulgurante, aussi sanglante. Les ennemis tombaient. Les survivants tentaient d'utiliser leurs armes; mais, excellents cavaliers, les Halanis étaient de piètres fantassins, et furent rapidement dispersés.

421

Tandis que les Francs pourchassaient les fuyards dans la forêt, Vinka poursuivit son offensive. Elle avait accompli un tour complet du lac lorsqu'elle se heurta à des archers halanis en formation, le premier rang agenouillé, le second debout, leurs arcs bandés.

Fidèle à son habitude, la jeune reine combattait sans protection. Trois flèches jaillirent; elle comprit en un éclair que sa course allait s'achever là. Mais soudain, un écran de métal surgit devant elle. Vinka entendit le choc des flèches, puis elle vit le bras tendu de Karma brandir le bouclier qui venait de lui sauver la vie. Courbé sur sa monture, le puissant cavalier la dépassa et Vinka se rua avec lui sur l'ennemi, frappant sans relâche. Les Francs, en surnombre, supprimèrent sans pitié les derniers essaims de résistance. Les survivants finirent par jeter leurs armes; ils furent attachés et alignés sur la rive.

Au centre du lac, les radeaux brûlaient toujours. Un silence de mort avait succédé au vacarme du combat; à travers la fumée, il était impossible de distinguer qui avait remporté la victoire. Vinka ordonna d'assembler deux radeaux, ce qui fut fait d'autant plus rapidement que les Halanis avaient presque achevé le travail. Puis, elle embarqua avec une trentaine de guerriers.

Quand ils arrivèrent sur Midgard, la terre était jonchée de morts et le rivage était noir: les bateaux, les radeaux, les pontons... tout avait brûlé! L'incendie s'était propagé vers la palissade, dont des pans entiers s'étaient effondrés.

À l'intérieur du village en ruine, quelques maisons brûlaient encore; des femmes et des enfants, épuisés, transportaient de l'eau dans des seaux de bois. Sur la place du ding, un groupe de guerriers francs survivants se tenait prostré. Kodran, couvert de blessures, râlait, étendu sur le sol.

Une femme se précipita vers Vinka et lui baisa la main.

— Si tu avais été là..., murmura-t-elle.

Vinka reconnut Gerda et repoussa la jeune femme avec douceur :

— Tu ne risques plus rien.

La jeune reine pensa qu'il faudrait vite rebâtir le village et le fortifier, car d'autres envahisseurs viendraient sans doute. Autour d'elle, les familles se rassemblaient ; les Halanis avaient épargné les femmes et les enfants, car ils avaient besoin d'esclaves.

Comme la forge s'était effondrée, on avait transporté le vieux Morgal dans une maison voisine.

— Il est malade depuis des mois, incapable de travailler, chuchota Gerda.

— Incapable de me battre ! grogna le forgeron. Donnez-moi une épée !

Vinka lui tendit la sienne. Il la serra avec ferveur, puis il cria :

— Maintenant !

Vinka regarda ses hommes. Elle savait ce que voulait Morgal : pour gagner le Walhalla, un guerrier devait mourir de mort violente, son arme à la main. S'il était trop vieux pour aller au combat, il fallait le tuer d'un coup de lance. Pourtant, Vinka ne se sentait pas le courage d'accomplir le geste fatal. Elle secoua la tête.

— J'ai le droit de mourir dignement! se révolta Morgal. Toute ma vie, j'ai combattu. Tu te dis notre reine? Prouve-le!

Comme elle restait pétrifiée, Thierry posa la main sur son bras, avec un sourire qui semblait dire: «La mort n'est rien. Seule compte la jeunesse éternelle parmi les cavaliers héroïques de Wotan.»

Vinka poussa un grand soupir et sourit à son tour au forgeron.

— Lorsque ce sera fini, dit celui-ci, brûle mon corps sur le lac.

Son visage maigre était rayonnant. Vinka saisit une lance et la brandit; puis, elle invoqua Wotan et délivra Morgal en lui perçant le cœur.

Chapitre 17

Frères d'armes

L'hiver était fini. Les chaleurs d'avril avaient fait fondre la neige, transformant les chemins en bourbiers et les champs en marécages. Il y avait maintenant cinq mois que Licinius vivait avec Livie et son père. Sa blessure s'était refermée, mais il n'avait pas totalement retrouvé l'usage de son bras droit. Non seulement il était incapable de tenir une épée, mais il avait du mal à s'habiller sans l'aide de Livie. Avec elle, il n'avait jamais honte de sa faiblesse. Elle était douce et délicate. Les Bructères, au contraire, le considéraient avec mépris. Chez eux, on n'aimait pas les bouches inutiles : les vieillards, les blessés et les infirmes.

Parfois, Licinius pensait à Vinka et se disait : « Si elle pouvait me voir, elle aurait pitié de moi ! » Cette idée le révoltait.

Tout au long de l'hiver, malgré le froid, il s'était imposé de longues marches dans la neige et avait accompli des travaux pénibles. Il s'effondrait, recommençait. À force d'échecs, de souffrances et de persévérances, il avait constaté un léger progrès. Au fil des mois, son bras était revenu à la vie. Livie l'encourageait. Pour lui plaire, il avait redoublé d'efforts. Il montait à cheval, maniait l'arc et l'épée, et accompagnait les chasseurs. Clodius se frottait les mains : le légat, dont la présence lui était devenue pesante, allait enfin pouvoir vider les lieux.

Cependant, en dépit des pressions du vétéran, Licinius trouvait des prétextes pour rester plus longtemps. En réalité, il n'arrivait pas à se détacher de Livie, de sa tendre présence, de son amour. Clodius savait que cette passion était sans espoir, car Licinius appartenait à la noblesse de Rome ; un jour ou l'autre, il repartirait, brisant le cœur de sa fille, et le plus tôt serait le mieux.

À bout de patience, un matin, il proposa :

– Tu veux que je t'accompagne jusqu'au Rhin ?

– Peut-être, lui répondit Licinius d'un air distrait.

Clodius s'éloigna en maugréant. Licinius contempla Livie. La jeune fille était assise sur une pierre, au bord du torrent qui longeait la maison. Penchée en avant, elle lisait, ses cheveux blonds voilant son visage. Licinius s'approcha d'elle en silence et, penché au-dessus de son épaule, il lut : « Aucune femme plus belle que toi ne verra le jour se lever sur l'océan. » C'était la poésie qu'un auteur romain nommé Catulle avait composée pour un chant de mariage.

La jeune fille sentit la présence du légat et referma vivement son livre composé de feuilles de papyrus reliées avec des planchettes de bois. Clodius en possédait une collection étonnante. Comment un simple décurion pouvait-il détenir tant d'ouvrages ? s'était souvent demandé Licinius. Était-ce lui qui avait enseigné la lecture à sa fille ?

– Qu'est-ce que tu regardes ? demanda Livie.

– Une fille savante.

– Je ne suis qu'une Barbare !

427

— Mais tu es romaine !

Elle pouffa :

— Toi, par contre... Si tes soldats te voyaient !

Licinius baissa les yeux sur ses braies cerclées de cuir, ses bottes en peau de cerf... Avec sa veste de fourrure et ses cheveux longs, il ressemblait à n'importe quel Bructère. Simulant la colère, il empoigna la jeune fille et fit mine de la jeter dans le torrent. Elle poussa un cri, s'accrocha à son cou. Sans la lâcher, il se laissa tomber sur l'herbe, et leurs lèvres se joignirent.

Clodius les découvrit ainsi, agenouillés et enlacés. D'un geste brusque, il chassa Livie, puis il dit à Licinius :

— J'ai à te parler.

Licinius le suivit à l'intérieur de la maison, où Clodius demeura un instant silencieux, comme s'il hésitait à laisser éclater sa colère.

— C'est ma faute, s'excusa Licinius.

Le vétéran balaya ses excuses d'une main impatiente.

— Cette Franque, dit-il, la fille de Richemer...

Licinius ouvrit des yeux étonnés :

— Vinka ?

— Tu voulais avoir de ses nouvelles ? J'en ai : elle vit à Midgard.

428

– C'est bien, dit Licinius en masquant son émotion.

– J'ai connu son père, ajouta Clodius d'un ton bourru.

– Richemer?

– Je vivais à Trèves, à l'époque. J'étais au service du préfet des Gaules.

– Valens?

– Lui-même. Un homme dur.

– Un traître! s'emporta Licinius.

– Je sais, dit le vétéran à voix basse.

Le regard de Licinius devint plus attentif:

429

– Que sais-tu d'autre?

Clodius eut un instant d'hésitation, puis il se lança:

– Valens a fabriqué de fausses preuves pour faire condamner Richemer.

– Qui t'a dit ça? demanda Licinius.

– C'est moi qui ai fabriqué ces preuves, avoua Clodius.

Licinius le dévisagea, incrédule:

– Toi?

– Pour certaines raisons que tu vas comprendre, je me suis fait passer pour un soldat comme les autres. Officier et secrétaire du préfet des Gaules, j'avais commis sans le savoir un acte de trahison. Valens m'a ordonné d'écrire trois lettres. J'ignorais l'usage qu'il allait en faire. Quand j'ai compris, j'ai voulu avertir Richemer, mais le préfet supprimait tous les témoins, alors j'ai dû m'enfuir pour sauver ma peau et celle de Livie. Je me suis réfugié dans ce trou, prétendant être un vétéran de l'armée.

— Pourquoi me raconter tout ça? demanda Licinius.

Clodius hocha la tête:

430 — Disons que c'est à cause des remords. J'ai entendu dire que cette Vinka essayait de venger son père. Si tu la connais, va lui répéter ce que je t'ai dit.

Une violente émotion s'empara de Licinius. Durant des mois, il avait tenté de se faire à l'idée que Vinka était morte. Et soudain il apprenait qu'elle vivait parmi son peuple. Les souvenirs du temps passé à Midgard avec elle se bousculèrent dans sa tête. L'orgueilleuse rêvait sans doute encore de victoires et de vengeance. Et lui, grâce à Clodius, tenait peut-être la preuve qu'elle avait tant cherchée, celle qui permettrait de condamner Valens et de réhabiliter Richemer. Il demanda:

– Tu pourrais témoigner ?

Clodius émit un rire forcé :

– Devant Maximien ? Ma parole ne vaudrait pas grand-chose !

À cet instant, Liam, le meilleur chasseur du village, fit irruption dans la maison et se mit à parler avec animation. Il avait capturé trois étrangers et voulait qu'on l'aide à les identifier. Clodius et Licinius l'accompagnèrent à un kilomètre du village, au cœur de la forêt. Là, trois hommes, vêtus de fourrures et d'habits de couleurs vives, gisaient sur le sol, sous la surveillance des chasseurs. Ils étaient grands, blonds, élancés, et ne paraissaient appartenir à aucun des peuples barbares que les Bructères avaient l'habitude de côtoyer.

431

– Il y en a des milliers comme eux, à l'est, dans la plaine du Neckar, expliqua Liam. Ils ont déjà pillé Hura, Berg et Midgard.

– Midgard ! s'exclama Licinius.

– Ils ont brûlé le village, mais on raconte que la fille de Wotan en a exterminé toute une horde.

« Toujours aussi redoutable ! » pensa Licinius en riant de plaisir. Reprenant son sérieux, il se mit à examiner les armes des prisonniers, s'attardant sur leurs arcs et leurs épées recourbées.

— Asiatiques, dit-il.

Liam cracha sur le sol en signe de mépris.

— Mongols, peut-être, ajouta Licinius, en notant les yeux bridés de l'un des étrangers.

Il les interrogea en grec, puis tenta quelques mots de sarmate ; l'un des prisonniers répondit :

— Nous ne voulons aucun mal à votre village.

— Et Midgard ? demanda Licinius. Et Berg ?

L'homme haussa les épaules ; ces noms lui étaient inconnus.

— Ce sont les villages francs que vous avez détruits.

432

— L'armée halani compte autant de tribus que de constellations dans le ciel, expliqua l'étranger avec fatalisme. Certaines détruisent les villages, les autres pas.

Il s'exprimait bien et semblait instruit. Licinius expliqua à ses compagnons :

— Les Halanis viennent de très loin : de la Perse et de l'Inde. Ils forment un peuple ou plusieurs, selon les situations.

— Nos ennemis ne sont pas les Francs, mais les Romains, poursuivit le Halani. Leur empereur devait nous payer un tribut. Il n'a pas tenu ses promesses.

– Vous êtes loin de Rome, fit remarquer Licinius.

Le Halani hocha la tête :

– Il y a un empereur près d'ici, au sud, avec beaucoup de richesses.

– À la tête d'une armée ?

– Une armée, oui, confirma le Halani. Au bord du fleuve.

Licinius, perplexe, consulta ses compagnons :

– Il prétend que l'empereur s'avance à la tête d'une armée, quelque part au sud.

– Dioclétien ? suggéra Clodius.

Licinius secoua la tête :

433

– Impossible, il est en Orient.

– Maximien ou Dioclétien, peu importe, il faut l'avertir.

Licinius sourit. Il n'était pas dupe de l'empressement du vétéran, dont le sort de Maximien était le cadet des soucis. Clodius voulait surtout l'éloigner du village, le séparer au plus vite de Livie.

– J'irai, fit-il. Il a parlé d'un fleuve, au sud. Il doit s'agir du Neckar.

Il se tourna vers l'étranger :

– Où est ton armée ?

– Détache-moi, proposa l'homme en souriant. Je te guiderai.

— Tu as plus de valeur comme esclave que comme guide, lui rétorqua Licinius.

Livie les attendait à l'entrée du village, pressentant un malheur. Licinius lui expliqua qu'il devait rejoindre l'armée impériale, puis il la serra dans ses bras en murmurant:

— Je reviendrai.

Des larmes silencieuses coulèrent sur le visage de la jeune fille; elle savait qu'elle voyait le légat pour la dernière fois. Brusquement, elle s'élança vers la maison et en ressortit en tirant sur le sol un coffre de sapin. Lorsqu'elle l'ouvrit, Licinius **434** découvrit son manteau de pourpre, sa tunique et son épée, qu'elle avait conservés en secret. Il tendit les mains pour lui caresser les cheveux, mais elle s'écarta.

— C'est mon devoir, se justifia-t-il.

Elle refoula ses larmes:

— Je sais.

Après avoir revêtu ses vêtements romains, Licinius choisit l'un des chevaux halanis, une bête puissante et nerveuse.

— Veille sur Livie, dit-il à Clodius. Et merci à vous tous.

Il n'osa pas croiser le regard de la jeune fille. Intelligente comme elle l'était, elle devait soupçonner l'existence d'une autre femme, cette Vinka qu'il avait évoquée plusieurs fois.

«Pardonne-moi», murmura-t-il, si bas qu'elle ne l'entendit pas.

Pour rejoindre le Neckar, Licinius suivit les chemins forestiers. Deux jours plus tard, il atteignit la voie romaine qui franchissait les Alpes au col de Giaia avant de longer le cours du fleuve. À Rottensburg, on lui confirma que l'armée impériale était passée par là une semaine auparavant. Il se dirigea vers le nord, et, après une journée de marche, traversa une région montagneuse et sauvage. Sur une hauteur, enfin, il aperçut un camp romain devant lequel flottait la bannière impériale.

435

Qu'allait-il raconter à l'empereur? Les rares cavaliers entrevus au cours de son voyage semblaient isolés et inoffensifs; l'immense armée décrite par Liam était invisible.

L'officier prétorien qui l'accueillit à la porte du camp examina avec suspicion l'étrange cavalier qui se prétendait légat impérial. Avec ses cheveux longs et sa tunique déchirée, Licinius ressemblait plutôt à un vagabond.

– Conduis-moi auprès de l'empereur ! ordonna-t-il.

Le ton autoritaire était plus convaincant que l'uniforme. Cependant, l'officier le pria d'attendre et le confia à trois farouches soldats de la garde prétorienne. «Ce doit être Maximien», songea Licinius, en se demandant s'il n'était pas venu se jeter dans la gueule du loup.

Soudain, les prétoriens se figèrent au garde-à-vous. Un cortège avançait vers eux ; un homme s'en détacha :

– Licinius !

– Constance ! s'écria le légat avec joie. Constance Chlore !

Les deux hommes s'étreignirent ; ils avaient servi ensemble contre les Sarmates, sous l'empereur Carus. Constance était un grand général, l'un des meilleurs de l'armée romaine. Sous ses ordres, Licinius, tribun à l'époque, s'était distingué à plusieurs reprises, et une solide amitié était née entre les deux hommes.

– Je te croyais mort et te voilà bien vivant, légat, s'exclama Constance.

– Je te croyais soldat, et te voilà auguste, répliqua Licinius en s'inclinant.

– Auguste, non : césar, rectifia Constance.

436

— Pardonne mon ignorance, césar, dit Licinius. Je n'ai pas la moindre idée de ce qui se passe à Rome. J'ai vécu ces derniers mois parmi les Barbares, chez qui les champignons des bois sont plus importants que les empereurs.

— Je vois ça, fit Constance en riant de bon cœur. Sache que l'empire a maintenant quatre têtes : deux augustes, Dioclétien et Maximien, et deux césars, Galère et moi. En ce qui me concerne, je vais seconder Maximien en Gaule et en Germanie. Ma dignité est récente : j'ai été intronisé le 1er mars, à Milan.

— Sage décision, approuva Licinius ; l'Empire romain est beaucoup trop vaste pour être dirigé par un empereur unique, même par deux.

Ce qu'il appréciait surtout, c'était le choix de Constance. À quarante-cinq ans, celui-ci était le chef dont Rome avait besoin : robuste, énergique, courageux. Aussi bon stratège que Maximien, il était dénué de la violence et de la cruauté qui caractérisaient ce dernier. Il savait épargner ses ennemis, tisser des alliances, pacifier des territoires rebelles sans tirer l'épée. Son intelligence et sa vaste culture rappelaient celles de Marc Aurèle, qui avait gouverné l'empire de 161 à 180 après J. C.

— Viens, fit Constance en le prenant familière-
ment par le cou. Tu vas me raconter tes aventures.

— Les Halanis, dit Licinius, revenant brusquement à l'objet de sa mission. Tu sais qu'ils
occupent le pays ?

Constance jeta un coup d'œil à son état-major,
qui n'avait rien perdu de leur entretien.

— Nombreux ? demanda-t-il.

— Une immense armée, dit-on. Ils ont pillé
plusieurs villages, mais c'est toi qu'ils veulent ;
toi, l'empereur !

Le visage de Constance se durcit :

438 — Nos éclaireurs les ont localisés, ce sont
des hordes isolées. Cependant, mes informations
confirment ce que tu dis. Les renforts que j'ai
réclamés à Vindonissa ne viennent pas ; nos cour-
riers ont dû être interceptés. En attendant, nous
avons fortifié ce camp, mais je n'ai ici que deux
cohortes, et pas la moindre machine de guerre.

— Et toi, comment es-tu passé ? voulut savoir
l'un des officiers.

Les autres considéraient le légat avec curiosité ;
ce dernier reconnut l'un d'entre eux : Horatius
Varon, qui arborait les insignes de préfet.

— Je viens de l'ouest à travers la Forêt-Noire,
expliqua-t-il. J'ai aperçu quelques cavaliers

asiatiques, j'ai eu l'impression qu'ils cherchaient à m'éviter.

— À ton avis, la voie est libre vers l'ouest ? demanda Constance.

— Je ne pense pas, non. Les Halanis se regroupent selon la technique des Sarmates, que tu connais mieux que moi. Ils prennent des forces avant le combat. C'est le moment où ils sont le plus vulnérables. Si nous étions plus nombreux, nous pourrions tenter l'offensive.

Ce « nous » fit sourire Constance.

— Comme à Breitnau, pas vrai ?

Puis son front s'assombrit :

439

— Tout porte à croire qu'ils sont concentrés au nord.

— Alors, ils ne tarderont pas à attaquer, conclut Licinius.

— Qu'est-ce qui te fait dire ça ? demanda Varon.

— L'expérience.

C'était Constance qui venait de parler.

— Combien nous reste-t-il de vivres ? s'informa-t-il.

— Six ou sept jours, répondit l'officier chargé de l'intendance.

— Nous ne tiendrons pas !

— Demandons du secours, proposa Licinius.

— Tu crois qu'on t'a attendu? grogna Varon en montrant la plaine vide.

— Aux Francs!

— Tu veux dire aux Lètes? Je ne savais pas qu'il en existait par ici.

— Pas aux Lètes, précisa Licinius, aux tribus insoumises.

— Les Barbares! Pourquoi nous aideraient-ils?

— Ils s'allieraient plutôt aux Halanis pour avoir leur part de butin! ricana un prétorien.

— Pas ceux auxquels je pense, affirma Licinius.

Chapitre 18

La forteresse

Après plusieurs heures de chevauchée, Licinius contempla Midgard avec émotion. Il y avait maintenant deux ans qu'il avait quitté l'île, et les moments passés ici, chez les Francs, comptaient parmi les meilleurs souvenirs de son existence. Au même instant, les Barbares, qui le suivaient depuis son entrée dans la forêt, l'encerclèrent et le désarmèrent. Aucun d'eux ne le connaissait.

– Pas d'autres Romains ? demanda leur chef.

– Aucun.

– Tu es seul ? Quelle imprudence !

La lame d'un sacramaxe piqua la gorge de Licinius.

– Mène-moi à Vinka, ordonna le jeune légat.

– Il parle notre langue ! s'extasia le Barbare, en accentuant la pression de son arme.

– J'ai combattu ici, avec vous, expliqua Licinius en écartant le poignard.

Soudain, un jeune garçon sortit des bois ; il se précipita sur le Romain et l'étreignit avec une force surprenante.

– Thierry ! s'écria Licinius tout joyeux. Conduis-moi auprès de ta sœur. Vite !

442 Le muet adressa aux autres des signes impérieux. Ils obéirent, tout en fixant l'officier romain d'un air mauvais.

Alors qu'ils accostaient sur l'île, Licinius constata que Vinka avait fait de Midgard une vraie forteresse.

– On m'avait dit que le village avait été détruit, murmura-t-il avec stupéfaction.

Thierry montra le ciel et la terre, puis il mima ce qui pouvait ressembler à l'éclosion d'une fleur ou au jaillissement d'un volcan.

– Les dieux ? Ce sont les dieux qui l'ont reconstruit ? hasarda Licinius.

Thierry secoua la tête en riant. Il se campa sur le rivage, tira son épée, la leva vers le ciel, puis la planta en terre.

– Une déesse ? Vinka !

Comme Licinius prononçait son nom, il l'aperçut. La reine se tenait devant l'entrée de la forteresse, entourée de ses fidèles : Kurk, Siegfried et quelques autres, qui le regardaient avec stupéfaction. Le visage de Vinka était crispé, comme si elle allait éclater en sanglots.

– Alors, petite Barbare, tu ne me reconnais plus ?

Les lèvres de la jeune reine se mirent à trembler :

443

– Licinius !

Il s'avança et la prit dans ses bras.

– Vous m'avez cru mort ? Moi aussi, j'avoue. Mais Wotan n'a pas voulu de moi, il déteste les étrangers !

Les Francs éclatèrent de rire et se ruèrent sur lui avec tant d'impétuosité qu'il dut lâcher Vinka.

– Toujours aussi câlins, les Francs ! grogna-t-il en riant.

Puis le tumulte s'apaisa. Vinka, immobile, le dévisageait comme si elle doutait encore de sa réalité. Elle n'avait pas changé, un peu maigri peut-être, mais son visage creusé faisait ressortir ses pommettes et ses yeux immenses. Une larme avait glissé sur sa joue ; Licinius en fut ému : c'était la première fois qu'il la voyait pleurer. Il dut se retenir de la couvrir de baisers. Devant ses hommes, elle ne l'aurait jamais permis.

— Six mois, finit-elle par dire d'une drôle de voix cassée. Tu as mis du temps !

Il hocha la tête :

— Il faut du temps pour revenir du royaume des morts.

— D'habitude, les Romains crèvent plus vite ! lança Kurk, salué par une tempête de rires.

— Mais celui-là n'est pas romain, bien qu'il soit petit et très laid, dit Siegfried. C'est un pied crochu !

C'était le surnom que les Francs donnaient aux créatures immortelles qui peuplaient l'arbre divin, pilier du monde.

— Viens, dit Vinka en l'entraînant dans le village afin de le soustraire aux plaisanteries de ses compagnons.

— Tu as de nouveaux guerriers, constata Licinius. La moitié de tes hommes me sont inconnus.

444

– Quatre cents, dit Vinka. Certains ont perdu leur clan au cours de la grande invasion, d'autres ont fui les Halanis.

– On m'a raconté que tu les avais vaincus !

– Deux fois ! dit Vinka avec fierté.

– Que dirais-tu d'une troisième ?

– Ils ne s'attaqueront plus à Midgard, assura-t-elle. Le gibier est trop maigre, et ses griffes trop acérées.

Elle lui montra ses défenses : un ingénieux système de catapultes, capables de projeter de l'huile enflammée vers tous les horizons. Après avoir inspecté l'enceinte, ils passèrent devant la forge, où un gnome s'activait avec une fureur démoniaque. Quand le légat évoqua Morgal, le visage de Vinka s'assombrit et elle détourna la conversation.

445

– Parle-moi de toi, lui demanda-t-elle. Comment as-tu survécu ?

Il lui raconta de quelle manière Clodius l'avait découvert et guéri, mais il évita avec soin de parler de Livie. Chaque fois qu'il pensait à elle, la culpabilité le torturait.

– Je savais que tu reviendrais, dit Vinka. Thierry me l'avait annoncé.

Brusquement, elle se tourna vers lui, noua ses bras autour de son cou et l'embrassa avec passion. Pour la première fois, elle fit cela devant ses guerriers, comme si elle était incapable de se retenir.

— Tu vas rester, maintenant, murmura-t-elle.

Licinius sourit.

— Oui, mais avant il me reste une chose à accomplir.

Chapitre 19

La guerrière
et l'empereur

Autour du camp romain, le tourbillon des cavaliers paraissait ne devoir jamais s'arrêter. Jour et nuit, de toutes les directions, les Halanis surgissaient, décochaient leurs flèches en plein galop avant de disparaître.

Les fortifications romaines étaient capables de résister à un assaut, car elles occupaient une situation stratégique, au sommet d'une colline dont les pentes n'offraient aucun abri aux assaillants. Cependant, les milliers de flèches qui s'abattaient sur elles décimaient les défenseurs et démoralisaient les survivants.

Abrité sous un scutum, bouclier de bois renforcé de fer, l'empereur évalua ses forces : la moitié de ses soldats étaient morts ou blessés. Les autres, trop peu nombreux pour tenter une sortie, étaient si fatigués qu'ils avaient à peine la force de se battre, et leurs chevaux avaient presque tous été tués. Il lui restait six cents hommes, l'effectif d'une cohorte. Trop peu pour tenter une sortie. Les Halanis étaient des milliers. Leurs chevaux, rapides, les mettaient hors de portée des arcs et des pilums romains.

448 Soudain, comme Constance regardait vers le nord du côté du fleuve, résigné à mourir avec ses hommes, la prairie s'embrasa. Il crut tout d'abord que les Halanis allumaient un brasier, mais les vagues de cavaliers qui battaient ses défenses refluèrent aussitôt.

– César, regarde ! cria Varon en montrant la vallée. Des catapultes !

Un peu partout, des boules de feu explosaient, semant la panique parmi les assaillants. Constance émit un grognement de satisfaction. Des catapultes ! Juste ce dont il rêvait : des machines de guerre capables de projeter d'énormes ventres d'argile remplis d'huile enflammée à plus de deux cents mètres !

– Les renforts ! s'écrièrent les légionnaires en agitant leurs armes.

Constance les rappela à l'ordre :

– Gardez vos positions !

Au fond de la vallée, les explosions se multipliaient. L'huile se répandait sur le sol, enflammant l'herbe et les cavaliers tombés à terre. Les Asiatiques, qui s'étaient regroupés pour faire face à l'armée de secours, semblaient pris en tenaille.

– Combien sont-ils ? s'exclama Varon avec une excitation joyeuse.

À présent, c'était l'Ouest qui flambait ; les Halanis refluaient de toutes parts.

– En position d'attaque ! commanda Constance.

Il ne serait pas dit qu'il avait assisté à la victoire sans participer à la bataille !

Les buccins retentirent. Aussitôt, les décurions rassemblèrent les soldats valides et les articulèrent en manipules. Les cavaliers se mirent en selle. En dépit de la fatigue, une jubilation rageuse s'était emparée des légionnaires. Après avoir servi de cibles durant deux jours, ils allaient enfin pouvoir se battre !

L'armée se déploya devant les fossés, puis elle progressa avec lenteur le long de la pente. En bas, dans la vallée, les Halanis se divisèrent en deux groupes. Malgré leurs pertes, ils étaient encore assez nombreux pour combattre sur deux fronts à la fois. Plusieurs milliers d'entre eux chargèrent la petite armée impériale. À l'arrière de celle-ci, les vétérans agenouillés plantèrent le talon de leurs lances et dressèrent un mur de fer contre les cavaliers adverses. À l'avant, les fantassins mobiles lancèrent leurs javelots avant de se replier derrière les lanciers, d'où ils procédèrent à un deuxième jet. Les Halanis de tête s'écroulèrent, mais d'autres survinrent. Pour échapper à leurs flèches meurtrières, les Romains se recouvrirent de leurs boucliers, formant une tortue.

Constance se préparait à ordonner le repli lorsque de nouvelles explosions se succédèrent, à quelques dizaines de mètres à peine des lignes romaines. La cavalerie des Halanis se disloqua ; les bêtes affolées fuyaient dans toutes les directions. C'est alors qu'une colonne de cavaliers surgit de la forêt et traversa la masse des envahisseurs comme un ouragan. À sa tête chevauchait un jeune guerrier vêtu d'un manteau blanc et dont l'épée frappait à droite et à gauche avec une rapidité sidérante.

La colonne disparut comme elle était venue, laissant derrière elle un grand nombre d'Halanis au sol. Les survivants se replièrent au-delà des rideaux de flammes.

– Attaque ! hurla Constance.

Les Romains reprirent leurs positions et marchèrent sur les Asiatiques. De tous côtés, les catapultes continuaient à déchaîner la foudre, empêchant ces derniers de se regrouper.

La horde asiatique n'était plus qu'une masse confuse au milieu de la plaine. Comme elle refluait vers le fleuve, une nouvelle colonne de cavaliers apparut et se jeta dans la mêlée. L'empereur reconnut Licinius, entouré de gigantesques guerriers germaniques. Sous le choc, les Halanis cédèrent brusquement et s'enfuirent vers les montagnes de l'Ouest. Le cavalier au manteau blanc jaillit à son tour et les prit en chasse à la tête de ses hommes.

Au signal de leur chef, les Romains cessèrent le combat. Sous leurs yeux, des centaines de cavaliers et de chevaux gisaient sur les pentes fumantes.

– Belle victoire, césar, apprécia Varon.

Constance sourit :

– Tactique remarquable ! Un peu insolite, non ?

451

Licinius les rejoignit en compagnie de ses Barbares. Il mit pied à terre et s'inclina devant l'empereur, son ami.

— C'est quoi, cette armée ? demanda Constance.

Les yeux de Licinius brillèrent.

— Des Francs, les meilleurs soldats du monde.

— Ce feu : ils combattent comme des Romains !

— Mieux, dit Licinius.

— Il me les faut ! s'écria l'empereur.

Licinius éclata de rire :

— Ça, c'est une autre histoire !

Constance s'avança vers les rudes cavaliers qui n'étaient pas descendus de cheval. Parmi eux, Kurk, Siegfried et Karma le dévisagèrent avec hostilité.

— Je vous dois beaucoup, admit l'empereur. Et je vous prouverai bientôt que Rome n'est pas ingrate à l'égard de ceux qui la servent. Voulez-vous combattre à mes côtés ? Votre prix sera le mien. Que voulez-vous : des terres ? de l'or ?

Comme les Francs gardaient le silence, il s'adressa à Licinius :

— Parle-leur, toi. Ils ne me comprennent pas.

— Adresse-toi plutôt à leur chef, lui conseilla Licinius.

— Leur chef ?

Constance chercha, parmi les Barbares, celui dont parlait Licinius. À cet instant, le guerrier au manteau blanc arriva à la tête d'une cavalerie impressionnante. Il sauta à terre et se dressa avec fierté devant l'empereur. Sous son manteau taché de sang, il était vêtu d'une courte tunique, sans la moindre cuirasse.

«C'est une femme!» réalisa l'empereur avec stupeur.

– Qui es-tu? lui demanda-t-il en fronçant les sourcils.

Elle lui jeta un regard de défi:

– Je suis Vinka, fille de Richemer, roi des Francs, allié de Rome et condamné injustement par les tiens.

– Richemer?

Constance fouilla dans sa mémoire; ce nom ne lui était pas inconnu... Soudain, il se souvint:

– Richemer, oui... le complot contre Probus!

– Tu veux sans doute parler du complot de Valens, rétorqua Vinka.

L'empereur fronça les sourcils:

– Valens? Le préfet des Gaules?

– C'est lui le coupable, confirma Licinius. Démasqué par Richemer, il a fait accuser le roi des Francs, que Maximien a condamné.

453

– En es-tu certain ? Valens a fait l'objet de plusieurs enquêtes, fit remarquer Varon.

Une âpre rivalité opposait les deux préfets, celui des Gaules et celui du prétoire.

– Je sais cela, coupa Constance. Mais Maximien le protège ; il doit avoir ses raisons.

– Je n'en vois qu'une, dit Licinius : c'est que Valens est plus impitoyable que lui. Pour Maximien, c'est une vertu. À mon avis, c'est la pire méthode, et Dioclétien n'est pas loin de me donner raison. Il m'a envoyé en Germanie pour rallier les Barbares. Les Francs m'ont bien accueilli. Valens, lui, m'a fait jeter aux fauves !

Constance le dévisagea avec incrédulité.

– Toi ?

– Dans l'arène !

Constance regarda Varon, comme pour le prendre à témoin :

– Il se passe ici des choses étranges, dit-il.

Vinka sourit avec mépris :

– Des choses romaines.

– Tous les Romains ne sont pas ainsi, se défendit Constance. Sinon, pourquoi serais-tu venue nous porter secours ?

– Pour m'acquitter d'une dette, répondit Vinka avec un bref regard pour Licinius.

– Et si je te demandais de continuer ? Je t'ai vue combattre : c'était magnifique ! Rome a besoin de guerriers comme les tiens. Veux-tu être notre alliée ?

– Comme mon père ? demanda Vinka avec ironie.

– Si je réhabilitais Richemer ? Si je rendais à ton peuple ses terres et ses biens, tout ce que Rome lui a pris ?

Vinka dévisagea Constance. Avec son regard clair, sa voix grave et son air loyal, le personnage inspirait confiance. Son seul défaut était de servir Rome !

– C'est l'empereur qui te demande cela, ajouta-t-il.

– L'empereur accepterait de punir Valens, le véritable traître ?

– S'il est coupable, oui, sans hésiter, assura Constance.

Licinius secoua la tête d'un air sceptique :

– Contre la volonté de Maximien ?

– Maximien est parti pour l'Afrique en me laissant les pleins pouvoirs. Je suis seul maître de la Gaule et de la Germanie.

– Alors, je te fournirai les preuves que tu réclames, affirma Vinka.

Chapitre 20

Les cendres

Tandis que Constance poursuivait sa route vers Trèves et que Vinka ramenait son armée et ses machines de guerre à Midgard, Licinius, accompagné d'une petite troupe de cavaliers romains, se dirigea vers Hartz. Il devait persuader Clodius de témoigner contre Valens en présence du nouvel empereur.

À l'idée de revoir Livie, son cœur se mit à battre plus vite. Une foule de questions l'assaillit: comment allait-elle interpréter son retour? Si son père se rendait à Trèves, n'exigerait-elle pas de l'accompagner? Et comment réagirait-elle en présence de Vinka ? Il lui devait tant ; pour rien au monde il n'aurait voulu la blesser ! C'est pourtant ce qu'il avait fait en n'écoutant que son plaisir et en lui donnant de l'espoir, au lieu de lui avouer que son cœur appartenait à une autre.

Perdu dans ses pensées, il ne remarqua pas, tout d'abord, le silence qui régnait dans le vallon où s'élevait le village. Sa gorge se noua lorsqu'il découvrit des vestiges noircis à la place des maisons de bois.

– Les Halanis ! s'écria l'un de ses cavaliers en tirant son épée.

Licinius secoua la tête : que les Asiatiques seraient-ils venus faire dans ce coin perdu ? Hartz se trouvait à l'écart des routes, invisible, inaccessible, et ne possédait aucune richesse.

Ils mirent pied à terre et fouillèrent le village en ruine. D'abord, ils ne rencontrèrent personne.

« Ils se sont peut-être enfuis », songea Licinius. Il se raccrocha de toutes ses forces à cet espoir, jusqu'à ce que ses hommes découvrent une rangée de tombes, à l'orée de la forêt, dont l'une était surmontée d'une croix de bois.

– Un chrétien ! s'étonna un soldat.

Dans toute la contrée, Licinius le savait, il n'y avait que deux chrétiens : un vieux soldat et sa fille. La douleur lui déchira le ventre.

Soudain, des bruits de pas se firent entendre ; les Romains tirèrent leurs armes.

— Ce sont des amis, dit Licinius en reconnaissant Liam, le chasseur, et ses parents, qui les observaient sans oser s'approcher.

— C'est Livie ? demanda Licinius en montrant la croix.

Liam secoua la tête. Licinius ferma les yeux et revit la jeune fille lisant au bord du torrent, son sourire plein de tendresse. Le poème lui revint en mémoire : « Aucune femme plus belle que toi ne verra le jour se lever sur l'océan. »

Il demanda pour la forme, car il connaissait maintenant la réponse :

— C'étaient des Halanis ?

Liam acquiesça en silence.

— Pas d'autres survivants ?

— Si, Clodius. Venez, je vais vous conduire.

Le vieil homme était étendu sous un abri de feuillage, au sein de la forêt. Ses yeux étaient clos, sa respiration difficile. Liam souleva sa tunique, découvrant un bandage sanglant à la hauteur du ventre. Clodius souleva les paupières et grimaça un sourire.

– Il est trop tard, légat.

– Je suis désolé.

Clodius secoua faiblement la tête :

– La mort est douce.

Le vieux soldat ne viendrait pas à Trèves pour témoigner devant Constance ; Vinka perdait-elle avec lui son unique chance d'obtenir justice ? Pour le moment, tout cela n'avait guère d'importance aux yeux de Licinius : seules comptaient la souffrance de Clodius, et sa hâte de retrouver son épouse et sa fille au paradis des chrétiens.

Chapitre 21

Le procès

Un mois jour pour jour après la victoire du Neckar contre les Halanis, Vinka entra à Trèves. En franchissant la porte de l'Est, elle accorda un regard au grand amphithéâtre, à présent endormi.

— C'est ici que tu as combattu les lions ? demanda Kurk.

— C'est là, dit Vinka.

— Pauvres bêtes ! soupira le Barbare.

En représailles, il reçut un coup de plat d'épée sur les reins et son cheval faillit le jeter à terre. Les Francs éclatèrent de rire. Vinka les imita. Elle se sentait de bonne humeur. Trèves n'était plus la cité ennemie qui avait jadis tenté de la détruire. Aujourd'hui, elle y chevauchait comme une reine, à la tête de cinq cents cavaliers. On l'accueillait en alliée et non plus en rebelle. L'empereur, qui lui avait adressé plusieurs messages d'amitié, avait donné des ordres : devant elle, les soldats des cohortes urbaines ouvraient les portes de la ville et dégageaient les rues.

— Dire que j'ai volé un cheval, ici même, dit Siegfried.

— Moi, un pain dans cette échoppe, fit Kurk.

Ils avaient grandi comme des vagabonds dans cette cité qui avait été témoin de la gloire de Richemer. Les premiers, ils avaient aidé Vinka à survivre, alors qu'elle avait tout perdu. Aujourd'hui, ils inspiraient plus de peur et de respect que de pitié.

Vinka observait avec satisfaction les regards inquiets de la foule et la nervosité des soldats. Sa main se crispa sur la poignée de son épée. Elle allait enfin pouvoir affronter Valens d'égale à égal ; l'empereur le lui avait promis. Et puis, elle allait revoir Licinius, dont l'absence lui avait paru interminable.

Elle talonna son cheval avec impatience et bondit à terre devant le palais. Le préfet du

461

prétoire, Horatius Varon, s'avança aussitôt en compagnie d'une dizaine de gardes en uniformes noirs.

— Bienvenue à toi, Vinka, la salua-t-il, avec une chaleur qui la surprit.

L'homme semblait aussi sincère que Constance, mais elle se méfiait : elle connaissait un préfet qui s'était prétendu l'ami de son père, et qui n'avait pas hésité à le faire mettre à mort.

— L'empereur t'attend, annonça Varon.

— Et mes cavaliers ? demanda-t-elle en montrant ses hommes, dont les chevaux encombraient la place impériale et les rues jusqu'aux berges du fleuve.

— Les entrepôts pour les bêtes, le gymnase pour tes guerriers. César a ordonné un banquet et des jeux à leur intention.

— Ton maître est très généreux, dit-elle en dissimulant un sourire.

D'un geste, elle éloigna Kurk, qui s'apprêtait à entrer avec elle au palais ; puis elle suivit Varon et les prétoriens.

Elle avait repoussé sur ses épaules son manteau immaculé, qu'elle portait avec fierté. Celui-ci, comme les précédents, avait été tissé par les femmes du village. Lorsque, après une bataille,

462

le vêtement était déchiré ou taché de sang, un nouveau faisait son apparition, et Vinka ignorait toujours quelles femmes l'avaient fabriqué.

L'empereur Constance l'attendait dans une pièce ornée de tentures brodées de fils d'or. Il portait un manteau de pourpre, suivant les directives de Dioclétien, qui voulait donner plus de majesté à la fonction impériale. Toutefois les façons du césar restaient simples et chaleureuses.

– Voici donc la fille de Richemer, lança-t-il, avant de l'inviter à s'asseoir sur un tabouret, face au siège où il prit place.

Certains membres de l'assemblée saluèrent la jeune reine, d'autres lui sourirent ; c'était la première fois qu'on lui manifestait une telle bienveillance depuis qu'elle avait quitté Trèves, enfant, pour se rendre à Rome, à l'époque où Richemer était roi. Cependant, elle ne vit ni Licinius ni Valens. L'empereur avait-il oublié la raison de sa venue ? Elle avait été claire, pourtant : elle ne signerait pas d'alliance avant d'avoir obtenu la punition de Valens.

Constance se leva. Aussitôt, la plupart des dignitaires présents quittèrent la pièce ; ne restèrent que Varon et quatre officiers.

L'empereur se mit à marcher de long en large avec un air préoccupé.

– L'empire est menacé de toutes parts, commença-t-il. En Bretagne, en Germanie, en Pannonie, en Dacie, en Perse, en Maurétanie, partout les Barbares nous harcèlent. Nos armées sont valeureuses, leurs victoires se multiplient, nos provinces sont défendues ou reconquises, mais l'ennemi extérieur n'est pas le plus dangereux. La vraie menace est ici, au cœur de l'empire.

Comme il prononçait ces mots, Valens entra. Il arborait un sourire orgueilleux, mais ses épaules étaient voûtées et ses mains nerveuses trahissaient son anxiété.

– Prends un siège, Valens, lui conseilla Constance avec familiarité. Tu arrives à point : je parlais de la maladie qui affaiblit notre empire.

– Les Bagaudes, sans doute, soupira Valens.

– Les Bagaudes ! s'exclama Constance. Je me moque bien de ces vagabonds ! Dans un mois, mes légions les auront soumis. Non, je parlais d'une maladie plus grave : la trahison.

Il regarda Valens au fond des yeux. Loin de se troubler, le préfet reprit avec assurance :

– Tu veux parler des usurpateurs, césar. Il en naît un peu partout. Carausius est le plus dangereux : il a beau proclamer sa fidélité à Dioclétien, le maître de la Bretagne ne songe qu'à démanteler l'empire à son profit.

– Tu sembles bien renseigné, lâcha l'empereur avec une secrète ironie.

– J'ai des preuves, reprit doucement Valens. C'est Carausius qui a suscité la grande invasion des Francs et des Alamans, celle qui a anéanti plusieurs de nos cohortes et ravagé une partie de la Belgique. Et la fille de Richemer est son alliée.

– Mensonges ! s'écria Vinka en portant la main à son épée.

Varon la maîtrisa et lui fit signe de prendre patience.

– Voyons ces preuves, enchaîna Constance avec gravité.

Valens fit un geste, et un nouveau personnage fit irruption dans la salle. Un cercle d'or retenait ses cheveux blonds semés de fils gris et une armure d'écailles enserrait son torse généreux.

– Chark ! murmura Vinka, sidérée.

Que venait faire le pirate au palais impérial ? Valens l'avait peut-être soudoyé, songea-t-elle.

465

Cependant, après avoir pillé tant de navires et de villes, Chark n'aurait jamais pris le risque de venir se jeter dans la gueule du loup. Non, il était plus probable que Valens l'eût pris au piège pour le forcer à témoigner.

— Dis ce que tu sais, triompha le préfet.

— Je m'appelle Chark, dit le pirate. Ceux qui vivent dans ce pays connaissent bien mon nom; les autres apprendront un jour à le connaître.

Son regard malicieux se posa sur Vinka :

— C'est vrai, j'ai aidé les Francs et les Alamans à traverser le Rhin. Pendant ce temps, Carausius débarquait en Gaule et s'emparait d'Amiens et de Beauvais.

« Vendu ! Charogne ! » fulmina intérieurement Vinka.

Tous les regards s'étaient fixés sur elle. Elle était tombée dans un guet-apens. Une fois de plus Valens triomphait !

Chapitre 22

La sentence

Vinka se reprocha amèrement d'avoir fait confiance à l'empereur. Depuis le temps, elle aurait dû savoir ce que valait la parole d'un Romain !

À cet instant, Licinius fit son apparition, le visage crispé par l'inquiétude. Il avait dû entendre le témoignage de Chark, pensa Vinka. Cependant, sa présence la rassura.

– Ainsi, Valens, résuma l'empereur, tu affirmes qu'il existe une alliance entre Carausius et la fille de Richemer ?

Valens allait répondre quand Chark le devança·

— Une alliance, certes, confirma-t-il. Mais pas entre Vinka et Carausius : ils ne se connaissaient même pas.

— De quelle alliance parles-tu, alors ? s'écria Constance, impatient.

— Mais... de celle de Carausius et de Valens, dit Chark avec innocence.

— Misérable ! gronda le préfet. Comment oses-tu mentir en présence de l'empereur ?

Sa voix s'étrangla ; il s'essuya le front d'une main tremblante.

— Cet homme ment ! reprit-il d'une voix haineuse. Il est de mèche avec les rebelles !

— Cet homme, c'est toi qui l'as cité devant ce tribunal, fit remarquer Constance.

— Je ne pouvais pas me douter qu'il me trahirait !

Licinius, silencieux jusque-là, s'avança au milieu du prétoire et dit :

— Ça te va bien de parler de trahison !

— Vous voulez tous ma perte, balbutia Valens, parce que j'ai découvert vos machinations.

— Comme tu as démasqué mon père, pas vrai ? s'écria Vinka.

— Comme Richemer, oui, qui peut dire le contraire ?

— Moi, affirma Chark. Je peux le prouver !

Constance laissa échapper un mouvement d'irritation :

— Quelles sont tes preuves ?

— Des lettres, plaida Chark.

Il se tourna vers Licinius, qui tendit à l'empereur trois rouleaux de papyrus. Après les avoir déroulés, Constance les parcourut du bout des yeux. Visiblement, il connaissait déjà leur existence.

— César, protesta Valens, ce n'est pas ce que tu crois.

— Ces lettres sont donc fausses ?

— En quelque sorte. Il s'agissait d'un piège destiné à faire croire à l'usurpateur que j'étais son allié, puis à le rencontrer et me saisir de lui. Maximien pourra te le confirmer.

— Ce n'est pas Maximien que j'ai interrogé, dit Constance d'une voix glaciale. C'est Carausius lui-même et il m'a répondu. À force de tromper les uns et les autres, tes manœuvres finissent par se retourner contre toi. Tes complices eux-mêmes te condamnent !

— Tu m'accuses, moi, un sénateur d'empire ! s'indigna Valens.

— Tu ne l'es plus ! décréta l'empereur. Ces lettres prouvent que tu as trahi Maximien, comme tu

469

avais trahi Probus. Tu as fait condamner à ta place un innocent, Richemer, qui avait si bien servi Rome. Ensuite, tu as agi de même avec sa fille. Tu n'es plus rien, tu entends? De ce jour, toutes tes dignités te sont retirées, et tes biens confisqués. Je devrais te faire trancher la tête; cependant, je t'offre une chance de sauver ta vie!

Perdant toute fierté, Valens voulut baiser la main de l'empereur, mais celui-ci le repoussa avec dégoût.

– Puisque tu apprécies les jeux du cirque, dit-il, tu vas combattre. Veux-tu être son adversaire, Vinka?

La jeune reine, d'abord surprise, accepta avec une joie sauvage. Depuis tant d'années elle rêvait d'un duel contre le mortel ennemi de son père.

– Tu défendras l'honneur de Rome, annonça Constance.

Vinka secoua sa tresse blonde.

– Celui de Richemer! corrigea-t-elle.

Pour éviter les troubles, l'empereur décida que le combat aurait lieu dans l'une des cours du palais, entourée d'une colonnade sous laquelle prirent place la plupart des officiers et des dignitaires civils de Trèves, à l'abri derrière la garde prétorienne.

– Prends garde à toi, murmura Licinius, en pressant l'épaule de Vinka.

Elle lui sourit, détacha son manteau blanc et le lui lança.

– Mets cette cuirasse, exigea l'un des prétoriens en lui tendant un vêtement de cuir recouvert d'écailles de fer.

– Marcus Varus ! s'exclama-t-elle en reconnaissant le centurion. Tu n'es donc pas mort à Hartz ?

– Toi non plus, à ce que je constate ! répondit Varus. Mais tu devrais tout de même porter ça pour rester en vie.

Elle le repoussa :

– Trop lourd pour moi !

Elle ne portait qu'une courte tunique qui découvrait les cicatrices de ses jambes et de ses épaules, et serrait dans sa main l'épée de Wotan.

Sous la colonnade, la foule grossissait sans cesse. Ce n'était pas tous les jours qu'on pouvait voir une Barbare affronter l'un des plus puissants personnages de l'empire !

Un bref silence salua l'entrée de Valens. Avec sa cuirasse dorée, son casque orné d'un panache rouge, ses jambes et ses bras recouverts de métal étincelant, il avait grande allure ; face à lui, Vinka semblait bien frêle.

Les deux ennemis s'observèrent un long moment, et Vinka vit que le préfet déchu souriait, ce qui attisa sa fureur. Puis l'empereur donna le signal du combat.

Selon son habitude, Vinka demeura immobile, l'épée loin du corps, offerte aux assauts de son adversaire. Valens marcha sur elle sans hésiter et abattit son épée. La lame résonna sur les dalles de pierre : Vinka avait esquivé avec souplesse. Sans attendre, Valens porta une deuxième attaque, mais la reine se baissa, et l'épée du Romain lui frôla les cheveux. Soudain, elle bondit ; son arme résonna sur la cuirasse de bronze et, presque simultanément, sur le casque dont elle trancha le panache.

Au lieu de manifester de l'inquiétude devant la rapidité foudroyante de la jeune guerrière, Valens affichait toujours la même sérénité. Il se rua sur elle, essayant de l'atteindre aux jambes. Elle dévia son arme et, dans le même mouvement, abattit la sienne. Le casque du préfet tomba, ainsi que l'attache de la cuirasse protégeant son épaule gauche. Elle songea à le dépouiller ainsi, à coups d'épée, pour l'humilier et effacer son sourire. Mais, comme il semblait insensible à ses coups, elle résolut d'en finir. Elle fit deux pas et lui tourna le dos.

La foule retint son souffle.

– Tu es folle ! murmura Licinius.

Soudain, elle perçut le mouvement de son adversaire ; elle pivota et frappa du tranchant de la lame le cou du traître, qui s'écroula, sa lame effleurant seulement le bras nu de Vinka. Après un moment de stupeur, des acclamations saluèrent l'exploit de la jeune guerrière. Les plus enthousiastes franchirent le barrage des prétoriens et l'entourèrent. Parmi eux, Vinka découvrit le visage consterné de Licinius.

– Tu es blessée !

Elle ne put s'empêcher de rire :

– Simple égratignure !

Mais il conserva un air affolé qui l'attendrit.

– Ne t'inquiète pas, dit Marcus Varus. Au dernier moment, j'ai échangé les épées.

Elle dévisagea le centurion.

– Les épées ?

– Celle de Valens était empoisonnée !

Chapitre 23

Le retour

Le brouillard ouatait le bruit des sabots et ruisselait sur les casques. L'armée franque chevauchait lentement vers Midgard.

– Tu prétends que l'épée de Valens était empoisonnée ? s'exclama Siegfried.

Vinka approuva :

– Elle l'était. Si Marcus Varus n'avait pas veillé sur moi, vous devriez aujourd'hui choisir une autre reine.

– Un roi, corrigea Kurk. Les rois, c'est quand même autre chose que les reines !

Il ne put en dire davantage, car Vinka se pencha, le saisit par la cheville et le fit basculer dans la boue.

— Il y a des moments où je voudrais bien avoir une épée empoisonnée, moi aussi! grogna-t-il, en se redressant tout crotté sous les rires de ses compagnons.

— Pas de chance, dit Vinka. L'empoisonneur est mort, sans doute étranglé par les complices de Valens, et son secret a disparu avec lui. Cet homme était un Phénicien au service de Maximien, mais Valens avait recours à ses services, de temps à autre.

475

— Comment fait-on pour empoisonner une épée? demanda Siegfried.

— On enduit la lame de venin, on laisse sécher, puis on recouvre de cire, expliqua Vinka. À la moindre blessure, la cire fond à la chaleur du corps et le venin pénètre dans le sang.

— Facile, dit Siegfried. Karma connaît tous les poisons du monde. Pourquoi ne pas essayer?

Vinka hocha la tête.

— Les Romains l'ont fait, sans résultat. La cire ne fond pas et le venin agit trop lentement.

— Simple légende, sans doute, dit Kurk en haussant les épaules.

Vinka sourit, nostalgique. Elle revoyait son combat dans l'arène et la mort des lions. Son épée était bel et bien empoisonnée, sans doute sur l'ordre de Maximien. Ce jour-là, Licinius combattait à ses côtés. Mais ce temps heureux était bien loin : l'empereur lui ayant confié le commandement des légions de Germanie, le jeune Romain était resté à Trèves. Jusqu'au dernier moment, elle avait espéré qu'il repartirait avec elle, car il le lui avait promis. Mais que serait-il venu faire à Midgard, alors que l'empereur, son ami, le couvrait de richesses et d'honneurs ?

476   De son côté, Licinius avait tenté de la retenir, et Constance avait offert à Vinka les domaines de Richemer, ainsi que ceux qui avaient jadis appartenu à Torwald : des milliers d'arpents de bonnes terres. Elle avait refusé d'abandonner son peuple, les guerriers qui l'avaient suivie fidèlement, s'étaient battus pour elle et avaient contribué à forger sa légende. Pour eux, elle avait rompu avec l'homme qu'elle aimait et sacrifié son bonheur.

À présent, Vinka se sentait seule et désespérée. Un jour, peut-être, les Romains feraient appel à elle ; alors, elle reverrait Licinius et lutterait à ses côtés. Après tout, ils étaient alliés, maintenant...

Mais elle avait beau caresser cet espoir, elle n'y croyait plus. Sans l'amour de Licinius, son désir de vengeance assouvi avec la mort de Valens, elle avait le cœur vide et jugeait sa vie désormais sans objet.

Depuis un moment, elle avait cessé d'écouter le bavardage de ses hommes, lorsqu'un appel la tira de sa rêverie :

– Un cavalier !

À travers le brouillard, elle entendit un galop.

– Un messager de l'empereur, qui sait ? suggéra Kurk.

– Il vient sans doute annoncer un petit chargement d'or, dit Siegfried.

Les rires fusèrent. Constance s'était montré généreux à l'égard de ses nouveaux alliés ; il leur avait offert plusieurs chariots de vin, d'étoffes précieuses et d'argent, dont ils avaient donné une partie à Chark en remerciement de son témoignage.

Soudain, le brouillard se déchira et ils aperçurent le cavalier.

– C'est un Franc ! annonça Siegfried.

L'homme portait des fourrures sur une cuirasse d'écailles.

– Pas tout à fait, corrigea Kurk en se portant au-devant du nouveau venu.

Il saisit ce dernier à bras-le-corps et lui administra de vigoureuses claques dans le dos, sans se soucier de leurs deux chevaux, qui ruaient et se montraient les dents.

– Licinius ! murmura Vinka.

Le Romain ôta son bonnet de fourrure en riant :

– Tu croyais m'échapper, petite Barbare ?

Il enleva la jeune reine dans ses bras et la déposa sur son cheval, contre lui, entre ses bras.

– C'est raté, murmura-t-il, en posant ses lèvres sur les siennes, sous les rires moqueurs des rudes cavaliers qui assistaient à la scène.

– Que va dire l'empereur ? demanda Vinka.

Licinius hocha la tête :

– Il m'a ordonné de m'installer à Midgard afin de te surveiller.

– C'est une sage décision, dit Vinka, radieuse, en nouant ses bras autour de son cou et en lui rendant son baiser.

Cet ouvrage a été mis en pages
par DV Arts Graphiques La Rochelle

Impression réalisée par

C P I
Brodard & Taupin

La Flèche
en février 2009

pour le compte des Éditions Bayard

Imprimé en France
N° d'impression : 50657